GEORG PLASGER

DIE NOT-WENDIGKEIT DER GERECHTIGKEIT

EINE INTERPRETATION ZU „CUR DEUS HOMO" VON ANSELM VON CANTERBURY

ASCHENDORFF MÜNSTER

BEITRÄGE ZUR GESCHICHTE DER PHILOSOPHIE
UND THEOLOGIE DES MITTELALTERS

Texte und Untersuchungen

Begründet von Clemens Baeumker
Fortgeführt von Martin Grabmann und Michael Schmaus
Im Auftrag der Görresgesellschaft herausgegeben von
Ludwig Hödl und Wolfgang Kluxen

Neue Folge
Band 38

Gesamtherstellung: Druckhaus Aschendorff, Münster, 1993

ISSN 0067-5024

ISBN 3-402-03933-8

si non credimus ille fidelis manet negare se ipsum non potest.
II Tim 2,13

Anima de misera servitute sanguine dei redempta et liberata:
retracta ubi et quae sit virtus tuae salvationis,
versare in meditatione eius, delectare in contemplatione eius.
Med. red. (III,84,3–7)

INHALTSVERZEICHNIS

VORWORT

Die vorliegende Arbeit stellt die leicht überarbeitete und gekürzte Fassung meiner Dissertation dar, die 1991 von der Kirchlichen Hochschule Wuppertal angenommen wurde.

Die Menschwerdung Gottes in Jesus Christus ist das zentrale Bekenntnis des christlichen Glaubens, zugleich aber läßt sie uns Menschen immer wieder nach ihrer Bedeutung fragen. Menschen des elften Jahrhunderts und Menschen des zwanzigsten Jahrhunderts unterscheiden sich da wohl grundsätzlich wenig. Anselm von Canterbury hat sich dieser Frage in pointierter und wegweisender Form gestellt. Seinen Weg habe ich etwas nachzuzeichnen versucht.

Im Verlaufe meiner Studien zu Anselm erschien die Dissertation von Gerhard Gäde, Eine andere Barmherzigkeit. Zum Verständnis der Erlösungslehre Anselms von Canterbury. Würzburg 1989. Den Titel von G. Gädes Arbeit hatte ich ursprünglich für die vorliegende Arbeit vorgesehen - auch deshalb habe ich mich mit ihm in besonderer Weise auseinandergesetzt.

Zu danken habe ich vielen, die mich in meiner Arbeit ermutigt und begleitet haben; auch wenn ihre Namen nicht aufgeführt sind, so wisse sich jeder und jede angesprochen.

Herausheben möchte ich aber zunächst Herrn Prof. Dr. Pfr. Jürgen Fangmeier, dessen Assistent und Vikar, später dann Assistent und Pastor coll., ich mehr als dreieinhalb Jahre sein konnte; er hat auch das Erstgutachten erstellt. In der Hochschul- und Gemeindearbeit habe ich sehr viel von ihm lernen dürfen. Er hat meine Arbeit mit Engagement und Interesse in vielerlei Hinsicht unterstützt. Herrn Prof. Dr. Dr. Rainer Röhricht danke ich für das Zweitgutachten.

Die Mitarbeiterinnen der Bibliothek der Kirchlichen Hochschule Wuppertal, insbesondere Ulrike Köttgen und Ingrid Leifert, haben mir sehr bei der Literaturbeschaffung geholfen. Und meine Freunde und Freundinnen Thomas Fender, Martina Gregory, Joachim Lenz und Margret Noltensmeier haben mich durch Mitdenken, Mit- und Korrekturlesen hilfreich unterstützt.

Für die Aufnahme in die Reihe „Beiträge zur Geschichte der Philosophie und Theologie des Mittelalters" danke ich den Herausgebern, besonders Herrn Prof. Dr. W. Kluxen. Ein Dank gebührt ebenfalls der Görresgesellschaft zur Pflege der Wissenschaft, die die Drucklegung des Buches durch einen großzügigen Druckkostenzuschuß unterstützte.

Bösinghausen bei Göttingen, im Mai 1993 Georg Plasger

LITERATURVERZEICHNIS

I. Werke Anselms von Canterbury

Cur Deus Homo. Warum Gott Mensch geworden. Lateinisch-Deutsch. Besorgt und übersetzt von Franciscus Salesius Schmitt. Darmstadt 1956.

Gebete. Übersetzt und eingeleitet von Leo Helbling. Einsiedeln 1965.

Monologion. Proslogion. Die Vernunft und das Dasein Gottes. Deutsch-Lateinische Ausgabe. Übersetzt, eingeleitet und erläutert von Rudolf Allers. Köln 1966.

S. Anselmi Cantuarensis Archiepiscopi Opera Omnia. Hg. v. Franciscus Salesius Schmitt.
Volumen Primum. Edinburgh 1946.
Volumen Secundum. Rom 1940.
Volumen Tertium. Edinburgh 1946.
Volumen Quartum. Edinburgh 1949.
Volumen Quintum. Edinburgh 1951.
Volumen Sextum. Edinburgh 1961.

Wahrheit und Freiheit. Über die Wahrheit. Über die Freiheit des Willens. Vom Fall des Teufels. Von der Vereinbarkeit des Vorherwissens, der Vorherbestimmung und der Gnade Gottes mit dem freien Willen. Einsiedeln 1982.

Cur Deus homo. In: S. Anselmi Opera Omnia hg. v. D. Gabriel Gerberon. Accurante J. P. Migne. Bd. 1 (= PL Band 158). Paris 1853, 359–432.

Die Abkürzungen der Werke Anselms folgen den von F. S. Schmitt herausgegeben Opera Omnia. Ich zitiere auch nach diesen Opera Omnia, wobei in den Stellenangaben die Reihenfolge ‚Band, Seite, Zeile‘ ist

II. Sekundärliteratur

Aalen, Sverre, Art. Ehre. In: TBLNT I,204–210.

Abaelard, Peter, Commentaria in Epistolam Pauli ad Romanos. In: Petri Abaelardi Opera Theologica I. Hg. v. E. M. Buytaert. Turnholt 1969. (=CC, Continuatio Mediaeualis XI).

Akten des Anselm-Kongresses zu Le Bec 1959. In: AnAns III,1–80.

Analecta Anselmiana. Untersuchungen über Person und Werk Anselms von Canterbury.
Band I. Hg. v. F. S. Schmitt. Frankfurt/M 1969.
Band II. Hg. v. F. S. Schmitt. Frankfurt/M 1970.
Band III. Hg. v. F. S. Schmitt. Frankfurt/M 1972.
Band IV/2. Hg. v. H. Kohlenberger. Frankfurt/M 1975.
Band V. Hg. v. H. Kohlenberger. Frankfurt/M 1976.

Andresen, Carl (Hg.), Handbuch der Dogmen- und Theologiegeschichte. Bd. 1: Die Lehrentwicklung im Rahmen der Katholizität. Von Carl Andresen, Adolf Martin Ritter, Klaus Wessel, Ekkehard Mühlenberg, Martin Anton Schmidt. Göttingen 1982.

Anselms von Laon Systematische Sentenzen. Hg. v. F. P. Bliemetzrieder. I. Teil: Texte. Münster 1919. (= BGPhM 18,1).

Armstrong, Christopher, St. Anselm and his critics: Further reflection on the Cur Deus homo. In: DR 86, 1968, 354-376.

Augustinus, Aurelius, Vom Gottesstaat (De civitate dei). Band 1 (Buch 1-10). München 1977. Band 2 (Buch 11-22). München 1978.

Ders., Enchiridion. Hg. v. O. Scheel. Tübingen-Leipzig 1903.

Aulén, Gustaf, Christus Victor. An historical study of the three main types of the idea of the Atonement. London 1970.

Ders., Die drei Haupttypen des christlichen Versöhnungsgedankens. In: ZfST 1931, 501-538.

Awerbuch, Marianne, Christlich-jüdische Begegnung im Zeitalter der Frühscholastik. München 1980.

Baeumker, Franz, Die Lehre Anselms von Canterbury über den Willen und seine Wahlfreiheit. Münster 1912.

Baillie, Donald M., Gott war in Christus. Eine Studie über Inkarnation und Versöhnung. Göttingen 1959.

Baltzer, Otto, Beiträge zur Geschichte des christologischen Dogmas. Leipzig 1898. Neudruck Aalen 1972.

von Balthasar, Hans-Urs, Herrlichkeit. Eine theologische Ästhetik. Band II: Fächer der Stile. Teil 1. Klerikale Stile. Einsiedeln 1982.

Barth, Karl, Die Kirchliche Dogmatik.
Band 1. Die Lehre vom Wort Gottes.
Halbband 1. Zürich 1981[10].
Halbband 2. Zürich 1983[7].
Band 2. Die Lehre von Gott.
Halbband 1. Zürich 1982[6].
Band 4. Die Lehre von der Versöhnung.
Teil 1. Zürich 1982[4].

Ders., Das erste Gebot als theologisches Axiom. In: ZdZ 11, 1933, Nr. 4, 297-314.

Ders., Fides quaerens intellectum. Anselms Beweis der Existenz Gottes im Zusammenhang seines theologischen Programms. 1931. Hg. v. E. Jüngel und I. U. Dalferth, Zürich 1986[2].

Ders., Der Römerbrief. 12. unveränderter Nachdruck der neuen Bearbeitung von 1922. Zürich 1978.

Ders., Die christliche Lehre nach dem Heidelberger Katechismus. München 1949.

Barth, Peter, Art. Calvin. In: RGG[2], I, 1431.

Baur, Ferdinand Christian, Die christliche Lehre von der Dreieinigkeit und Menschwerdung Gottes in ihrer geschichtlichen Entwicklung. Zweiter Theil. Das Dogma des Mittelalters. Tübingen 1842.

Ders., Die christliche Lehre von der Versöhnung in ihrer geschichtlichen Entwicklung dargestellt. Tübingen 1883.

Baur, Jörg, Johann Gerhard. In: M. Greschat (Hg.), Orthodoxie und Pietismus. Stuttgart 1982 (= Gestalten der Kirchengeschichte Bd. 7), 99-119.

Beer, Theobald, Der fröhliche Wechsel und Streit. Grundzüge der Theologie Martin Luthers. Einsiedeln 1980.

Beker, E. J./Hasselaar, J. M., Wegen en Kruispunten in de Dogmatiek. Deel 3: Christologie. Kampen 1981.

Betzendörfer, Walter, Glauben und Wissen bei den großen Denkern des Mittelalters. Ein Beitrag zur Geschichte des Zentralproblems der Scholastik. Gotha 1931.

Beumer, Johannes, Biblische Grundlage und dialektische Methode im Widerstreit innerhalb der mittelalterlichen Scholastik. In: FS 48, 1966, 223-242.

Beyschlag, Karlmann, Grundriß der Dogmengeschichte. Band I. Gott und Welt. Darmstadt 1982.

Biel, Gabriel, Collectorium circa quattuor libros Sententiarum. Liber tertius. Collaborantibus Volker Sievers et Renata Steiger, ediderunt Wilfrid Werbeck et Udo Hofmann. Tübingen 1979.

Blaser, Klauspeter, Calvins Lehre von den drei Ämtern Christi. Zürich 1970. (= ThSt 105).

Boethius, Manlius Severinus, In librum Aristotelis de interpretatione Commentaria minora. In: Manlii Severinii Boetii Opera Omnia, Tomus Posterior, Paris 1891, 293-392. (Corpus Christianorum, Patrologiae Latinae Tomus LXIV).

Bonhoeffer, Dietrich, Nachfolge. München 1987[16].

Bouvier, Michel, La Pensée du Révérend Père Thomas-André Audet, O. P., sur la Théologie du ‚Cur Deus Homo' de Saint Anselme. In: SpicBec, 313-325.

Brunner, Emil, Der Mittler. Zur Besinnung über den Christusglauben. Tübingen 1937[3].

Brunner, Otto, Abendländisches Geschichtsdenken. In: W. Lammers (Hg.), Geschichtsdenken und Geschichtsbild im Mittelalter. Ausgewählte Aufsätze und Arbeiten aus den Jahren 1933-1959. Darmstadt 1961, 434-459.

Bütler, Anselm, Die Seinslehre des Hl. Anselm von Canterbury. Diss. Fribourg 1959.

Burns, J. Patout, The Concept of Satisfaction in Medieval Redemption Theory. In: TS 36, 1975, 285-304.

Calvin, Johannes, Institutio Christianae Religionis 1559 libros I et II. In: Peter Barth, Wilhelm Niesel (Hg.), Joannis Calvini Opera Selecta. Volumen III. München 1928.

Ders., Unterricht in der christlichen Religion. Institutio Christianae Religionis. Nach der letzten Ausgabe übersetzt und bearbeitet von Otto Weber. Neukirchen 1984[3].

Chenu, M.-D., Thomas von Aquin in Selbstzeugnissen und Bilddokumenten dargestellt. Reinbek 1981[2].

Chesterton, Gilbert Keith, Thomas von Aquin. Heidelberg 1957[2].

de Clerck, D. E., Questions de sotériologie médiévale. In: RThAM 13, 1946, 150-184.

Ders., Droits du démon et nécessité de la rédemption. In: RThAM 14, 1947, 32-64.

Ders., Le dogme de la rédemption. In: RThAM 14, 1947, 252-286.

Christe, Wilhelm, Sola ratione. Zur Begründung der Methode des intellectus fidei bei Anselm von Canterbury. In: ThPh 60, 1985, 341-375.

Colliard, Lino, Art. Aostatal. In: Lexikon des Mittelalters. Band I. München 1980, 741.

O'Connor, M. J. A., New aspects of omnipotence and necessity in Anselm. In: RelSt 4, 1969, 133-146.

Copleston, F. C., Geschichte der Philosophie im Mittelalter. München 1976.

McCord Adams, Marilyn, Hell and the God of Justice. In: RelSt 11, 1975, 433-447.

Courtenay, William J., Necessity and Freedom in Anselm's Conception of God. In: An Ans IV,2, 39-64.

Cremer, Hermann, Der germanische Satisfaktionsbegriff in der Versöhnungslehre. In: ThStKr 1893, 316-345.

Ders., Die Wurzeln des Anselm'schen Satisfactionsbegriffes. In: ThStKr 1880, 7-24.

Crouse, Robert D., The Augustinian Background of St. Anselm's Concept Justitia. In: CJT IV, 1958, 111-119.

Dantine, Wilhelm, Versöhnung. Ein Grundmotiv christlichen Glaubens und Handelns. Gütersloh 1978.

Deneffe, August, Das Wort Satisfactio. In: ZKTh 43, 1919, 158-175.

Dörholt, Bernhard, Die Lehre von der Genugthuung Christi theologisch dargestellt und erörtert. Paderborn 1891.

Dombois, Hans, Juristische Bemerkungen zur Satisfaktionslehre des Anselm von Canterbury. In: NZSTh 9, 1967, 339-355.

Dominicé, Max, Die Christusverkündigung bei Calvin. In: K. L. Schmidt u. a., Jesus Christus im Zeugnis der Heiligen Schrift und der Kirche. München 1936[2] (= Beiheft 2 zur EvTh), 223–253.

Dorner, I. A., System der Christlichen Glaubenslehre. Zweiter Band. Specielle Glaubenslehre. II. Hälfte. Berlin 1887[2].

Drexler, Hans, Honos. In: Hans Oppermann (Hg.), Römische Wertbegriffe, Darmstadt 1967 (= WdF XXXIV).

Eder, Peter, Sühne. Eine theologische Untersuchung. Wien 1962.

EKZ 1–3, 1834, Geschichtliches aus der Versöhnungs- und Genugthuungslehre, 1–6. 9–16. 22–24.

EKZ Nr. 97–99, 1844, Über das Verhältniß der Anselmschen zur kirchlichen Genugthuungslehre, 769–775. 777–782. 785–792.

Elders. Leo J., Die Metaphysik des Thomas von Aquin in historischer Perspektive. II. Teil. Salzburg-München 1987.

Emmen, E. De Christologie van Calvijn. Amsterdam 1935.

Evans, G.R., Anselm and Talking about God. Oxford 1978.

Faber, Karl-Georg, Theorie der Geschichtswissenschaft. München 1974[3].

Fairwether, Eugene R., Incarnation and Atonement. An Anselmian Response to Aulen's Christus Victor. In: CJT VII, 1961, 167–175.

Ders., „Iustitia Dei“ as the „ratio“ of the incarnation. In: SpicBec, 327–335.

Fangmeier, Jürgen, Heidelberger Katechismus. Praktisch-theologisch. In: TRE 14, 587–590.

Faust, August, Der Möglichkeitsgedanke. Systemgeschichtliche Untersuchungen. Zweiter Teil. Christliche Philosophie. Heidelberg 1932.

Flasch, Kurt, Anselm von Canterbury. In: Klassiker der Philosophie. 1. Band. Von den Vorsokratikern bis David Hume. Hg. v. Otfried Höffe. München 1981, 177–197.

Ders., Der philosophische Ansatz des Anselm von Canterbury im Monologion und sein Verhältnis zum augustinischen Neuplatonismus. In: AnAns II, 1–43.

Ders., Das philosophische Denken im Mittelalter. Von Augustin zu Macchiavelli. Stuttgart 1986.

Funke, Bernhard, Grundlagen und Voraussetzungen der Satisfaktionstheorie des Hl. Anselm von Canterbury. Münster 1903.

Gäbler, Ulrich, Huldrych Zwingli. Eine Einführung in sein Leben und sein Werk. München 1983.

Gadamer, Hans-Georg, Wahrheit und Methode. Grundzüge einer philosophischen Hermeneutik. Tübingen 1975[4].

Gäde, Gerhard, Eine andere Barmherzigkeit. Zum Verständnis der Erlösungslehre Anselms von Canterbury. Würzburg 1989.

Ganshof, Francois Louis, Was ist das Lehnswesen? Darmstadt 1961.

Gauss, Julia, Anselm von Canterbury. Zur Begegnung und Auseinandersetzung der Religionen. In: Saec. 17, 1966, 277–363.

Dies., Die Auseinandersetzung mit Judentum und Islam bei Anselm. In: AnAns IV,2, 101–109.

Geß, Wolfgang Friedrich, Zur Lehre von der Versühnung. Dogmatische Entwicklung der neutestamentlichen Lehre von der Versöhnung. In: JDTh 3, 1858, 713–778.

Gerber, Uwe, Christologische Entwürfe. Ein Arbeitsbuch. 1. Band. Von der Reformation bis zur Dialektischen Theologie. Zürich 1970.

Gerhard, Johann, Loci theologici. Hg. v. Ed. Preuss. Tomus Tertius. Berlin 1865.

Geyer, Bernhard, Zur Deutung von Anselms Cur Deus homo. In: ThGl 1942, 203–210.

Gilson, Etienne, Der Geist der mittelalterlichen Philosophie. Dt. Fassung von Rainulf Schmücker. Wien 1950.

Ders., Heloise und Abälard. Zugleich ein Beitrag zum Problem von Mittelalter und Humanismus. Freiburg 1955.

Ders., Reason and Revelation in the Middle Ages. New York 1938.

Gollnick, James, Flesh as Transformation Symbol in the Theology of Anselm of Canterbury. Historical and Transpersonal Perspectives. Lewiston/New York, Queenston/Ontario 1985.

Goeters, J. F. Gerhard, Christologie und Rechtfertigung nach dem Heidelberger Katechismus. In: E. Bizer u. a., Das Kreuz Jesu Christi als Grund des Heils. Gütersloh 1967, 31-47.

Gottschick, Johannes, Studien zur Versöhnungslehre des Mittelalters. In: ZKG XXII, 1901, 378-438; XXIII, 1902, 35-67. 191-222. 321-375; XXIV, 1903, 15-45.

Grabmann, Martin, Dogmengeschichte der Frühscholastik. Zweiter Theil. Die Lehre von Christus.
Band I. Regensburg 1953.
Band II. Regensburg 1954.

Graffmann, Heinrich, Erklärung des Heidelberger Katechismus in Predigt und Unterricht des 16.-18. Jahrhunderts. In: Handbuch zum Heidelberger Katechismus, hg. v. Lothar Coenen. Neukirchen 1963, 63-77.

Grane, Leif, Peter Abaelard. Philosophie und Christentum im Mittelalter. Göttingen 1969.

Greshake, Gisbert, Erlösung und Freiheit. Zur Neuinterpretation der Erlösungslehre Anselms von Canterbury. In: ThQ 153, 1973, 323-345.

Ders., Erlöste Freiheit. Eine Neuinterpretation der Erlösungslehre Anselms von Canterbury. In: BiKi 33, 1978, 1-14.

Ders., Einführung und Erläuterung zu Anselm von Canterbury, Meditation über die Erlösung des Menschen. In: Gisbert Greshake / Josef Weismayer (Hg.), Quellen geistlichen Lebens. Bd. II: Das Mittelalter. Mainz 1985.

Ders., Der Wandel der Erlösungsvorstellungen in der Theologiegeschichte. In: Leo Scheffczyk (Hg.), Erlösung und Emanzipation. Freiburg 1973, 69-101.

Gross, Julius, Die Natur- und Erbsündenlehre Anselms von Canterbury. In: ZRGG 13, 1961, 25-45.

Grundmann, Herbert, Die Grundzüge der mittelalterlichen Geschichtsanschauungen. In: W. Lammers (Hg.), Geschichtsdenken und Geschichtsbild im Mittelalter. Ausgewählte Aufsätze und Arbeiten aus den Jahren 1933-1959. Darmstadt 1961, 418-429.

Grün, Anselm, Erlösung durch das Kreuz. Karl Rahners Beitrag zu einem heutigen Erlösungsverständnis. Münsterschwarzach 1975. (= Münsterschwarzacher Studien Band 26).

Guardini, Romano, Zum Begriff der Ehre Gottes. In: Ders., Auf dem Wege. Versuche. Mainz 1923, 66-85.

Ders., Anselm von Canterbury und das Wesen der Theologie. In: Ders., Auf dem Wege. Versuche. Mainz 1923, 33-65.

Haenchen, Ernst, Anselm, Glaube und Vernunft. In: ZThK 48, 1951, 312-342.

Hagenbach, K. R., Lehrbuch der Dogmengeschichte. Leipzig 1867[5].

Halaski, Karl, Wer kann für uns bezahlen? In: RKZ 104, 1963, 176f.

Ders., Warum ein wirklicher und gerechter Mensch? In: RKZ 104, 1963, 208f.

Hammer, Felix, Genugtuung und Heil. Absicht, Sinn und Grenzen der Erlösungslehre Anselms von Canterbury. Wien 1967.

Hannah, John D. Anselm on the Doctrine of Atonement. In: BS 1978, 333-344.

Harnack, Adolf v., Dogmengeschichte. Tübingen 1914[5].

Ders., Lehrbuch der Dogmengeschichte. Dritter Band. Die Entwicklung des kirchlichen Dogmas I-II. Tübingen 1910[4].

Harnack, Theodosius, Luthers Theologie mit besonderer Beziehung auf seine Versöhnungs- und Erlösungslehre. Zweite Abteilung: Luthers Lehre von dem Erlöser und der Erlösung. Neue Ausgabe München 1927.

Hasse, F. R., Anselm von Canterbury. Zweiter Theil, Die Lehre Anselm's. Leipzig 1852. Unveränderter Nachdruck Frankfurt/M 1966.

Haubst, Rudolf, Anselms Satisfaktionslehre einst und heute. In: AnAns IV,2, 141–157.

Ders., Das hoch- und spätmittelalterliche „Cur Deus homo?" In: MThZ 6, 1955, 302–313.

Ders., Vom Sinn der Menschwerdung. Cur Deus homo. München 1969.

Heer, Friedrich, Aufgang Europas. Eine Studie zu den Zusammenhängen zwischen politischer Religiosität, Frömmigkeitsstil und dem Werden Europas im 12. Jahrhundert. Wien–Zürich 1949.

Der Heidelberger Katechismus. Hg. v. Otto Weber. Gütersloh 1983[2].

Hein, Carl, Die Ehre Gottes – das oberste Prinzip des Calvinismus. In: Refor. VIII, 1909, 593–597. 610–613.

Heinrichs, Ludwig, Die Genugtuungstheorie des hl. Anselmus von Canterbury, neu dargestellt und dogmatisch geprüft. Paderborn 1909.

Heinzmann, Richard, Anselm von Canterbury. In: Klassiker der Theologie. 1. Band. Von Irenäus bis Martin Luther. hg. v. H. Fries und G. Kretzschmar. München 1981, 165–180.

Ders., Veritas humanae naturae. Ein Beitrag zur Anthropologie Anselms von Canterbury. In: Wahrheit und Verkündigung. Festschrift Michael Schmaus zum 70. Geburtstag. Bd. I. hg. v. Leo Scheffczyk, Werner Dettloff, Richard Heinzmann. München-Paderborn–Wien 1967, 779–798.

Henry, Desmond Paul, Numerically definite reasoning in the Cur Deus homo. In: DomSt 1953, 48–55.

Ders., St. Anselm and Paulus. In: LQR 79, 1963, 30f.

Ders., St. Anselm on Scriptural Analysis. In: Sophia 1962, 8–15.

Hermann, Rudolf, Anselms Lehre vom Werke Christi in ihrer bleibenden Bedeutung. In: ZSTh 1, 1923, 376–396.

Ders., Christi Verdienst und Vorbild. Zum Problem der Schlußkapitel von Anselms „Cur Deus homo?". In: ZSTh 9, 1932, 455–472.

Heyer, George S. Jr., Anselm Concerning the Human Role in Salvation. In: Texts and Testaments. Critical Essays on the Bible and early Church Fathers. A Volume in Honor of Stuart Dickson. San Antonio 1980, 163–173.

Hödl, Ludwig, Anselm von Canterbury. In: TRE 2, 759–778.

Hödl, Ludwig / Peppermüller, Rolf / Reinhardt, Heinrich J. F., Art.: Anselm von Laon und seine Schule. In: TRE 3, 1–5.

Hoffmann, Adolf, Kommentar zur Summa Theologica III,46–59. In: Thomas v. Aquin, Des Menschensohnes Leiden und Erhöhung, 351–467.

Hoffmann, Norbert, Sühne. Zur Theologie der Stellvertretung. Einsiedeln 1981.

Honecker, Martin, Art. Johann Gerhard. In: TRE 12, 448–453.

Hopkins, Jasper, A Companion to the Study of St. Anselm. Minneapolis 1972.

Ivánka, Endre v., Plato Christianus. Übernahme und Umgestaltung des Platonismus durch die Väter. Einsiedeln 1964.

Jansen, John Frederick, Calvin's doctrine of the work of Christ. London 1956.

Jüngel, Eberhard, „Auch das Schöne muß sterben" – Schönheit im Lichte der Wahrheit. Theologische Bemerkungen zum ästhetischen Verhältnis. In: ZThK 81, 1984, 106–126.

Kantzenbach, Friedrich Wilhelm, Evangelium und Dogma. Die Bewältigung des theologischen Problems der Dogmengeschichte im Protestantismus. Stuttgart 1959.

Kasper, Walter, Jesus der Christus. Mainz 1986[10].

Kessler, Hans, Die theologische Bedeutung des Todes Jesu. Eine traditionsgeschichtliche Untersuchung. Düsseldorf 1970.

Ders., Erlösung als Befreiung? Inkarnation, Opfertod, Auferweckung und Geistgegenwart Jesu im christlichen Erlösungsverständnis. In: ThJb 1977/78, 183-196.

Kienzler, Klaus, Glauben und Denken bei Anselm von Canterbury. Freiburg 1981.

Klaiber, Christoph, Sünde und Erlösung. In: Studien der evangelischen Geistlichkeit Württembergs 8, 1835, 24-30.

Knoch, Otto, Zur Diskussion über die Heilsbedeutung des Todes Jesu. In: ThJb 1977/78, 250-265.

Kohlenberger, Helmut, Dialogisches Denken bei Anselm von Canterbury. In: SJP XIV 1970. Hg. v. Viktor Warnach u. Maximilian Roesler, 29-34.

Ders., Rezension zu: H.-U. v. Balthasar, Anselm. Herrlichkeit. In: AnAns II, 242.

Ders., Rezension zu J. Gauss, Anselm von Canterbury. Zur Begegnung und Auseinandersetzung der Religionen. In: AnAns I, 319-320.

Ders., Rezension zu F. Hammer, Genugtuung und Heil. In: AnAns I, 290-294.

Ders., Similitudo und Ratio. Überlegungen zur Methode bei Anselm von Canterbury. Bonn 1972.

Ders., Sola ratione - Teleologie - Rechtsmetaphorik. In: Sola ratione, 35-55.

Kopf, Hans-Peter, Die Beurteilungen von Anselms CUR DEUS HOMO in der protestantischen deutschsprachigen Theologie seit Ferdinand Christian Baur. Basel, Diss. 1956.

Köpf, Ulrich, Dogmengeschichte oder Theologiegeschichte? In: ZThK 85, 1988, 455-473.

Kreck, Walter, Grundfragen der Dogmatik. München 1985[3].

Ders., Die Versöhnungslehre Karl Barths als kritische Anfrage an den Heidelberger Katechismus. In: Theologische Beilage 2.89 zur RKZ, 2-7.

Kühn, Ulrich, Via caritatis. Theologie des Gesetzes bei Thomas von Aquin. Göttingen 1965.

Külling, Heinz, Wahrheit als Richtigkeit. Eine Untersuchung zur Schrift „De veritate“ von Anselm von Canterbury. Bern-Frankfurt/M-Nancy-New York 1984.

Landgraf, Artur Michael, Dogmengeschichte der Frühscholastik.
Erster Teil. Die Gnadenlehre. Band I. Regensburg 1952.
Zweiter Teil. Die Lehre von Christus. Band I. Regensburg 1953.

Ders., Einführung in die Geschichte der theologischen Literatur der Frühscholastik. Regensburg 1948.

Lang, Albert, Die Entfaltung des apologetischen Problems in der Scholastik des Mittelalters. Freiburg 1962.

Lang, Bernhard, Art. kippaer. In: TWAT IV,303-318.

Langemeyer, Bernhard Georg, Leitideen und Zielsetzungen theologischer Mittelalterforschung aus Sicht der systematischen Theologie. In: Manfred Gerwing / Godehard Ruppert (Hgg.), Renovatio et Reformatio. Wider das Bild vom „finsteren“ Mittelalter. Festschrift für Ludwig Hödl zum 60. Geburtstag. Münster 1985, 3-13.

Lau, F., Erstes Gebot und Ehre Gottes als Mitte von Luthers Theologie. In: ThLZ 1948, 719-730.

Leipoldt, Johannes, Der Begriff meritum in Anselms von Canterbury Versöhnungslehre. In: ThStKr 1904, 300-308.

Lienhard, Marc, Martin Luthers christologisches Zeugnis. Entwicklung und Grundzüge seiner Christologie. Göttingen 1979.

Locher, Gottfried W., Huldrych Zwingli in neuer Sicht. Zehn Beiträge zur Theologie der Zürcher Reformation. Zürich/Stuttgart 1969.

Ders., Die Zwinglische Reformation im Rahmen der europäischen Kirchengeschichte. Göttingen 1979.

Ders., Die Theologie Huldrych Zwinglis im Lichte seiner Christologie. Erster Teil: Die Gotteslehre. Zürich 1952.

Ders., Zwingli und die schweizerische Reformation. Göttingen 1982 (= KiG Bd.3, Lfg. J1).

Lohse, Bernhard, Zur theologischen Methode Anselms von Canterbury in seiner Schrift „Cur Deus homo". In: J. Rohls / G. Wenz (Hg.), Vernunft des Glaubens. Wissenschaftliche Theologie und kirchliche Lehre. Festschrift zum 60. Geburtstag von Wolfhart Pannenberg. Göttingen 1988, 322–335.

Loofs, Friedrich, Leitfaden zum Studium der Dogmengeschichte. 1.+2. Teil: Alte Kirche, Mittelalter und Katholizismus bis zur Gegenwart. Hg. v. Kurt Aland. Tübingen 1968[7].

Löwith, Karl, Weltgeschichte und Heilsgeschehen. Die theologischen Voraussetzungen der Geschichtsphilosophie. Stuttgart 1953.

Luther, Martin, Predigt zu Titus 3,4–7 (Frühchristmeß 1522). In: WA 10,I,1, 95–128.

Ders., Handschriftliche Notizen zu Cur Deus homo. In: WA 9, 108.

Mandel, Hermann, Christliche Versöhnungslehre. Eine systematisch-historische Studie. Leipzig 1916.

Mansini, G., St. Anselm, Satisfactio and the Rule of St. Benedict. In: RBen 97, 1987, Nr.1/2, 101–121.

Die Mauer ist abgebrochen. Zur Predigt der Versöhnung. Neukirchen 1968.

McIntyre, John, St. Anselm and his critics. A Re-Interpretation of the Cur Deus Homo. Edinburgh/London 1954.

Ders., Cur Deus-homo. The axis of the argument. In: Sola ratione, 111–118.

Ders., Premises and conclusions in the system of St. Anselm's theology. In: SpicBec, 95–102.

Metz, Wulf, Heidelberger Katechismus. Kirchengeschichtlich. In: TRE 14, 582–586.

Ders., Necessitas satisfactionis? Eine systematische Studie zu den Fragen 12–18 des Heidelberger Katechismus und zur Theologie des Zacharias Ursinus. Zürich/Stuttgart 1970.

Moeller, Ernst v., Die Anselmsche Satisfaktio und die Buße des germanischen Strafrechts. In: ThStKr 1899, 627–634.

Möhler, Johann Adam, Anselm, Erzbischof von Canterbury. Ein Beitrag zur Kenntniß des religiös-sittlichen, öffentlich-kirchlichen und wissenschaftlichen Lebens im elften und zwölften Jahrhundert. In: Dr. J. A. Möhlers gesammelte Schriften und Aufsätze. Hg. v. J. J. I. Döllinger. Erster Band. Regensburg 1839, 32–176.

Moltmann, Jürgen, Der gekreuzigte Gott. Das Kreuz Christi als Grund und Kritik christlicher Theologie. München 1972.

Mokrosch, R. Anselm von Canterbury. Cur Deus homo – Warum Gott Mensch wurde. In: Kirchen- und Theologiegeschichte in Quellen. Ein Arbeitsbuch. Hg. v. H. A. Oberman, A. M. Ritter und H. W. Krumwiede. Bd. II Mittelalter. Ausgewählt und kommentiert von R. Mokrosch und H. Wube. Neukirchen 1980, 78–81.

Mönnich, C. W., Auctoritas en ratio in de vroege scholastiek. In: G. C. Berkouwer (Hg.), Wat is waarheid. 1973, 77–85.

Ders., De inhoud van Anselmus' Cur Deus homo. In: NAKG 36, 1948, 77–108.

Ders., Plaatsvervanging bij Anselmus. In: GThT 73, 1973, 200–218.

Moosherr, Theodor, Die Versöhnungslehre des Anselm von Canterbury und Thomas von Aquino. In: JPTh XVI, 1890, 167–262.

Mostert, Walter, Menschwerdung. Eine historische und dogmatische Untersuchung über das Motiv der Inkarnation des Gottessohnes bei Thomas von Aquin. Tübingen 1978.

Mühlenberg, Ekkehard, Dogma und Lehre im Abendland. Erster Abschnitt: Von Augustin bis Anselm von Canterbury. In: HDThG I, 406–566.

Müller, Gerhard, Luthers Christusverständnis. In: Jesus Christus. Das Christusverständnis im Wandel der Zeiten. (= MThSt I). Marburg 1963, 41-57.

Mundle, Wilhelm, Art. lutron. In: TBLNT, 260-263.

Nauta, D., Die Verbreitung des Katechismus, Übersetzung in andere Sprachen, moderne Bearbeitungen. In: Handbuch zum Heidelberger Katechismus, hg. v. Lothar Coenen. Neukirchen 1963, 39-62.

Neuser, Dogma und Bekenntnis in der Reformation: Von Zwingli und Calvin bis zur Synode von Westminster. In: B. Lohse u. a., Die Lehrentwicklung im Rahmen der Katholizität. (= HDThG Band 2). Göttingen 1980, 167-352.

Noffke, Arthur, Ehre und Genugtuung. Eine Untersuchung zu der Schrift „Cur Deus Homo?“ von Anselm von Canterbury. Diss. Erlangen 1939. Greifswald 1940.

Ohlig, Karl-Heinz, Fundamentalchristologie. Im Spannungsfeld von Christentum und Kultur. München 1986.

Olson, Glenn W., Hans Urs von Balthasar and the rehabilitation of St. Anselm's doctrine of the atonement. In: SJTh 34, 1981, 49-61.

Ott, Heinrich, Anselms Versöhnungslehre. In: ThZ 13, 1957, 183-199.

Overbeck, Franz, Vorgeschichte und Jugend der mittelalterlichen Scholastik. Eine kirchenhistorische Vorlesung. Aus dem Nachlaß hg. v. Carl Albrecht Bernoulli. Darmstadt 1971 (= unveränderter reprografischer Nachdruck der Ausgabe Basel 1917).

Pannenberg, Wolfhart, Art. Thomas von Aquin. In: RGG[3] VI, 856-863.

Pearl, Leon, The misuse of Anselm's formula for God's perfection. In: RelSt 22, 1986, 355-365.

Peppermüller, Rolf, Abaelards Auslegung des Römerbriefes. Münster 1972. (= BGPhThM NF 10).

Pesch, Otto Hermann, Die Theologie der Rechtfertigung bei Martin Luther und Thomas von Aquin. Mainz 1985[2].

Ders., Thomas von Aquin. Grenze und Größe mittelalterlicher Theologie. Mainz 1988.

Peters, Ted, The Atonement in Anselm and Luther. Second thoughts about Gustaf Aulen's Christus Victor. In: LuthQ 1972, 301-314.

Pieper, Josef, Scholastik. Gestalten und Probleme der mittelalterlichen Philosophie. München 1981[2].

Plaas, P. G. v. d., Des hl. Anselm ‚Cur Deus Homo‘ auf dem Boden der jüdisch-christlichen Polemik des Mittelalters. In: DT, 3. Ser. 7,1929, 446-467; 8,1930, 18-32.

Pranger, M. B., Consequente Theologie. Een studie over het denken van Anselmus van Canterbury. Assen 1975.

Rahner, Karl, Art.: Erlösung. In: Sacramentum Mundi. Theologisches Lexikon für die Praxis. Erster Band. Freiburg 1967, 1159-1176.

Ders., Der eine Jesus Christus und die Universalität des Heils. In: Ders., Schriften zur Theologie Band 12. Theologie aus Erfahrung des Geistes. Zürich/Einsiedeln/Köln 1975, 251-282.

Ders., Probleme der Christologie heute. In: Ders., Schriften zur Theologie Band 1. Einsiedeln 1956[2], 169-222.

Ders., Zur Theologie des Todes. Freiburg 1958. (= Quaestiones Disputae 2).

Ritschl, Albrecht, Die christliche Lehre von der Rechtfertigung und Versöhnung. 1. Band: Die Geschichte der Lehre. Bonn 1903[4].

Rohls, Jan, Theologie reformierter Bekenntnisschriften. Von Zürich bis Barmen. Göttingen 1987.

Ders., Wilhelm von Auvergne und der mittelalterliche Aristotelismus. München 1980.

Ders., Theologie und Metaphysik. Der ontologische Gottesbeweis und seine Kritiker. Gütersloh 1987.

Root Michael, Necessity and unfittingness in Anselm's Cur Deus Homo. In: SJTh 40, 1987, 211-230.

Roques, R., Les Pagani dans le Cur deus homo de s. Anselme. In: Miscellanea Mediaevalia 2: Die Metaphysik im Mittelalter (II. Intern. Kongreß für mittelalterliche Philosophie, Köln), Berlin 1963, 192–206.

Schäferdiek, Knut, Germanenmission, arianische. In: TRE 12, 506–510.

ders., Germanisierung des Christentums. In: TRE 12, 521–524.

Schlatter, Adolf, Das christliche Dogma. Stuttgart 1923².

Schlier, Heinrich, Doxa bei Paulus als heilsgeschichtlicher Begriff. In: Studiorum Paulinorum Congressus Internationalis Catholicus 1961. (= AnBibl 17–18) Volumen Primum, 45–56.

Schlink, Edmund, Ökumenische Dogmatik. Grundzüge. Göttingen 1985².

Schmid, Heinrich, Zwinglis Lehre von der göttlichen und menschlichen Gerechtigkeit. Zürich 1959.

Schmidt, Kurt Dietrich, Art. Germanisierung des Christentums. In: RGG³ II; 1440–1442.

Schmidt, Martin Anton, Anselm von Canterbury. In: M. Greschat (Hg.), Gestalten der Kirchengeschichte Band 3. Mittelalter I. Stuttgart-Berlin-Köln-Mainz 1983, 123–147.

Ders., Scholastik. Göttingen 1969.

Ders., Quod maior sit, quam cogitari possit. (Anselm von Canterbury, Proslogion). In: ThZ 12, 1956, 337–346.

Schmitt, Franciscus Salesius, Anselm und der (Neu-) Platonismus. In: AnAns I, 1969, 39–72.

Ders., Anselm und die Muslims. In: AnAns II, 245ff.

Ders., Zur Chronologie der Werke des Hl. Anselm von Canterbury. In: RBen 1932, 322–350.

Ders., Zur Entstehungsgeschichte der handschriftlichen Sammlungen des Hl. Anselm von Canterbury. In: RBen 1936, 300–317.

Ders., Die wissenschaftliche Methode bei Anselm von Canterbury und Thomas von Aquin. In: AnAns IV,2, 33–38.

Ders., Die wissenschaftliche Methode in „Cur Deus homo". In: SpicBec, 349–370.

Ders., La Meditatio Redemptionis humanae di S. Anselmo in Relazione al Cur Deus Homo. In: Ben. 9, 1955, 197–213.

Schrage, Wolfgang, Das Verständnis des Todes Jesu im Neuen Testament. In: E. Bizer u. a., Das Kreuz Jesu Christi als Grund des Heils. Gütersloh 1967, 49–89.

Schröder, Richard, Johann Gerhards lutherische Christologie und die aristotelische Metaphysik. Tübingen 1983.

Schultz, Hermann, Der sittliche Begriff des Verdienstes und seine Anwendung auf das Verständnis des Werkes Christi. In: ThStKr 1894, 7–50. 245–314.

Schurr, Adolf, Die Begründung der Philosophie durch Anselm von Canterbury. Stuttgart-Berlin-Köln-Mainz 1966.

Schwager, Raymund, Der wunderbare Tausch. Zur Geschichte und Deutung der Erlösungslehre. München 1986.

Seeberg, Reinhold, Lehrbuch der Dogmengeschichte. 3. Band: Die Dogmengeschichte des Mittelalters. Leipzig 1930⁴.

Smidt, Udo, Calvins Bezeugung der Ehre Gottes. In: Vom Dienst an Theologie und Kirche. Festgabe für Adolf Schlatter zum 75. Geburtstag 16. August 1927. Hamburg 1927, 117–139.

Sola ratione. Anselm-Studien für Pater Dr. h. c. Franciscus Salesius Schmitt OSB zum 75. Geburtstag am 20. Dez. 1969. Hg. v. Helmut K. Kohlenberger. Stuttgart-Bad Cannstatt 1970.

Southern, R. W., Geistes- und Sozialgeschichte des Mittelalters. Das Abendland im 11. und 12. Jahrhundert. Stuttgart 1980².

Ders., Kirche und Gesellschaft im Abendland des Mittelalters. Berlin/New York 1976.
Ders., Saint Anselm and his biographer. A study of monastic life and thought 1059-c.1130. Cambridge 1963.
Ders., St. Anselm and Gilbert Crispin, Abbot of Westminster. In: MRC 1954, 78-115.
Spicilegium Beccense. I. Congrès International du IXe Centenaire de l'Arrivée d'Anselme au Bec. Paris 1959.
Steck, Karl-Gerhard, Dogma und Dogmengeschichte in der Theologie des 19. Jahrhunderts. In: W. Schneemelcher (Hg.), Das Erbe des 19. Jahrhunderts. Referate vom Deutschen Evangelischen Theologentag 7.-11. Juni 1960 in Berlin. Berlin 1960, 21-66.
Steiger, Lothar, Contexe Syllogismus. Über die Kunst und Bedeutung der Topik bei Anselm. In: AnAns I, 107-143.
Steinen, Wolfram von den, Vom Heiligen Geist des Mittelalters. Anselm von Canterbury. Bernhard von Clairvaux. Breslau 1926. Reprografischer Nachdruck der 1. Auflage Darmstadt 1968.
Stentrup, Ferdinand, Die Lehre des hl. Anselm über die Nothwendigkeit der Erlösung und der Menschwerdung. In: ZKTh 16, 1892, 653-691.
Stephens, W. Peter, The Theology of Huldrych Zwingli. Oxford 1986.
Strijd, Krijn, Structuur en Inhoud van Anselmus' „Cur Deus Homo". (Diss. Utrecht). Assen 1958.
Tellenbach, Gerd, Die westliche Kirche vom 10. bis zum frühen 12. Jahrhundert. (= KiG 2, Lieferung F 1). Göttingen 1988.
Thielicke, Helmut, Glauben und Denken in der Neuzeit. Die großen Systeme der Theologie und Religionsphilosophie. Tübingen 1983.
Thomas von Aquin, Des Menschensohnes Leiden und Erhöhung. Kommentiert von Adolf Hoffmann OP. (= Die Deutsche Thomas-Ausgabe. Vollständige, ungekürzte deutsch-lateinische Ausgabe der Summa Theologica Band 28). Heidelberg/Graz/Wien/Köln 1956.
Thomasius, G., Christi Person und Werk. Darstellung der evangelisch-lutherischen Dogmatik vom Mittelpunkte der Christologie aus. Dritter Theil. Das Werk des Mittlers. Erste Abtheilung. Erlangen 1862[2].
Tiililä, Osmo, Das Strafleiden Christi. Beitrag zur Diskussion über die Typeneinteilung der Versöhnungsmotive. Helsinki 1941.
Ulrich, Ferdinand, Cur non video praesentem? Zur Implikation der ‚griechischen' und ‚lateinischen' Denkform bei Anselm und Scotus Eriugena. In: FZPhTh 22, 1975, 70-170.
Vanderjagt, A. J., Knowledge of God in Ghazali and Anselm. In: Sprache und Erkenntnis im Mittelalter. Akten des VI. Kongresses. 2. Halbband, Berlin 1981, 852-861.
Vanni-Rovighi, Sofia, Glaube und Vernunft bei Anselm von Aosta. In: Manfred Gerwing / Godehard Ruppert (Hg.), Renovatio et Reformatio. Wider das Bild vom „finsteren" Mittelalter. Festschrift für Ludwig Hödl zum 60. Geburtstag. Münster 1985, 170-180.
Verweyen, Hansjürgen, Die Einheit von Gerechtigkeit und Barmherzigkeit bei Anselm von Canterbury. In: Internationale katholische Zeitschrift Communio 14, 1985, 52-55.
Ders., Nach Gott fragen. Anselms Gottesbegriff als Anleitung. Essen 1978.
Vogel, Heinrich, Christologie. Erster Band. München 1949.
Vries, Jan de, Die geistige Welt der Germanen. Darmstadt 1964[3].
Warnach, Viktor, Wort und Wirklichkeit bei Anselm von Canterbury. In: SJP V/VI 1961/62 (Festschrift für Albert Auer), 157-176.
Weber, Otto, Grundlagen der Dogmatik. Zweiter Band. 1977[5].

Weier, Reinold, Die Erlösungslehre der Reformatoren. In: Bonifac. A. Willems, Soteriologie. Von der Reformation bis zur Gegenwart. (= HDG Band III. Faszikel 2c). Freiburg 1972, 1–34.

Weingart, Richard E., The Logic of Divine Love. A Critical Analysis of the Soteriology of Peter Abailard. Oxford 1970.

Wells, Norman J., The Language of Possibility – another Reading of Anselm. In: Sprache und Erkenntnis im Mittelalter. Akten des VI. Kongresses. 2. Halbband, Berlin 1981, 847–851.

Wendel, Francois, Calvin. Ursprung und Entwicklung seiner Theologie. Neukirchen 1968.

Wenz, Gunther, Geschichte der Versöhnungslehre in der evangelischen Theologie der Neuzeit. Band 1. München 1984.

Werner, Karl F., Art. Burgund. In: Lexikon des Mittelalters. Band II. München 1983, 1062–1065.

ders., Art. Herzogtum Burgund. A. Entstehung und Entwicklung bis zum 12. Jahrhundert. In: Lexikon des Mittelalters. Band II. München 1983, 1066–1069.

Wiese, Hans-Ulrich, Die Lehre Anselms von Canterbury über den Tod Jesu in der Schrift „Cur Deus Homo".
1. Teil. In: WiWei 41, 1978, 149–179 (= Wiese I).
2. Teil. In: WiWei 42,1979, 34–45. (= Wiese II).

Wolf, Ernst, Die Christusverkündigung bei Luther. In: Jesus Christus im Zeugnis der Heiligen Schrift und der Kirche. (= Beiheft 2 zur EvTh). München 1936[2], 179–222.

Huldrych Zwingli. Ausgewählte Schriften. In neuhochdeutscher Wiedergabe mit einer historisch-biographischen Einführung hg. v. Ernst Saxer. Neukirchen 1988.

Ders., Auslegen und Gründe der Schlußreden. 14. Juli 1523. In: Huldreich Zwinglis sämtliche Werke. Bd. II, hg. v. E. Egli u. G. Finsler. Leipzig 1908 (= CR 89), 1–457.

Ders., Auswahl seiner Schriften. Hg. v. Edwin Künzli, Zürich/Stuttgart 1962.

Ders., Christianae fidei a Huldrico Zuinglio praedicatae brevis et clara expositio ab ipso Zuinglio paulo ante mortem ejus ad regem christianum scripta hactenus a nemine excusa et nunc primum in lucem edita. MDXXXVI. In: M. Schuler / J. Schulthess, Huldrici Zuinglii Opera. Vol. Quartum. Zürich 1841, 42–78.

Die Abkürzungen folgen S. Schwertner, Theologische Realenzyklopädie. Abkürzungsverzeichnis. Berlin / New York 1976 bzw. Die Religion in Geschichte und Gegenwart, 3. Aufl. Tübingen 1957ff.

Teil A

AUF DEM WEG ZU ANSELMS CUR DEUS HOMO

I. Einleitung

1. „Es gibt wohl keine theologische Theorie, die so leidenschaftlich umstritten ist ... wie die Erlösungslehre Anselms von Canterbury."[1] In der Tat reichen die Beurteilungen von der „bleibenden Bedeutung"[2] der Lehre Anselms, der „für die Versöhnungslehre eine dauernde, klassische Bedeutung zukommt",[3] bis hin zum klassischen Verriß Harnacks, nach dem „das Schlimmste an Anselm's Theorie ... der mythologische Begriff Gottes als des mächtigen Privatmanns"[4] ist. Zwischen diesen beiden extremen Positionen haben sich viele Meinungen und Deutungen angesiedelt. Zwei Merkmale bestimmen die Interpretationen: Die eher positiven Rezeptionen Anselms versuchen, einzelne, ihrer Ansicht nach bestimmende Züge von Cur Deus homo stark und diese auch für gegenwärtige Theologie fruchtbar zu machen. Dabei stehen sie jedoch dem Gesamten von Cur Deus homo eher kritisch oder ablehnend gegenüber.
Die eher kritischen und ablehnenden Deutungen Anselms verkennen nicht den theologischen Fortschritt, den Anselm gegenüber vorhergehenden Christologien leiste, können sogar einzelne Züge befürworten, jedoch bleibt bei ihnen als Gesamttenor der Eindruck, daß andere abzulehnende Aspekte das Werk Anselms so stark bestimmen, daß eine positive Bewertung Anselms unmöglich sei.[5] Diese Relativierung der Gegensätze bedeutet jedoch nicht deren Aufhebung. Vielmehr liegt der unterschiedlichen Gesamtwertung ein unterschiedliches Urteil über Ansatz und Durchführung von Anselms Cur Deus homo zugrunde. Die verschiedenen Bewertungsansätze lassen sich m. E. auf zwei Gründe reduzieren:
a) Die jeweilige eigene dogmatische Position bestimmt die Bewertung der Ansätze mit, so daß unterschiedliche Standpunkte verschiedene Interpretationsansätze bedingen.

[1] Greshake, Erlösung und Freiheit, 323.
[2] R. Hermann, Anselms Lehre, 376.
[3] Ebd.
[4] A. v. Harnack, Lehrbuch, 408.
[5] Cf. H.-U. v. Wiese, 47.

b) Das Thema und die Absicht Anselms werden verschieden gesehen. Wer beispielsweise in Anselms Methode einen rationalistischen Ansatz sieht, selber aber einem solchen Ansatz fern steht, wird in der Wertung Anselms Methode eher negativ beurteilen. Wer dagegen Anselms Ansatz als eher offenbarungstheologisch versteht und dem auch von der eigenen Position her nahekommt, wird anders urteilen. Auch ob ‚Cur Deus homo' „nur" als Beantwortung einer einzigen Frage oder als ganzer christologischer Entwurf verstanden wird, führt zu unterschiedlichen Einschätzungen.[6]

2. Unterschiedlich beurteilt wird auch der theologiegeschichtliche Einfluß Anselms. Auf der einen Seite kann es heißen: „Anselms Auffassung ist für die Folgezeit . . . bestimmend und für die westliche Theologiegeschichte zur klassischen Interpretation des Todes Christi geworden."[7] Und auf der anderen Seite formuliert Harnack: „Die Anselm'sche Theorie hat als ganze wenig gewirkt."[8] Zwischen diesen beiden Meinungen gibt es zahlreiche Äußerungen, die eher von einem begrenzten Einfluß Anselms reden möchten.[9]
Für diese unterschiedliche Sicht der Wirkungsgeschichte sind im wesentlichen zwei Gründe verantwortlich:
a) Zum einen die unterschiedliche Sicht Anselms. Einen weitreichenden Einfluß Anselms in der Theologiegeschichte wird nur der finden, der seine Sicht Anselms bei späteren wahrnimmt. Und wer keine große Wirkung sieht, erkennt natürlich nur, daß seine Anselm-Sicht von späteren Theologen nicht aufgenommen wurde.
b) Darüber hinaus ist das Verständnis der Theologie- und Dogmengeschichte für die Bewertung des geschichtlichen Einflusses Anselms wesentlich. Wird etwa die Reformation stärker unter dem Motiv des „Christus victor" als dem der Versöhnung gesehen, hat das Konsequenzen für die Beurteilung des Einflusses Anselms auf die reformatorische Theologie.
In der vorliegenden Arbeit möchte ich jedoch auf die Beantwortung der Frage nach dem geschichtlichen Einfluß von Anselms Cur Deus homo, also der Wirkungsgeschichte, verzichten. Diese sinnvolle und vielleicht auch nötige Aufgabe würde zu viel Raum und Zeit erfordern, weil zumindest vorausgesetzt werden kann, daß sich ein sehr großer

[6] Cf. H.-U. v. Wiese, 151f; H.-P. Kopf, 1.
[7] G. Wenz, Versöhnung I, 60. Cf. auch H. Kessler, Bedeutung, 84: Anselm blieb „für die abendländische Soteriologie römisch-katholischer wie reformatorischer Provenienz bestimmend".
[8] A. v. Harnack, Lehrbuch, 409.
[9] Cf. etwa F. Hammer, 148; B. Funke, 90ff.

Teil der Theologen nach Anselm mit Cur Deus homo beschäftigt haben.[10]

3. Statt einer Wirkungsgeschichte werde ich vielmehr ausgewählte Rezeptionen in kurzer Form darstellen. Die Auswahl der Rezeptoren geschah vor allem unter dem Gesichtspunkt, daß sie in der jeweiligen Epoche - mehr oder minder - repräsentativ waren oder schulbildend gewirkt haben. Das heißt aber, daß die Rezeption von Cur Deus homo viel breiter und differenzierter war und hier nur ein ganz kleiner Ausschnitt geboten werden kann. Auch werden die jeweiligen Aufnahmen nur in groben Grundzügen dargestellt.
Die Absicht der ‚ausgewählten Rezeptionsgeschichte' verfolgt mehrere Ziele:
- systematisch-theologisch strebt sie eine breite Übersicht über vorhandene Interpretationen an;
- ein Werk ist nicht von seiner Wirkung, von der Weise, wie es im Laufe der Geschichte verstanden worden ist, zu trennen;
- hermeneutisch möchte sie Vorverständnisse ansatzweise aufarbeiten: unsere Sicht Anselms ist - ob bewußt oder unbewußt spielt keine Rolle - von anderen Sichten Anselms geprägt. Sie setzt andere Interpretationen zumindest historisch voraus.
Deshalb geht der Weg der Darstellung entgegen sonstiger Gepflogenheiten nicht vom Werk aus und reicht dann in die heutige Zeit, sondern umgekehrt: Von heutigen Interpretationen ausgehend wähle ich den Weg zu Anselms Cur Deus homo zurück. Dieses an K. Löwiths[11] Vorgehensweise angelehnte Verfahren ist darin begründet, daß unser eigenes Verständnis immer mitbestimmt ist durch Vorverständnisse.[12] Ein voraussetzungsloses Lesen und Verstehen von Texten ist gar nicht möglich, die Darstellung der wesentlichen geschichtlichen Interpretationen kann auch zur Klärung eigener Vorverständnisse dienen. „Eine angemessene Erfassung der Geschichte und ihrer historischen Ausdeutungen muß notwendigerweise gerade deshalb rückläufig vorgehen, weil die Geschichte sich vorwärts bewegt und die historischen Voraussetzungen der neueren Entwicklungen hinter sich läßt. Das historische Denken kann nur bei sich selber beginnen, obgleich es seine Absicht ist, das Denken anderer Zeiten und anderer Menschen zu vergegenwärtigen."[13] Dieser einer Gesamtdarstellung der Geschichte vorange-

[10] Grobe Übersichten über die Wirkungsgeschichte finden sich etwa bei G. Wenz, 42ff; B. Funke, 90ff; H. Kessler, Bedeutuung, 167ff; F. Hammer, 13ff.

[11] K. Löwith, Weltgeschichte, 12f.

[12] Ausführlich und instruktiv dazu H.-G. Gadamer, Wahrheit und Methode, bes. 250–290.

[13] K. Löwith, 12.

stellte Grundsatz hat auch Gültigkeit für die Rezeptionsgeschichte von Cur Deus homo und damit auch für Cur Deus homo selber: „Wir verstehen – und mißverstehen – alte Autoren im Licht unserer zeitgenössischen Vorurteile, indem wir das Buch der Geschichte von der letzten Seite zurück zur ersten lesen.“[14]

II. Karl Barth (1886–1968)[15]

Besonders in der evangelischen Theologie des 20. Jahrhunderts assoziieren viele, wenn der Name Anselm von Canterbury fällt, den Namen Karl Barths. Das ist in der wirkungsgeschichtlich nicht hoch genug einzuschätzenden Studie Karl Barths über den sogenannten ontologischen Gottesbeweis Anselms aus dem Proslogion: „Fides quaerens intellectum“ begründet.
Es ist wohl nicht zu bestreiten,[16] daß sich von diesem Werk Barths her große Teile der Denkbewegung Barths vor allem auch in der Kirchlichen Dogmatik erschließen lassen. Zwar hat sich Barths Beschäftigung mit Anselm gerade nach 1930 schwerpunktmäßig um das Proslogion gedreht[17], es fehlt jedoch auch nicht an Aussagen zu „Cur Deus homo“.[18]

1. Fides quaerens intellectum

Auch wenn dieses opus Barths die Kapitel 2–4 aus Anselms Proslogion als eigentliches Thema hat, so entspricht es doch dem Untertitel des Barthschen Buches, „Anselms Beweis der Existenz Gottes im Zusammenhang seines theologischen Programms“[19] zu interpretieren. So ist

[14] Ebd. K. Löwith fügt an: „Diese Umkehrung der gewohnten Art historischer Darstellung wird de facto selbst von denen ausgeübt, die von vergangenen Zeiten zu neueren fortschreiten, ohne sich ihrer gegenwartsbedingten Beweggründe bewußt zu werden.“ (Ebd.)

[15] Weil gerade der ältere Karl Barth mit seiner Sicht von ‚Cur Deus homo‘ repräsentativ auch für neuere theologische Urteile auf protestantischer Seite steht, ist es nicht nötig, jüngere Werke hier aufzunehmen.

[16] Ganz gleich, ob man die Interpretation Barths für zutreffend hält oder nicht.

[17] Cf. dazu das Vorwort von E. Jüngel u. I. Dalferth in der Neuausgabe von Fides quaerens intellectum (1986²),VII–IX.

[18] So hat Barth 3 Seminare zu Cur Deus abgehalten (SS 1926, SS 1930, WS 1942/43). Von den letzten beiden Seminaren sind Protokolle gut erhalten, die mir freundlicherweise vom Karl-Barth-Archiv durch Herrn Dr. H. Stoevesandt zugänglich gemacht wurden. Sie belegen freilich, daß beide Seminare jeweils nur bis zum Ende des ersten Buches von Cur Deus homo kamen, also keine Gesamtsicht von ‚Cur Deus homo‘ lieferten.

[19] K. Barth, Fides, III.

es auch nicht verwunderlich, daß in der Darlegung des theologischen Programms[20] stark auf „Cur Deus homo" eingegangen wird.
Barths Interesse richtet sich dabei allerdings vor allem auf die theologische Methode, also das Vorgehen Anselms, und weniger auf die spezifisch inhaltliche Eigenart von Cur Deus homo, wobei natürlich letztlich zwischen methodischer Vorgehensweise und Inhalt nicht zu trennen ist, weil beide einander bedingen. Die methodische Vorgehensweise Anselms ist nach Barth am besten beschrieben durch den Titel seines Buches: „Fides quaerens intellectum" – der Glaube, der nach Einsicht, Verstehen sucht. Deshalb sei der Ausgangspunkt bei Anselms Vorgehen auch nicht das intelligere, sondern die fides, der Glaube. Dieser wiederum habe seine Ursache nicht in sich selber, sondern in der Offenbarung Gottes, so daß auch für Anselms Vorgehen in Cur Deus homo gelte: Sein Ziel ist nicht der Beweis der Menschwerdung Gottes, sondern „das im Credo Vorgesagte nachdenken".[21]
Cur Deus homo setzt also nach Barth die Menschwerdung Gottes voraus und kann daher nicht als herkömmlicher Beweis verstanden werden.[22] Und ist darin im eigentlichen Sinne theologische Wissenschaft.[23]
In diesem Zusammenhang diskutiert Barth auch das Vorgehen Anselms „sola ratione" und „remoto Christo". Beide Begriffe dürfen nach Barth nicht isoliert verstanden werden. Zunächst müsse untersucht werden, was Anselm überhaupt unter ratio verstehe. Das Ergebnis lautet: „Wenn Anselm ratione, mit der Vernunft . . . rationem fidei, die Vernünftigkeit des Glaubensgegenstandes . . . noetisch realisieren will, so ist dabei sein Ziel dies: necessitatem, den Grund des Glaubensgegenstandes . . . necessitate, mit Begründung . . . zu denken."[24] Nur ein von der Gesamtsicht isolierendes Verständnis bestimmter Begriffe könne dazu führen, den Einsatz und die Absicht Anselms anders zu sehen als im Vorangehen der Offenbarung Gottes, die Anselm auch in Cur Deus homo zu verstehen suche.
Barths Erklärung des methodischen Vorgehens Anselms ist von daher gesehen klar: „Es ist . . . das Wesen des Glaubens, das nach Erkenntnis verlangt."[25]

[20] Ebd., 13–72.
[21] K. Barth, Fides, 40.
[22] Cf. dazu vor allem aaO., 57ff.
[23] K. Barth kann Cur Deus homo sogar die „wissenschaftlich vollkommenste Schrift" nennen (Fides, 36).
[24] Barth, Fides, 51f.
[25] AaO., 16.

2. Kirchliche Dogmatik

Barth nimmt in der KD an vielen Stellen und in vielerlei Art und Weise Werke Anselms von Canterbury[26] auf, etwa hinsichtlich des methodischen Vorgehens,[27] des Schriftverständnisses[28] oder von Anselms Begriff der pulchritudo.[29] Ich möchte drei Stellen hervorheben, die vor allem inhaltliche Schwerpunkte von Cur Deus homo interpretieren:

a) In KD I,2 nimmt Barth auf den Begriff der necessitas der Menschwerdung bei Anselm Bezug und meint, daß, obwohl es, „wie man zugestehen muß, mißlich"[30] klingt, von Anselm „so mißlich nicht gemeint war, wie es klingt".[31] Denn diese necessitas sei von Anselm nicht als „ein letztes Wort"[32] gemeint, dieses letzte Wort sei Gott selber, „für den und über dessen Willen es keine Notwendigkeit gibt".[33]

Nach Barth ist also necessitas bei Anselm nicht im Gegensatz zur Freiheit Gottes zu verstehen.

b) In KD II,1 greift Barth im Zusammenhang des § 30: „Die Vollkommenheiten des göttlichen Liebens"[34] auch den Zusammenhang von Gottes Barmherzigkeit und Gerechtigkeit auf. Dabei verwendet er zustimmend Luther und Anselm, die jeweils von verschiedenen Seiten aus zu gleichen Ergebnissen kämen: „Wir haben von Luther von der einen und von Anselm von der anderen Seite zu lernen, daß es keine Gerechtigkeit gibt, die nicht Barmherzigkeit und keine Barmherzigkeit, die nicht Gerechtigkeit Gottes wäre."[35]

Sowohl im Proslogion als auch in Cur Deus homo[36] stehe die Barmherzigkeit in engem Zusammenhang mit der Gerechtigkeit Gottes und könne nur von ihr her verstanden werden.

c) In KD IV,1 sind von Barth bis dahin ungewohnt kritische Töne zu Anselm zu vernehmen. Zunächst noch eher vorsichtig formuliert hält Barth es für bedenklich, daß „insbesondere in der Nachfolge Anselms von Canterbury"[37] der Begriff der Strafe zum Zentralbegriff der Versöhnung werde.

[26] Cf. den Registerband zum Stichwort ‚Anselm'.
[27] Etwa in KD I,1, 13ff; I,2, 9f; II,1, 101.
[28] Etwa in KD I,1, 15.117.
[29] Etwa in KD II,1, 740; IV,3, 918.
[30] KD I,2, 149.
[31] Ebd.
[32] Ebd.
[33] Ebd.
[34] KD II,1, 394–495.
[35] KD II,1, 427.
[36] K. Barth nimmt besonders Bezug auf CDh I,12 und 24.
[37] KD IV,1, 279. Unersichtlich ist, inwieweit er direkt Bezug auf Anselm nimmt oder eher auf dessen Interpreten.

Deutlicher und schärfer noch wird Barth in der Interpretation von Anselms misericordia-Verständnis. Nach Barth lehnt Anselm in CDh I,12 ein Vergeben der Sünde des Menschen „sola misericordia" ab. Vielmehr müsse es „als bedingt gedacht werden durch eine zuvor stattgefundene Wiedergutmachung der Verletzung der Ehre Gottes, durch die Restitution dessen, was ihm durch den Menschen geraubt sei."[38] Gerade diese Vorstellung, bei der Barth eine Infragestellung der freien Gnade Gottes wittert, sei kategorisch abzulehnen. „Barmherzigkeit" sei nicht zu eliminieren oder mit Bedingungen zu versehen, vielmehr drücke der Begriff der „misericordia" gerade das Handeln Gottes in der Menschwerdung und die Situation des Menschen am deutlichsten aus.

Zusammenfassung:
1. Barth versteht den theologischen und methodischen Ansatz als offenbarungstheologisch und bewertet ihn sehr hoch.
2. Im Laufe der Arbeit an der KD wandelt sich sein Grundverständnis von Cur Deus homo: Sieht er Anselm zunächst sehr positiv und die Freiheit Gottes weder durch den Begriff der necessitas noch durch die starke Betonung der iustitia gefährdet, so kritisiert er später stark, daß Anselm die Barmherzigkeit einschränke.

III. Karl Rahner (1904–1984)

Karl Rahner gehört zu den bedeutendsten katholischen Theologen des 20. Jahrhunderts. Sein Einfluß auf das II. Vatikanische Konzil und einen großen Teil der heutigen katholischen Theologie ist wohl kaum zu überschätzen. Zu Anselms Cur Deus homo nimmt er verschiedenenorts Stellung,[39] fast immer im Zusammenhang der systematischen Erörterung der Bedeutung des Erlösungsgeschehens.

1. Positiv an der Satisfaktionstheorie ist nach Rahner zum einen, daß „manche ‚mythologische' Mißverständnisse"[40] durch sie überwunden werden, und zum andern, daß sie, wenn sie ganz formal gelesen werde, „auch irgendwie das Ganze der Soteriologie deuten kann".[41] Außerdem kann Rahner noch „die Nützlichkeit gewisser sachlicher und

[38] KD IV,1, 541.
[39] Cf. zum Ganzen A. Grün, Erlösung durch das Kreuz. Karl Rahners Beitrag zu einem heutigen Erlösungsverständnis. Dort vor allem 146.153.163f.
[40] K. Rahner, Sacramentum Mundi 1, 1168.
[41] K. Rahner, Schriften Bd. 12, 262.

religionspädagogischer Momente der Satisfaktionstheorie"[42] anerkennen. Damit sind jedoch die positiven Seiten von Anselms Cur Deus homo nach Rahner auch schon benannt.

2. Kritisch ist nach Rahner zunächst die Unvollständigkeit zu nennen. Zum einen bringe die Anselmsche Theorie keineswegs alle „Momente einer adäquaten Soteriologie gleichmäßig und deutlich zur Geltung",[43] was auch darin seinen Grund habe, daß Anselm sich auf die formale Ebene beschränke, „nicht aber an dem konkreten Inhalt, der inneren Struktur des Erlösungsvorgangs in sich"[44] interessiert sei.

3. Das habe zur Folge, daß die Bedeutung des Todes Christi am Kreuz nur in bezug auf den Wert gesehen werde, „nur in seiner abstrakten sittlichen Werthaftigkeit bedeutsam"[45] sei; was sie genauer zum Inhalt habe, sei eher gleichgültig. Damit aber sei der „Tod Christi doch nur die letztlich zufällige"[46] Tat. Und das stehe sowohl im Widerspruch zur Schrift, die den Tod Christi als Heilsereignis beschreibe, wie auch zu einer „wirklichen Theologie des Todes im allgemeinen".[47]

4. Den schärfsten Angriff aber vollzieht Rahner in seiner letzten systematischen Abhandlung über die Christologie: „Der eine Jesus Christus und die Universalität des Heils."[48] Hatte er in vorherigen Schriften zwar immer wieder auf Mängel der anselmischen Theorie aufmerksam gemacht, so wird hier die Satisfaktionstheorie als die Vorstellung benannt, gegen die anzugehen nötig sei. Rahner versteht den gesamten Entwurf Anselms hier so, als sei das Kreuz, der grausame Tod die „Ursache für den grundlosen Heilswillen Gottes",[49] nicht aber Folge. Und das heiße eben, daß Gott „durch das Kreuz von zürnender Gerechtigkeit ... zu vergebender Liebe"[50] umgestimmt[51] werde. Der Grund des Kreuzes sei aber nicht irgendeine fordernde oder strafende Gerechtigkeit, sondern die Liebe Gottes. Anselm dagegen gehe aus von der „zürnenden und Genugtuung fordernden Gerechtigkeit Got-

[42] Ebd.
[43] K. Rahner, Sacramentum mundi 1, 1169.
[44] K. Rahner, Schriften Bd 1, 213.
[45] Ebd.
[46] Ebd.
[47] K. Rahner, Sacramentum mundi 1, 1169.
[48] Erschienen in: K. Rahner, Schriften zur Theologie Band 12. Theologie aus Erfahrung des Geistes. 251–282.
[49] K. Rahner, Schriften Bd. 12, 261.
[50] Ebd.
[51] K. Rahner redet etwas vorsichtiger: Anselms Theorie „insinuiert ... fast zwangsläufig den Gedanken an eine Umstimmung Gottes" (aaO., 262).

tes"[52] und nicht von der grundlosen Liebe. Indem Anselm aber die Gerechtigkeit in einseitiger Weise heraushebe und auf Kosten der Liebe Gottes zum Ausgangspunkt mache, habe diese Theorie das Wesen Gottes, seine Liebe zu den Menschen „verdunkelt"[53] und damit Gott falsch dargestellt,[54] auch weil in Gott selber ein Zwiespalt hereingetragen werde. Das hat zur Konsequenz, daß der beleidigte Gott durch das Kreuz, durch das blutige Opfer seines Sohnes umgestimmt[55] werde: Aufgrund des Todes Jesu erfolgt die Versöhnung; der Tod Jesu ist Leistung des Menschen an Gott. Das aber widerspreche in ganz grundlegender Weise dem Verständnis des christlichen Glaubens und sei daher abzulehnen.

Zusammenfassung:

Karl Rahner vollzieht im Verlaufe seiner Beschäftigung mit Anselms Cur Deus homo eine immer größere Abgrenzung. Er sieht die Bedeutung des Todes Jesu am Kreuz bei Anselm nicht genügend inhaltlich gefüllt. Seine Hauptkritik besteht aber darin, daß das Kreuz nicht Folge, sondern Ursache der Versöhnung sei - was aber eine fatale Einseitigkeit zugunsten einer fordernden Gerechtigkeit Gottes sei, die auf Kosten der Liebe Gottes gehe.

IV. Gustaf Aulén (1879–1977)

1. Der schwedische Theologe und Bischof Gustaf Aulén, der die „Lunder Schule" mitentwickelt und geprägt hat, ist mit seiner Sicht der dogmengeschichtlichen Entwicklung der Versöhnungslehre für große Teile der protestantischen Dogmatik und Dogmengeschichte des 20. Jahrhunderts bis heute sehr bedeutsam. „Typisch für Aulén ist, daß er gewisse Zeitabschnitte als Verfalls- und andere als Erneuerungsperioden betrachtet."[56] Und das betrifft auch die Versöhnungslehre, die er im Lauf der Geschichte in drei Typen vertreten sieht. Das erste und „klassische Versöhnungsmotiv"[57] ist das des Urchristentums und der alten Kirche und kann mit dem Begriff „CHRISTUS-VICTOR"[58] kurz umschrieben werden, „Christus als der Bekämpfer und Besieger der

[52] AaO., 262.
[53] Ebd.
[54] Das habe auch schwerwiegende negative Folgen gehabt, was sich an „der Geschichte von Predigt und Theologie . . . ablesen" lasse (ebd.).
[55] Cf. oben Anm. 51.
[56] G. Wingren, Art. Aulén, 749.
[57] G. Aulén, Die drei Haupttypen, 513.
[58] AaO., 505.

Mächte des Verderbens."[59] Für Aulén ist es wichtig, daß „ein Ton des Triumphes"[60] aufgrund des errungenen Sieges den Versöhnungsgedanken bestimmt und daß die Spannungen, die in Gott selber vorhanden seien (z. B. „Gott ist der Souveräne, er ist aber zugleich der in der Welt Kämpfende."[61] Gottes Zorn und Gottes Liebe[62]) nicht rational aufgelöst, sondern so gezeigt werden, daß letztlich die „göttliche Liebe auf dem Weg der Selbsthingabe und des Opfers den Sieg gewinnt".[63] Diesem klassischen Typ wird der lateinische gegenübergestellt, der vor allem durch Anselm von Canterbury vertreten und „ausgebildet wurde"[64] (Cf. dazu unten).

Ein dritter Typ, den Aulén den idealistischen nennt,[65] zeichnet sich vor allem dadurch aus, daß allein das Tun des Menschen das Entscheidende beim Versöhnungsgeschehen sei, weshalb er moralistisch und ethizistisch[66] zu nennen sei. Dieser Typus werde vor allem im 18. und 19. Jahrhundert vertreten.

Diese drei Haupttypen lösen sich nun nicht einfach im Laufe der Geschichte ab, sondern der klassische werde auch von Luther vertreten, während der lateinische von der altprotestantischen Orthodoxie übernommen worden sei.

2. Anselm als Hauptvertreter des lateinischen Typus

a) Zunächst lehnt Aulén die Meinung ab, daß bei Anselm „Gott durch die Satisfaktion umgestimmt"[67] werde: so einfach sei es nicht. Allerdings sei es auch keine reine Gottestat[68], vielmehr eine von unten durchbrochene, da „die Menschen . . . die satisfaktorische Leistung fertigbringen"[69] müßten. Denn Cur Deus homo ziele in seiner ganzen Argumentation darauf, zu zeigen, „wie der Mensch hervorgebracht wird, der qualifiziert ist, die Satisfaktion, die Gott unbedingt fordert, zu geben."[70] In dem, was Christus tue, geschehe nun das, was „der Nerv der ganzen Argumentation"[71] sei, nämlich daß der Mensch Satisfaktion gebe. Damit ist aber der Gedanke der Versöhnung als Gottestat „von

[59] AaO., 505f.
[60] AaO., 506.
[61] AaO., 535.
[62] Cf. aaO., 535f.
[63] AaO., 536.
[64] AaO., 513.
[65] AaO., 521.
[66] Cf. aaO., 532.
[67] AaO., 513.
[68] Das gegen R. Hermann, cf. aaO., 513.
[69] AaO., 514.
[70] Ebd.
[71] Ebd.

unten her durchbrochen worden ... Gott hat von unten her eine Kompensation bekommen."[72] Damit ist Gott schwerpunktmäßig nicht mehr Subjekt, sondern zum größten Teil Objekt der Versöhnung.

b) Hintergrund und Konsequenzen

i. Nach Aulén ist trotz der Betonung der Sündhaftigkeit des Menschen und trotz der Zentrierung des Sündengeschehens bei Anselm „der radikale Gegensatz Gottes zur Sünde abgestumpft",[73] weil eben die Satisfaktion als menschliches Tun die Sünde ausgleichen kann; das aber verflache die Schwere der Sünde.

ii. Das durch Christus begründete neue Gottesverhältnis des Menschen sei stark vernachlässigt worden, weil die Satisfaktion Christi und die Zurechnung dieses Verdienstes für die Menschen „in keinem organischen Verhältnis zueinander"[74] stünden, da „Christus kein unmittelbares Verhältnis zu den Menschen"[75] habe. Damit aber sei die Versöhnung zu stark und einseitig als objektives Geschehen aufgefaßt.

iii. Die in Gott vorhandene Spannung, die der klassische Typ sehr gut darstelle, sei zwar „in einer abgeschwächten Form"[76] übernommen, nämlich in der Spannung von Gerechtigkeit und Barmherzigkeit Gottes, aber dann doch „durch einen rational gedachten Ausgleich gelöst",[77] und zwar einseitig auf Kosten der Barmherzigkeit. Diese Auflösung der in Gott vorhandenen Spannung sei aber der Versuch, die Eigenschaften Gottes rational zu harmonisieren. Damit aber wird nun die „Versöhnung ... in den Rahmen der Rechtsordnung fest eingefügt",[78] und das heißt natürlich, daß letztlich die Gerechtigkeit der Barmherzigkeit übergeordnet wird. Weil nun aber „weder die Spannung noch die Liebe in ihren vollen Tiefen erfaßt sind", könne die Liebe Gottes als der eigentliche Beweggrund des Versöhnungsgeschehens kaum noch zum Ausdruck kommen. Rationalität und Herrschaft der Rechtsordnung verhindern nach Aulén, daß in der Versöhnung die „göttliche Liebe ... unmotiviert und unergründlich"[79] zum Ausdruck kommt. Aber nur die Betonung der freien göttlichen Liebe könne ausdrücken, daß Gott selber zu den Menschen komme.

[72] Ebd.
[73] AaO., 516.
[74] AaO., 534.
[75] AaO., 533.
[76] AaO., 536.
[77] Ebd.
[78] AaO., 515.
[79] AaO., 537.

Zusammenfassung:
Zwar verwahrt sich Aulén deutlichst gegen den Vorwurf, er wolle eine Apologie des „klassischen Typus" vornehmen,[80] sagt aber doch zugleich, daß gerade die anselmische Versöhnungslehre eher verdunkelnd als erhellend gewirkt habe, weil Anselm „an jenen legalistischen Zügen im Gottesbild festhält, die das Urchristentum in seiner Auseinandersetzung mit dem Judentum ursprünglich überwunden hat."[81] Deshalb sei Luther zuzustimmen, der im Gegensatz zur Vorherrschaft des lateinischen Typus im Mittelalter den klassischen aufgenommen, wiederbelebt und erneuert habe.

V. Adolf von Harnack (1851–1930)

Adolf von Harnack gilt als der bedeutendste Theologe des ausgehenden 19. und beginnenden 20. Jahrhunderts, als der Repräsentant der liberalen Theologie. Mit seiner immer wieder aufgelegten Dogmengeschichte hat er, auch über seine Lebenszeit hinaus, viele Theologen beeinflußt.
In seiner ausführlichen Beschäftigung mit Anselm stellt er zunächst vor allem[82] positiv heraus, daß dessen Ansatz einen immensen Vorteil gegenüber früheren Entwürfen beinhalte, weil „er es so gefasst hat, dass es sich um die Erlösung von einer Schuld handelt".[83] In den Entwürfen vorher sei es vor allem um die Erlösung von den Folgen der Sünde gegangen. Das hänge damit zusammen, „dass er die Schuld ausschliesslich als Schuld gegen Gott (Ungehorsam) gefasst"[84] habe, und den Teufel, der befriedigt werden müsse, aus dem Mittelpunkt des Erlösungsgeschehens gebannt habe.[85]
Damit aber hören die positiven Urteile über Anselms Werk auch schon auf: „Allein diesen Vorzügen stehen so viele Mängel entgegen, dass die Theorie völlig unannehmbar ist."[86] Zunächst meint Harnack, eine große Zahl an Widersprüchen und Unvollkommenheiten[87] in Cur Deus homo selber feststellen zu können, etwa komme Anselm trotz des Be-

[80] Vor allem in: G. Aulén, Christus Victor, 158f: „I have not had any intention of writing an apologia for the classic idea."
[81] G. Wingren, Art. Aulén, 750.
[82] In A. v. Harnacks Lehrbuch der Dogmengeschichte finden sich insgesamt 6 Vorzüge der anselmischen Theorie (403).
[83] A. v. Harnack, Lehrbuch, 403.
[84] Ebd.
[85] Cf. H.-P. Kopf, 76.
[86] A. v. Harnack, Lehrbuch, 403.
[87] AaO., 404ff.

harrens auf der necessitas „nicht über das conveniens hinaus“,[88] das Verständnis von meritum bleibe unklar und die Begriffe Gerechtigkeit und Ehre seien „völlig widerspruchsvoll“.[89]
Seine Hauptbedenken lassen sich jedoch m.E. auf zwei Anliegen[90] reduzieren:

1. Gotteslehre

Das wohl bekannteste Zitat Harnacks über Anselm ist sprechend: „... das Schlimmste an Anselm's Theorie ...: der mythologische Begriff Gottes als des mächtigen Privatmanns, der seiner beleidigten Ehre wegen zürnt und den Zorn nicht eher aufgiebt, als bis er irgend ein mindestens gleich grosses Aequivalent erhalten hat“.[91] Damit aber sei Gott so dargestellt, als könne er wie ein Mensch verletzt werden, Gott sei auf eine menschliche Ebene herabgeholt worden, in der nicht erfaßt werden könne, in welchen Dimensionen die Erlösung geschehen sei. Es seien zu menschliche Vorstellungen, die dann dazu führten, daß „Gott durch Menschenopfer (!) befriedigt werden“[92] müsse, daß Gott überhaupt umgestimmt werden muß.[93]
Diese Herabholung ins Menschliche hat nach Harnack eben zur Folge, daß die Eigenschaften Gottes „in eine unerträgliche Spannung“[94] gebracht werden, etwa Gerechtigkeit und Ehre, und daß Gott in erster Linie Objekt der Versöhnung sei.

2. Möglichkeit und Wirklichkeit

Anselm bleibt nach Harnacks Auffassung bei der Möglichkeit stehen, „wie im Menschen selbst eine Umänderung seiner Gesinnung zustande kommt“,[95] weil er zwischen Erlösung und Aneignung trenne. Anselm beschreibe zwar das Geschehen Christi und die Bedeutung seines Todes, komme aber nicht dazu, den Menschen, um den es bei der Erlösung gehe, zu bedenken. Das sei nun nicht einfach ein Versäumnis, nein, es sei strukturell in Anselms Ansatz angelegt. Denn Anselm zerspalte „,objektive‘ Erlösung und ,subjektive‘ Aneignung“[96] und trenne so das Erlösungsgeschehen vorsätzlich vom Menschen. Und das heißt, daß Anselm nach Harnack nur die Möglichkeit, nicht aber die Wirklichkeit der Erlösung theologisch erörtert. Zur Wirklichkeit, zum

[88] AaO., 404.
[89] AaO. 405.
[90] Ich sehe die Schwerpunkte etwas anders als H.-P. Kopf, 72f.
[91] A. v. Harnack, Lehrbuch, 408.
[92] A. v. Harnack, Dogmengeschichte, 356.
[93] „Umstimmung Gottes ..., die bei Anselm doch vorliegt“ aaO., 359.
[94] AaO., 356.
[95] Ebd.
[96] Ebd.

Eigentlichen zu kommen, sei aber das Grunderfordernis der Theologie, und wer hier zerteile, zerteile etwas, was nicht zu trennen sei.

3. Die Folge aus den beiden Hauptkritikpunkten an Anselm ist für Harnack klar: Anselm und Anselms Auffassung sind unevangelisch. Wenn Gott durch den Menschen umgestimmt werden muß oder wenn die Aneignung der Erlösung immer noch zur Debatte steht, heiße das, daß der Mensch zur Erlösung doch etwas beitragen müsse. Anselm denke, ob er es wolle oder nicht[97], ein Stück in Richtung Selbsterlösung. „Wer diese Auffassung teilt, denkt katholisch, mag er sich auch einen lutherischen Christen nennen."[98]

Zusammenfassung:
Harnack steht Anselms Cur Deus homo trotz einer zuerkannten geschichtlichen Weiterentwicklung beim Sündenverständnis (Schuld gegenüber Gott) sehr kritisch gegenüber. Der Grund ist, daß Harnack in Anselms Erlösungsverständnis den Menschen doch ein bißchen in der Selbsterlöserrolle mitsieht. Und diese Sicht hat ihre Ursache zum einen in der Gotteslehre, in der Anselm die Eigenschaften Gottes auseinanderreiße, indem er Gott mit menschlichen Kategorien zu beschreiben versuche und so Gott zum Objekt der Versöhnung mache. Zum anderen sieht er in Anselms Aufbau ein Interesse an der Möglichkeit, nicht aber an der Wirklichkeit der Erlösung, die aber das eigentliche Thema der Erlösungslehre ist.

VI. Ferdinand Christian Baur (1792–1860)

Ferdinand Christian Baur hat wie kein anderer vor ihm Dogmengeschichte gerade in monographischer Hinsicht aufgearbeitet,[99] und dabei ein großes Gewicht auf die Geschichte der Versöhnung gelegt.[100]

1. An Anselms Cur Deus homo sieht Baur vor allem zwei Stärken, die den geschichtlichen Fortschritt ausmachen, den Baur in der Tradition

[97] Anselm selber gesteht A. v. Harnack zu, daß er es nicht so meine, viel gravierender seien „die bösen Folgen, die noch heute herrschen" (ebd.); Anselm sei insofern ein „Mitbegründer der katholischen Kirche, obgleich seine Theorie im einzelnen – zugunsten einer noch bequemeren Kirchenpraxis – vielfach verlassen worden ist." (aaO., 357).

[98] Ebd.

[99] Cf. M. Tetz, 937.

[100] H.-P. Kopf, 82 kann Baurs Werk „Die christliche Lehre von der Versöhnung in ihrer geschichtlichen Gestalt" sogar dessen Hauptwerk nennen.

Hegels stehend in erster Linie als Maßstab für seine Beurteilungen nimmt.
a) Es war „erst Anselm, durch welchen der Teufel die der Idee Gottes widerstreitende Bedeutung verlor, die man ihm in dem Werke der Erlösung gab."[101] Der Grund dafür, daß der Teufel diese Bedeutung verliert, hängt zusammen mit dem Sündenverständnis, und vor allem damit, daß nicht mehr die Erlösung aus der Folge der Sünde, sondern aus der Sünde selber zu verstehen sei.[102] Damit aber wird dem Teufel als Widersacher Gottes und des Menschen das Recht aberkannt, im Erlösungsgeschehen eine ausschlaggebende Größe zu sein.
b) In diesen Zusammenhang gehört auch, daß die Sünde als solche in den Mittelpunkt der Überlegungen gestellt wurde. Und wenn Erlösung von der Sünde, dann geht es eben um die direkte Beziehung Gott-Mensch ohne Einschaltung eines Dritten. Als Folge der zentralen Stellung der Sündenlehre sieht Baur positiv, aber auch zwangsläufig, daß die Stellung der Gerechtigkeit aufgewertet und nicht mehr allein äußerlich wie in vorhergehenden Entwürfen gesehen wird. „Wie ganz anders ist dagegen der Begriff der Gerechtigkeit bestimmt, wenn sie mit dem absoluten Wesen Gottes selbst identisch genommen wird?"[103] Zwar hat Anselm nach Baur eher ein quantitatives Gerechtigkeitsverständnis, hinsichtlich des dogmengeschichtlichen Fortschritts urteilt Baur optimistisch, weil die von Anselm vorgenommene Bestimmung im Verlaufe der Geschichte „von selbst zu einer qualitativen"[104] werde, da ja die zentrale Stellung der Schuld bei Anselm schon erreicht sei.

2. Dieser hoffnungsvoll klingende Ausblick über Anselm hinaus hindert Baur jedoch nicht, schwerwiegende Mängel bei Anselm aufzuzeigen.
a) Zwar stellt Baur wie eben gesagt fest, daß es ein Fortschritt sei, überhaupt den Begriff der Gerechtigkeit in die Lehre von der Erlösung aufzunehmen, dennoch aber sieht er in Anselms Fassung der Gerechtigkeit große Probleme. Denn nach Baur sind die Vorstellungen von Gerechtigkeit und Barmherzigkeit bewußt einander ausschließend gedacht,[105] es seien „zwei sich widerstreitende Begriffe".[106] Weil aber nun die Gerechtigkeit, wie Baur Anselm zitiert,[107] mit dem Wesen Gottes identisch sei, entstehe in der Person Gottes ein Widerspruch. Und die-

[101] F. C. Baur, Christl. Lehre, 187.
[102] Cf. ebd.
[103] AaO., 188.
[104] AaO., 189.
[105] Cf. dazu H.-P. Kopf, 40f 70–72.
[106] H.-P. Kopf, 71.
[107] Cf. F. C. Baur, Christl. Lehre, 188.

ser Widerspruch werde einseitig auf Kosten der göttlichen Liebe gelöst. So meint Baur: „Der ganze Gang der Entwicklung zeigt deutlich, daß er [sc. Anselm] eigentlich immer nur das Moment der Gerechtigkeit vor Augen hat".[108] Deshalb sei Anselm in Hinblick auf Gottes Liebe auch nur daran interessiert, wie sie „mit der göttlichen Gerechtigkeit auszugleichen sey."[109] Damit aber werde Anselm der Liebe als dem Movens Gottes nicht gerecht.

b) Baur nimmt Anstoß am Begriff und der Vorstellung der necessitas in Cur Deus homo, und zwar im Zusammenhang der Kritik am Gerechtigkeitsverständnis.[110] Nach Baur geht es zentral um die Wiederherstellung der verletzten „Ehre Gottes ... auf dem Weg der Genugthuung",[111] daraus aber folge bei Anselm die Vorstellung „absoluter Nothwendigkeit",[112] denn Gott müsse nun einmal seiner verletzten Ehre genugtun. Das aber bedeutet, daß die Versöhnung nicht um des Menschen, sondern allein um Gottes willen geschah, Gott also der Versöhnung bedarf: „Das ganze Werk der Erlösung erfolgte nicht um des Menschen willen, sondern vermöge einer innern, im Wesen Gottes selbst gegründeten Nothwendigkeit."[113] Diese necessitas aber steht „der subjectiven Freiheit sowohl auf Seiten Gottes,[114] als auf Seiten des Menschen"[115] entgegen. Die mit der Freiheit zusammenhängende Liebe Gottes ist auch hier wieder das, was Anselm nach Baurs Meinung zu Unrecht vernachlässigt, ja eigentlich sogar ausschließt.

c) Einen dritten Kritikpunkt findet Baur beim Verständnis der Genugtuung. Weil Anselm die Alternative: Genugtuung oder Strafe habe, schließe die Genugtuungsvorstellung Strafe aus: „Die Genugthuung im Anselm'schen Sinn ist kein Strafleiden, sondern nur eine active Leistung."[116] Damit aber steht Anselm nach Baur vor der Schwierigkeit, den Zusammenhang von Sünde und Tod Jesu am Kreuz kaum aufrechterhalten zu können, er vermöge es nicht mehr, deutlich zu machen, daß die Strafe auf ihm liege.

Zusammenfassung:

Zwar erkennt Baur in seiner geschichtlichen Konzeption einen Fortschritt Anselms gegenüber früheren Entwürfen, vor allem hinsichtlich

[108] AaO., 169.
[109] Ebd.
[110] Cf. H.-P. Kopf, 40f 70–72.
[111] F. C. Baur, Versöhnung, 170.
[112] Ebd.
[113] Ebd.
[114] Cf. dazu auch aaO., 179.
[115] AaO., 181.
[116] AaO., 183.

der Stellung der Sünde und der Gerechtigkeit. Zugleich aber sei vor allem sehr bedenklich, daß der eigentliche Ausgangspunkt des Erlösungsgeschehens, die Liebe Gottes, verdeckt und sogar eliminiert werde, indem Gerechtigkeit und Notwendigkeit dominierten.

VII. Johann Gerhard (1582–1637)

1. Der lutherische Theologe Johann Gerhard „gilt als der gelehrteste und bekannteste Vertreter der lutherischen Orthodoxie".[117] Sein Monumentalwerk sind die Loci theologici, die in neun Bänden ab 1610 erscheinen und in der Aufnahme aristotelischer Metaphysik versuchen, das Ganze des christlichen Glaubens darzustellen. Die Christologie hat, wie andere Lehrstücke auch, zwei Verortungen: zum einen in „De essentia dei" im ersten Band und zum andern in „De voluntate dei" im zweiten Band, dort in der Erklärung der Rechtfertigungslehre.[118] Nicht verwunderlich ist, daß Gerhard die Versöhnungslehre vor allem in diesem zweiten Teil behandelt und auch dort auf Anselm von Canterbury zu sprechen kommt. Nach Meinung von Schröder kommt Gerhard nicht nur zuweilen auf Anselm von Canterbury zu sprechen, sondern: „Gerhard nimmt Anselms Satisfaktionslehre auf."[119] Und das bedeutet nach Meinung Schröders, daß die Grundlinien der Rechtfertigungslehre nach dem Schema Anselms entworfen seien, weil Anselm es „erlaubt, das Heilsgeschehen bequem in der objektivierenden Begrifflichkeit des Kausalschemas zu fassen",[120] sich also relativ problemlos in den „Versuch, die Rechtfertigungslehre . . . mittels der metaphysischen Begrifflichkeit denkend zu wiederholen",[121] einfüge. Der Unterschied sei, daß Gerhard „das mittelalterliche Ordo-Denken und . . . das Verhältnis zwischen Naturen und Person Christi anders als Anselm"[122] bestimme. „Ansonsten aber folgt er seiner [sc. Anselms] Satisfaktionstheorie."[123]

[117] M. Honecker, 448. Zu J. Gerhards Vita und Theologie cf. bes. J. Baur, J. Gerhard. In: M. Greschat (Hg.), Gestalten der Kirchengeschichte, Bd. 7, 99–119.

[118] Cf. dazu R. Schröder, Johann Gerhards Christologie, 44–53. Ich verdanke der Monographie Schröders wesentliche Erkenntnisse zu Gerhards Christologie und folge ihr im wesentlichen.

[119] R. Schröder, 82.

[120] Ebd.

[121] AaO., 96.

[122] AaO., 87.

[123] Ebd.

Ob diese These Schröders letztlich stimmt, hängt auch von seinem Anselmbild ab, das er vorher zeichnet und in dem er eine sehr juridische Sichtweise der anselmischen Position zeigt. Womit er aber auf jeden Fall recht haben dürfte, ist, daß Johann Gerhard selber sich in Übereinstimmung mit Anselm sah.

2. Dies möchte ich an zwei Beispielen zeigen und daran auch Gerhards Anselmverständnis verdeutlichen.

a) Im 16. Buch in § 27 schreibt Gerhard: „Deus sua natura justus est, adeoque ipsa justitia, ideo odit ac punit delicta, cum vero Christus pro peccatis satisfecerit, inde et ideo jam locum habet Dei justificantis gratia, salva nihilominus manente justitia, nempe propter illam Christi satisfactionem, qua de re Anselmus in libris Cur Deus homo late tractat."[124] – ‚Gott ist seiner Natur nach gerecht, er ist selbst die Gerechtigkeit, deswegen haßt und bestraft er Vergehen, aber weil Christus wirklich für die Sünden genuggetan hat, deshalb und deswegen hat die rechtfertigende Gnade Gottes schon Platz; die Gerechtigkeit bleibt dennoch unbeschädigt, allerdings wegen jener Genugtuung Christi; diese Sache behandelt Anselm in den Büchern Cur Deus homo ausführlich.'

Gerhard nimmt hier[125] Bezug auf das Verhältnis von Gerechtigkeit und Gnade bzw. Barmherzigkeit Gottes. Er stützt sich auf Anselm, wenn er die Barmherzigkeit Gottes von der Gerechtigkeit Gottes her zu verstehen sucht, wenn sich die Barmherzigkeit Gottes in das schon vorher bekannte Verständnis von Gerechtigkeit einzuordnen hat. Er versteht Anselm so, daß Gerechtigkeit und Barmherzigkeit in Christus zusammenfallen, daß Christi Genugtuung die Barmherzigkeit in Gott quasi hineingetragen hat. Die Vorordnung der iustitia bleibt, es kommt nur eine misericordia hinzu, die der iustitia nicht widersprechen kann: „Die justitia Dei bleibt unberührte Voraussetzung und oberste Bedingung des Heilsgeschehens, so wie es die Satisfaktionstheorie erfaßt."[126] Damit wird deutlich, daß Gerhard aus Cur Deus homo im Horizont seiner aristotelischen Metaphysik das Verhältnis von iustitia und misericordia so herausliest, als habe Anselm von der iustitia Dei her einseitig seine Versöhnungslehre entwickelt.

b) „Disputant, non fuisse absolute et simpliciter necessariam CHRISTI satisfactionem ad remissionem peccatorum et salutem nobis impetran-

[124] J. Gerhard, Loci Theologici, Tomus Tertius, 315. Ich zitiere die Loci Theologici nach der Preuß'schen Ausgabe von Berlin 1863ff.

[125] Cf. auch J. Gerhard, Loci Theologici Buch 16, § 47. Tomus 3, 331.

[126] R. Schröder, 90.

dam, quod ipsum dignitatem satisfactionis illius non mediocriter labefactat. Thom. parte 3. quaest. 46. artic. 3: DEUS potest sine satisfactione remittere peccata, cum non habeat aliquem superiorem. Biel 3. sentent. distinct. 20. quaest. undec.: Rationes Anselmi in libris cur DEUS homo, nihil probant, nisi procedant ex ordinatione divina praesupposita".[127] – ,Sie sagen, daß die Genugtuung Christi zur Vergebung der Sünden und zur Erlangung unseres Heils nicht absolut und einfach notwendig gewesen ist, was aber die Stellung seiner Genugtuung stark erschüttert. Thomas: Gott kann ohne Satisfaktion Sünden vergeben, weil er keinen über sich hat. Gabriel Biel: Die Gründe Anselms in den Büchern Cur Deus homo nützen nichts, wenn sie nicht aus der vorherigen göttlichen Anordnung hervorgehen.'
In der Auseinandersetzung mit den Sozinianern,[128] die die Notwendigkeit des Kreuzes leugneten, weist Gerhard auf die unbedingte Notwendigkeit der Genugtuung hin und bezieht sich dabei ohne Frage auf Anselms Vorstellung der necessitas. In seiner Polemik versucht Gerhard, jede Einschränkung der necessitas zurückzuweisen, weshalb er Anselm auch gegen Thomas und Biel[129] in Schutz nimmt bzw. ihnen eine Aufweichung nachweisen zu können meint. Die necessitas darf aber deshalb nicht in Frage gestellt werden, weil dies nach Gerhards Meinung die Satisfaktion Christi selbst in Frage stellen würde – und das sei ausgeschlossen. Nach Johann Gerhard ist also die Notwendigkeit der Genugtuung bei Anselm eine absolute und nicht hinterfragbar.

Zusammenfassung:

Johann Gerhard sieht in den Sozinianern einen Großangriff auf die gesamte christliche Lehre und „verteidigt gegen sie [sc. die Argumente der Sozinianer] mehr schlecht als recht Anselms Theorie".[130] Sein Verständnis Anselms wird an der Aufnahme einer Gerechtigkeitsvorstellung deutlich, der sich die Barmherzigkeit Gottes einzuordnen hat. Bei Anselm hängen nach Gerhards Meinung die absolute Notwendigkeit der Satisfaktion und das Geschehen der Versöhnung überhaupt untrennbar zusammen.

[127] J. Gerhard, Loci Theologici. Tomus tertius. Berlin 1865, 338.

[128] Cf. dazu R. Schröder, 92f.

[129] Gerade aber im Hinweis auf Gabriel Biel kann J. Gerhard die Differenziertheit der Wiedergabe der necessitas Anselms bei Biel nicht aufnehmen. Biel liest Anselm so, daß Anselms necessitas keine unabhängige, sondern eine in Übereinstimmung mit dem Willen Gottes stehende ist und verweist dabei auf den doppelten necessitas-Begriff bei Anselm. Cf. G. Biel, Collectorium circa . . . Liber tertius, 330–333.

[130] So jedenfalls R. Schröder, 93.

VIII. Der Heidelberger Katechismus (1563)

1. Der 1563 veröffentlichte Heidelberger Katechismus ist eine der wichtigsten reformierten Bekenntnisschriften, dessen Wirkung gerade in den deutschsprachigen evangelisch-reformierten Gemeinden kaum überschätzt werden kann.[131] Ein Bezug zu Anselms Cur Deus homo kann in den Fragen und Antworten 12–18 gefunden werden, die den Beginn des zweiten Teils des Katechismus, „Von des Menschen Erlösung“, bilden.

Dieser Teil des Heidelberger Katechismus ist sehr verschieden gedeutet worden,[132] wobei ihm heftigste Ablehnung wie auch sehr positive Beurteilung zuteil wurden. Eine andere Frage ist es, inwieweit dieser Abschnitt des Heidelberger Katechismus in Anlehnung an oder sogar in der Übernahme der wesentlichsten Gedanken aus Cur Deus homo von Anselm von Canterbury besteht. Diese Fragen müssen unterschieden werden, obwohl in der Beurteilung der Fragen 12–18 häufig ein bestimmtes Bild von und eine Stellungnahme zu Anselm einfließt. So kann etwa Goeters zu diesem Teil des Heidelberger Katechismus sagen: „Das ist pure Scholastik im anselmischen Sinne des Cur Deus homo.“[133]

Auf der anderen Seite steht beispielsweise Wulf Metz, dessen Monographie das Ergebnis hat: „Ein Vergleich der beiden Darstellungen der Versöhnungslehre hat gezeigt, daß Anselms ‚Cur Deus homo‘ von den Fragen 12–18 des Heidelberger Katechismus grundverschieden ist. . . . Die immer wieder geäußerte Vermutung, die Fragen 12–18 des Heidelberger seien aus Anselms ‚Cur Deus homo‘ übernommen worden, ist somit nicht zutreffend.“[134]

Die Entscheidung, inwieweit der Heidelberger Katechismus Anselm aufnimmt oder nicht, ist deshalb schwierig zu fällen, weil der Heidelberger Katechismus selber dazu keine Aussagen macht. Immerhin hat auch Wulf Metz nicht behauptet, daß der Heidelberger Katechismus völlig unabhängig von Anselm von Canterbury entstanden sei; seine Absicht besteht vor allem darin, einen inhaltlichen Dissens zwischen Heidelberger Katechismus und Anselm nachzuweisen. Dabei ist offen-

[131] Cf. zur Wirkung etwa W. Metz, Art. Heidelberger Katechismus; J. Fangmeier, Art. Heidelberger Katechismus, Praktisch-Theologisch; D. Nauta, Die Verbreitung des Katechismus, in: L. Coenen (Hg.), Handbuch, 39–62; H. Graffmann, Erklärung des Heidelberger Katechismus, in: L. Coenen (Hg.), Handbuch, 63–77.

[132] Cf. dazu die vorzügliche Übersicht bei W. Metz, Necessitas, 15–57.

[133] J. F. G. Goeters, 37. Cf. auch O. Weber: „Der Gedanke erinnert . . . stark an die Gedanken des Anselm von Canterbury.“ In: Der Heidelberger Katechismus, 67 und K. Barth, Christl. Lehre, 42: „Der Heidelberger folgt hier . . . schlicht dem Weg von Anselm“.

[134] W. Metz, Necessitas, 218.

sichtlich, daß sein Urteil nicht nur eine Interpretation des Heidelberger Katechismus, sondern auch Anselms voraussetzt. Ob Metz nun aber in seiner Anselminterpretation Anselm gerecht geworden ist, ist eine weitere und hier nicht zu klärende Frage.[135]

2. Ich setze methodisch voraus, daß der Heidelberger Katechismus Anselm so verstanden hat, wie er selber in den Fragen 12–18 das Erlösungsgeschehen beschreibt, daß der Heidelberger Katechismus also davon ausgeht, sich in Übereinstimmung mit Anselm zu befinden. Damit ist das letzte Wort darüber, ob der Heidelberger Katechismus Anselm übernommen, d. h. kritiklos in sich aufgenommen hat oder ob er eher mit Anselm im Hintergrund anders als er argumentiert, allerdings noch nicht gesprochen.
Meiner Ansicht nach findet eine Rezeption Anselms vor allem in drei Themenbereichen statt:

a) Methode

Sagt Rohls unter Anspielung auf Anselm: „Für die Versöhnungslehre des Heidelberger Katechismus ist es bezeichnend, daß sie zunächst remoto Christo entfaltet wird“,[136] so weist er damit auf den apriorischen Einsatz im Heidelberger Katechismus hin. Ein Großteil der Interpreten des Heidelberger Katechismus werfen ihm hier rationale Argumentation vor, d. h., daß die Notwendigkeit des Mittlers zunächst konstruiert wird, um sie danach finden zu können. Auf der anderen Seite wird dieser Vorwurf etwa von Metz vehement zurückgewiesen; der Heidelberger Katechismus arbeite vielmehr „mit offenbarungsgebundenen, aposteriorischen Aussagen“.[137]
Dieser Einwand, der auch gegen Anselm immer wieder erhoben wird, ist m. E. vor allem durch zwei Argumente zu entkräften. Zum einen ist es das katechetische Anliegen, das sehr stark in den Was- und Warum-Fragen zum Ausdruck kommt.[138] Zum anderen aber sind es die Fragen 1 und 19, die die Fragen 12–18 sozusagen einrahmen.[139] In diesen Fragen aber wird der Einsatz des Nachdenkens über die Versöhnung und Erlösung nicht bei rationalen Vorgaben gesucht, sondern das Christusereignis bildet die Voraussetzung für den gesamten Katechismus. So beginnt er mit den bekannten Worten: „Was ist dein einziger Trost im

[135] Im Laufe der Interpretation von Cur Deus homo im Teil B meiner Arbeit wird deutlich werden, daß ich die von W. Metz durchgeführte Anselm-Interpretation für nicht überzeugend halte.
[136] J. Rohls, Theologie, 110.
[137] W. Metz, Necessitas, 182.
[138] Cf. dazu K. Halaski, 176. 208 und W. Metz, Necessitas, 182.
[139] Cf. dazu auch W. Metz, Necessitas, 183 u. ö.

Leben und im Sterben?"[140] und antwortet darauf: „Daß ich mit Leib und Seel, beide im Leben und im Sterben, nicht mein, sondern meines getreuen Heilands Jesu Christi eigen bin".[141] Der Heidelberger Katechismus hat für sich den Anspruch, dem in Frage 1 vorausgesetzten Christusgeschehen nachzudenken. Dem entspricht auch die Frage 19, die nach den Fragen 12–18, die, wenn sie für sich alleine stehen würden, den Kritikern in vielerlei Hinsicht recht geben würden, noch einmal auf die noetische Seite hinweist: „Woher weißt du das? Aus dem heiligen Evangelium. . ."[142] Den Heidelberger Katechismus und Anselm eint die Vorgehensweise in der Erlösungslehre, nicht mit der Offenbarung einzusetzen. Der Heidelberger Katechismus setzt sie allerdings voraus und weiß sich damit wohl Anselm verbunden, weil die Frage 19 am ehesten als Aufnahme des letzten Kapitels aus Cur Deus homo zu verstehen ist, in dem Anselm einen Rückverweis auf die Heilige Schrift vollzieht.[143]

b) Gerechtigkeit

In den Fragen 12 und 16 ist von Gottes Gerechtigkeit die Rede, der genuggetan werden muß: „Gott will, daß seiner Gerechtigkeit genug geschehe".[144] Unter Hinsicht auf diese Frage ist des öfteren der Vorwurf an den Heidelberger Katechismus gemacht worden, hier habe man es „mit der unbiblischen und einseitigen Vorstellung des zornigen, rachsüchtigen und despotischen Gottes zu tun, welche zwangsläufig zu einem rein juristischen Mittlerbegriff"[145] führe. Das heißt, es taucht die Frage auf, wie das Verhältnis von Gerechtigkeit und Barmherzigkeit Gottes zu verstehen ist, ob also die Barmherzigkeit der Gerechtigkeit untergeordnet wird.[146] Metz kommt in seiner Untersuchung zum Ergebnis, daß diese vermuteten Gegensätze im Heidelberger Katechismus nicht vorhanden seien, vielmehr daß der „Gott des Heidelberger Katechismus . . . der zugleich und gleichermaßen gerechte und barmherzige Gott"[147] ist. Auch bei Anselm spielt die Gerechtigkeit Gottes in der Argumentation eine ganz wesentliche Rolle. Anselm scheint die Barmherzigkeit Gottes zunächst auszublenden, um dann im weiteren Verlauf doch zu entdecken, daß die Gerechtigkeit

[140] Heidelberger Katechismus, Frage 1.
[141] Ebd.
[142] AaO., Frage 19.
[143] Cf. dazu unten S. 71–74.
[144] Heidelberger Katechismus Frage 12.
[145] W. Metz, Necessitas, 57.
[146] Cf. auch W. Kreck, Versöhnungslehre, 4: „Wie sich die Gerechtigkeit Gottes . . . zu seiner Barmherzigkeit verhält . . . – auf diese Fragen gibt der Heidelberger Katechismus . . . keine klare Auskunft."
[147] W. Metz, Necessitas, 182.

Gottes zugleich seine Barmherzigkeit ist. Die Barmherzigkeit hat Anselm deshalb ausgeschaltet, weil ein zu flaches Verständnis ausklammert, daß es darum geht, daß der Mensch gerecht gemacht wird.[148] Ohne die Frage des Zusammenhangs von Gerechtigkeit und Barmherzigkeit im Heidelberger Katechismus letztlich erörtern zu können, halte ich es doch für bedenkenswert, daß der Schwerpunkt der Wirkung der Gerechtigkeit Gottes das Gerechtmachen des Menschen ist[149] – und das ist faktisch seine Barmherzigkeit, seine Gnade.[150]

c) Bezahlung

Im Heidelberger Katechismus taucht in den Fragen 12, 13, 14 und 16 die Vorstellung der Bezahlung auf, so daß die Anfrage kommen kann, ob die „Versöhnung . . . als ein rein objektives, lediglich auf Gott bezogenes, Faktum verstanden“[151] wird, d. h. Gott als Objekt der Versöhnung, Gott, der durch Christus umgestimmt werden muß. Wichtig hierbei ist wohl zu sehen, daß der Begriff der Bezahlung in den lateinischen Vorarbeiten Ursins und auch in Ursins Kommentar mit „satisfactio“ wiedergegeben ist, d. h., daß der Heidelberger Katechismus mit dem Begriff der Bezahlung wohl Anselms „satisfactio“ aufnimmt. Im Laufe der Argumentation wird klar, daß das Ziel der Versöhnung die Gerechtmachung des Menschen ist und keine Umstimmung Gottes,[152] weil der Gedankengang in Frage 18 mit der Aussage endet: „Unser Herr Jesus Christus, der uns zur vollkommenen Erlösung und Gerechtigkeit geschenkt ist.“[153] Hier befindet sich der Heidelberger Katechismus in sachlicher Übereinstimmung mit Anselm, der im 19. Kapitel des zweiten Buches von Cur Deus homo auch die Rettung des Menschen als Ziel des Werkes Jesu Christi sieht.

Zusammenfassung:

Der Heidelberger Katechismus bezieht sich in den Fragen 12–18 auf Anselms Cur Deus homo und befindet sich seiner eigenen Ansicht nach in Übereinstimmung mit ihm. Das wird deutlich im methodischen Vorgehen, formal abstrahierend von der Offenbarung in Christus, sachlich sie aber voraussetzend, im Verständnis der Gerechtigkeit Gottes, die die Gnade der Rechtfertigung zum Inhalt hat, und auch daran, daß trotz des mißverständlichen Begriffs der Bezahlung bzw. satisfactio Gott nicht Objekt, sondern Subjekt der Versöhnung ist.

[148] Cf. dazu unten S. 164–171.
[149] So in Frage 16, 17 und 18.
[150] So in Frage 21.
[151] W. Metz, Necessitas, 57.
[152] Cf. zu b).
[153] Heidelberger Katechismus, Frage 18.

IX. Johannes Calvin (1509–1564)

1. Wendel schreibt über einen Teil aus dem 12. Kapitel des II. Buches von Calvins Institutio: „Der letzte Abschnitt kann mit Recht als ein klassischer Ausdruck der Satisfaktionslehre angesehen werden, wie sie seit Anselm in Geltung stand."[154] Es ist Wendel wohl zuzustimmen, wenn er bei Calvin Gedankengänge Anselms wiederfindet. Umstritten in der Forschung ist allerdings, inwieweit Calvin Anselm grundsätzlich gefolgt ist oder ob er sich an mehreren Stellen oder sogar in der Grundkonzeption von Anselm entfernt. Weier etwa setzt ein mit der Feststellung, Calvin habe „die Grundzüge der Satisfaktionslehre Anselms"[155] übernommen, wohingegen Emmen, P. Barth und andere einen großen Dissens zwischen Calvin und Anselm behaupten.[156]

2. a) Emmen macht insofern einen Unterschied zwischen Calvin und Anselm, als Calvin im Tod Christi nicht nur die Dimension der Versöhnung für die Sünden der Menschheit sehe, sondern auch das Tragen der Strafe.[157] D. h. Calvin spreche von satisfactio und satispassio, wohingegen Anselm den zweiten Aspekt nicht berücksichtige. Auch dadurch sei Anselm zum Vorläufer der katholischen Bußlehre geworden.
b) Niesel resümiert am Ende seiner Darstellung der Mittler-Christologie Calvins: „Natürlich ist die Versöhnungstat nicht so anzusehen, als habe der Mittler durch sein Opfer Gott in seinem Vorhaben umgestimmt"[158] und sieht darin „besonders deutlich, daß Calvins Auffassung von der Versöhnung sich nicht mit der Anselms deckt".[159] Vielmehr sei Gott Subjekt, nicht Objekt der Versöhnung, Gott habe selber seinen Sohn zur Versöhnung gesandt.[160]
c) Eng mit dem eben genannten Einwand zusammen hängt die These, daß nach Calvins Lehre die Liebe Gottes, nach Anselms Auffassung aber die iustitia dei der Ausgangspunkt sei. So ist es die Erkenntnis Calvins, daß sich im gekreuzigten Christus die göttliche Liebe in ihrer

[154] F. Wendel, Calvin, 190f.
[155] R. Weier, 25.
[156] Wobei natürlich das jeweilige Anselmverständnis mit aussschlaggebend ist, was ich jetzt hier nicht untersuchen kann.
[157] „Zooals wij gezien hebben, omvat de verzoening door Christus volgens de meening van Calvijn zoowel de voldoening voor de zonde alsook het dragen van de straf. Hij gaat daarmede in tegen de algemeen-geldende Roomsch-katholieke theologie, zooals deze gegroid was door en na Anselmus' satisfactie-leer, welke ondanks Christus' voldoening toch den mensch tot boete verplichtte vanwege de straf." E. Emmen, 64.
[158] W. Niesel, 120.
[159] Ebd.
[160] Cf. zu diesem Einwand auch K. Blaser, 21.

Übernahme von Schuld und Strafe offenbart.[161] „Calvin korrigiert in bemerkenswerter Weise Anselms Satisfaktionstheorie."[162]

3. Meines Erachtens nimmt Calvin in seiner Darstellung der Christologie, die um den Begriff des Mittlers kreist, Anselm sehr bewußt auf und verwendet dessen Ergebnisse in seinem eigenen Ansatz.[163] Damit gibt es einen ganz erheblichen Unterschied zu Anselm, weil dessen methodischer Weg „remoto Christo" von Calvin nicht mitgegangen wird. Calvins Christologie ist eingebettet in eine Gesamtdarstellung der christlichen Lehre und kann von daher nicht einer einzigen Frage gewidmet sein, wie es Anselms ‚Cur Deus homo' ist[164]; vielmehr werden die „Anselmsche Satisfaktionslehre und die altkirchliche Zwei-Naturen-Lehre ... unter diesem Begriff (sc. Mittler) behandelt".[165]
a) Das Motiv Anselms taucht in der Überschrift zum 12. Kapitel des 2. Buches auf: „Christum, ut Mediatoris officium praestaret, oportuisse fieri hominem"[166] – Christus mußte Mensch werden, um das Amt des Mittlers zu erfüllen. Allein an diesem Satz fällt ein dreifacher Bezug zu Anselm auf:
– Der scheinbar apriorische Einsatz: Vom Mittleramt wird auf die Menschwerdung geschlossen.
– Das Müssen: Es war notwendig, daß Gott Mensch wurde.
– Die *Menschwerdung*: Christus mußte *Mensch* werden, Ausgangspunkt ist also Gott.
b) Calvin nimmt den bei Anselm wichtigen Begriff der necessitas auf und versteht ihn nicht so, als ob Gott gezwungen wäre, diesen Mittler zu senden. Vielmehr liegt das „müssen" auf Seiten des Menschen, weil er der Erlösung und damit des Mittlers bedarf. Deutlich wird dies zunächst in Institutio II,12,2,[167] wo Calvin auf das Gleichsein mit den Menschen und die Fähigkeit Gottes Bezug nimmt; Calvin versteht also die Notwendigkeit im Zusammenhang mit Anselms bekanntem Satz: „nec potest facere nisi deus nec debet nisi homo"[168] – ‚es kann nur Gott

[161] So E. Emmen, 65, der dann auch das Zitat von P. Barth nennt.
[162] P. Barth, Art. Calvin, 1431.
[163] Daß J. Calvin sich gegen Anselm wende, kann ich explizit nicht finden, auch die unter 2. genannten Forscher schließen es ja nur indirekt, wobei deren Anselmverständnis maßgeblich ist. Ich gehe auch in der Interpretation Calvins davon aus, daß Calvin Anselm dort aufnimmt, wo er ihm nicht widerspricht, d. h. daß Calvin Anselm so versteht, wie er seine eigene Meinung unter Bezugnahme auf anselmische Formulierungen oder Begriffe wiedergibt.
[164] Cf. dazu unten S. 43–50.
[165] W. Neuser, Dogma und Bekenntnis, 248.
[166] Inst. II,12 (OS III, 437).
[167] Siehe Inst. II,12,2 (OS III, 438f).
[168] CDh II,6 (II,101,17f).

und darf nur ein Mensch tun'. Zudem wird die Frage nach dem Zweck der Menschwerdung deutlich beantwortet: „ut victima et piaculum fiat abolendis peccatis"[169] – ‚daß er das Opfer und Sühnemittel sei, um Sünde zu beseitigen'. Die necessitas Anselms interpretiert Calvin also nicht vom Christusgeschehen losgelöst, sondern sieht vielmehr den Menschen als den, der dies braucht.

c) Der Begriff der satisfactio wird von Calvin bewußt aufgenommen, aber nicht in den Mittelpunkt gestellt. Seinen häufigsten Gebrauch hat er im 16. und 17. Kapitel des 2. Buches, wo das Erlösungswerk Christi beschrieben wird. Satisfactio beschreibt etwa in II,16,1, wie groß die Versöhnung angesichts der Schwere der menschlichen Sünde sein muß, damit der Sünder wirklich frei wird.[170] In Kapitel II,17,4 interpretieren sich die Begriffe expiare, placare und satisfacere gegenseitig[171] – satisfacere ist nicht eine besondere, Gott zum Objekt machende Vorstellung. Satisfacere – genugtun ist bei Calvin ein Tun Christi, welches die Sünde des Menschen vom Menschen hinwegnimmt, den Menschen also gerecht und damit frei macht.

d) Calvin übernimmt auch den anselmischen Begriff des meritum Christi, der genau wie bei Anselm[172] als polemischer Gegenbegriff zum eigentlichen Verdienst des Menschen dient: Der Tod, den der Mensch eigentlich in Folge seiner Sünde verdient hätte, wird von Christus in seinem eigenen Tod übernommen. Indem Christus selber den Tod auf sich nimmt, erwirbt er den Menschen – ohne ihr Verdienst – Gerechtigkeit. Damit ist aber Verdienst kein Gegenbegriff zur Gnade Gottes, er entspringt vielmehr aus ihr und entspricht ihr somit.[173]

e) Auch die Vorstellung der Gerechtigkeit Gottes bei Calvin steht in Übereinstimmung mit Anselm. So kann auch Calvin sagen, daß Gott selber die höchste Gerechtigkeit ist,[174] weshalb er die menschliche iniustitia nicht lieben könne.[175] Die Hervorhebung der Gerechtigkeit Gottes hilft Calvin, die Absicht Gottes zu verdeutlichen, den Menschen gerecht zu machen. Damit steht die Gerechtigkeit Gottes keineswegs in Widerspruch zur Gnade Gottes, vielmehr entspricht die Gerechtigkeit Gottes seiner Gnade, weil die Gerechtmachung des Menschen aus

[169] Inst. II,12,4 (OS III,442).
[170] Inst. II,16,1 (OS III,483).
[171] Inst. II,17,4 (OS III,512).
[172] Siehe unten S. 146–150.
[173] Cf. Inst. II,17 (OS III, 508ff). Übrigens wird auch in Inst. II,17,4 deutlich, daß Calvin Anselms Argumentation deutlich übernimmt: Christus hat das Verdienst nicht für sich selbst erworben, sondern für andere. Cf. CDh II,19.
[174] Inst. II,16,3 (OS III,484).
[175] Cf. dazu CDh I,12 und S. 164–171 dieser Arbeit.

der Liebe Gottes entspringt. Gerechtigkeit Gottes ereignet sich in der Gerechtmachung des Menschen.[176]

Zusammenfassung:

Calvin nimmt in seiner Mittler-Christologie wesentliche Gedanken Anselms auf und baut sie in seine Ausführung ein. Dabei kann er wesentliche Grundbegriffe Anselms wie etwa necessitas, meritum, satisfactio oder das Verhältnis von iustitia und gratia dei berücksichtigen. In seiner komplexen und dichten Darstellung zeigt Calvin sich als Kenner Anselms, indem er auch in kleinen Passagen immer wieder auf ihn anspielt bzw. ihn aufnimmt.

X. Huldreich Zwingli (1484–1531)

1. Der oft theologisch unterschätzte[177] Reformator Huldreich Zwingli hat sich in seinen Darstellungen der Christologie[178] immer wieder auf Anselm bezogen. Er schreibt sie gleichsam mit Anselms Werk vor Augen.[179] Umstritten ist bei Zwingli eigentlich nur, inwieweit er sich Anselm ganz anschließt oder nur seine Fragestellung aufnimmt und sich in dessen Tradition stellt.[180]
So sind bei Zwingli immer wieder begriffliche Aufnahmen aus Anselms Werk zu erkennen. Von ihm ist zu sagen, daß er sich am stärksten von den Reformatoren auf Anselm bezieht. Dabei ist die Rezeption Anselms nicht nur begrifflich geschehen – Zwingli bezieht sich vielmehr nicht nur auf die Ergebnisse, sondern versucht weithin, auch den Gedankenfolgen und Begründungen nachzugehen.

2. Ich greife im folgenden drei Punkte heraus, in denen Zwingli Anselm besonders stark rezipiert hat: Das Zusammengehen von iustitia und misericordia, das Verständnis von satisfactio und die differenzierte Aufnahme der necessitas. Zwingli übernimmt nicht Anselms methodisches Vorgehen „remoto Christo“[181] und auch nicht das gesamte

[176] Cf. zu diesem Gedankengang Inst. II,17 (OS III,508–515).

[177] So verzichtet etwa Uwe Gerber in seinem Arbeitsbuch „Christologische Entwürfe“ auf die Darstellung Zwinglis. Das ist nur ein kleiner Hinweis darauf, daß die Eigenständigkeit der zwinglischen Theologie gerade im Unterschied zu Luther und Calvin oft übersehen wird.

[178] Zumindest von den „Auslegen und Gründe der Schlußreden“ (1523) ab an.

[179] Cf. dazu etwa G. Locher, Theologie, 34.134ff und R. Weier, Erlösungslehre, 21.

[180] Cf. Locher, Theologie, 136; Schmid, 150, W. P. Stephens, 118–120 und R. Weier, 21. Aber das ist natürlich auch wieder von der jeweiligen Anselminterpretation abhängig.

[181] Cf. G. Locher, Theologie, 143.

„Cur Deus homo", sondern baut gleichsam an verschiedenen Stellen Aspekte Anselms ein, ohne diese Aspekte jedoch willkürlich herauszugreifen.[182]

a) Das Verhältnis von iustitia und misericordia

Locher stellt überzeugend dar, daß Zwingli im „Anselmschen Begriffspaar von iustitia und misericordia oder bonitas . . . einen Schlüssel zum Kern des Glaubens"[183] sieht. Oft kann Zwingli sein Verständnis des Evangeliums gerade auch damit zusammenfassen, daß er von Gottes Gerechtigkeit und Barmherzigkeit spricht. Wie in der Interpretation von Cur Deus homo zu sehen sein wird,[184] ist gerade das Verhältnis dieser beiden Eigenschaften ein Hauptanliegen Anselms: „Die Verbindung von Gerechtigkeit und Barmherzigkeit in Gott betrifft bei Anselm das Verständnis Gottes selbst."[185] Darum weiß Zwingli. Er sieht gerade in diesem Zusammenhang die Ursache für die Fleischwerdung Gottes. Zunächst zeigt er in der „Fidei expositio" von 1531 den Zusammenhang von Gottes Gerechtigkeit und Barmherzigkeit:[186] Barmherzigkeit ohne Gerechtigkeit wird zu Gleichgültigkeit oder Furcht, Gerechtigkeit ohne Barmherzigkeit zu Unrecht und Gewalttat.[187] Gerade in diesem Zusammenhang von Gottes Eigenschaften sieht er die Quelle für die Inkarnation, hier taucht auch das anselmische „cur" auf: „Hic fons est, cur filium suum unigenitum carne amiciverit"[188] – ‚Dies ist die Ursache, warum er seinen eingeborenen Sohn mit dem Fleisch bekleidet hat.' In den folgenden Zeilen schildert Zwingli, wie die Barmherzigkeit Gottes Jesus Christus wegen der Gerechtigkeit Gottes zum Opfer werden läßt, und folgert dann aus dem Christusgeschehen: „Mixtae sunt igitur iustitia et misericordia, ut haec hostiam daret, illa vero acciperet pro universorum scelerum expiatione."[189] – ‚Gerechtigkeit und Barmherzigkeit sind also vereinigt, daß diese das Opfer gebe, jene es aber annehme zur Sühne aller Missetaten.' Das Ziel dieses Handelns Gottes ist der sich in ungerechtem Zustand befindende Mensch, der durch das Zusammengehen von Barmherzigkeit und Gerechtigkeit

[182] Ich zitiere H. Zwingli nach der kritischen Ausgabe im Corpus Reformatorum (CR) und zähle die Bände innerhalb der Werke Zwinglis; die im CR noch nicht erschienene „Fidei Christianae Expositio" zitiere ich nach Schüler/Schultheiss (Sch/Sch).

[183] G. Locher, Theologie, 135.

[184] Cf. unten S. 164–171.

[185] R. Weier, 21 unter Verweis auf CDh II,20.

[186] Allerdings verwendet er hier nicht den Begriff ‚misericordia', sondern vor allem ‚mansuetudo'.

[187] Cf. Sch/Sch IV,47.

[188] Sch/Sch IV,47.

[189] Ebd.

Gottes, das Zwingli als Güte zusammenfasst,[190] gerecht wird: „Sic ergo redemit et renovavit nos divina bonitas, ut pro misericordia grati, pro hostia expiatrice iusti simus et innocentes"[191] – ‚So also hat uns die göttliche Güte erlöst und erneuert, damit wir für seine Barmherzigkeit dankbar und aufgrund seines Sühnopfers gerecht und schuldlos seien.' Die Gerechtigkeit Gottes zielt auf die Gerechtigkeit des Menschen; bei Zwingli ist ein dynamisches Gerechtigkeitsverständnis[192] bestimmend. Das Zusammensein von Barmherzigkeit und Gerechtigkeit Gottes bildet den Grund und das Ergebnis des Christusgeschehens[193] – hierin erweist sich Zwingli als gewissenhafter Interpret Anselms.

b) Das Verständnis von satisfactio

Den Begriff der Genugtuung benutzt Zwingli nicht so zentral wie Anselm, nimmt ihn jedoch immer wieder auf zur Beschreibung dessen, was das Versöhnungshandeln Gottes in Christus bewirkt. So gebraucht er ihn in der „Fidei Christianae expositio" im Abschnitt über die Vergebung der Sünden mehrfach als Bezeichnung des Werkes Christi: „Confirmatio, satisfactio et expiatio criminum per solum Christum pro nobis passum impetrata est apud deum"[194] – ‚Befestigung, Genugtuung und Sühne für die Missetaten ist allein durch Christus, der für uns gelitten hat, bei Gott erlangt worden.' Und etwas weiter heißt es: „Quum ergo ille pro peccato satisfecerit, ..."[195] – ‚Weil also er für die Sünde genug getan hat, ...'
Satisfactio steht also bei Zwingli nicht für etwas, was Gott in sich selber bedürfte, sondern der Mensch als der, dem die Sünden vergeben werden, ist Empfänger der satisfactio.

c) Die differenzierte Aufnahme der necessitas[196]

Locher kommt in der Analyse der zwinglischen Aufnahme der Vorstellung der Notwendigkeit der Erlösung klar zum Ergebnis, daß Zwingli sich 1. nicht gegen eine necessitas wendet[197] und 2. daß seine necessi-

[190] Cf. etwa: „... bonitas, hoc est, iustitia et misericordia ..." Sch/Sch IV,47.

[191] Sch/Sch IV,48.

[192] Zum Gerechtigkeitsverständnis bei Zwingli cf. ausführlich: „Von göttlicher und menschlicher Gerechtigkeit" (1523) (in: CR 2, 458–525) und H. Schmid, Zwinglis Lehre, vor allem 138ff.

[193] Cf. etwa auch Zwinglis Darstellung des Christusgeschehens in „Auslegen und Gründe der Schlußreden", CR 2, 38f.

[194] Sch/Sch IV,60.

[195] Ebd.

[196] Ich folge in diesem Abschnitt G. Locher, Theologie, 140ff.

[197] So Zeller und Wernle (nach G. Locher, Theologie, 141).

tas-Vorstellung keine ist, die Gott zwingt. Vielmehr ist die Notwendigkeit bei Zwingli in dem Ereignis selbst begründet, d. h.: „Letztlich ist die eigentliche necessitas, auf welche unser Nach-denken stösst, das göttliche Factum, die Tatsache, *dass* es Gott gefallen hat, uns so und nicht anders mit sich zu versöhnen."[198] An verschiedenen Stellen kommt Zwingli auf das „Müssen" zu sprechen, aber immer ist es eine aposteriorische Notwendigkeit: „Aus dem Opfertode Christi ergibt sich also dessen Notwendigkeit."[199]
Zwingli nimmt also den anselmischen Begriff der necessitas in derselben Differenziertheit auf, wie Anselm ihn selber gebraucht:[200] Notwendigkeit ja, aber keine, in der Gott gezwungen werden könnte - Gott ist und bleibt frei -, vielmehr eine aus dem Faktum folgende, eine faktische Notwendigkeit.

Zusammenfassung:
Zwingli bezieht sich in vielfältiger Weise auf Anselm und nimmt, auch wenn er ihn selten zitiert, die Gedanken Anselms sehr differenziert auf. Indem er Anselm so differenziert versteht und wiedergibt, zeigt Zwingli, wie stark er in seinen Gedanken von Anselm beeinflußt worden ist: Seine Zusammenfassungen des Evangeliums laufen fast immer über das anselmische Begriffspaar iustitia und misericordia, das für Anselms Gotteslehre und Christologie zentral ist. Gerade auch in dem engen Zusammenhang von Christologie und Gotteslehre zeigt Zwingli eine intensive Rezeption Anselms.

XI. Martin Luther (1483–1546)

1. Das Verhältnis von Luthers Christologie zu Anselm

Je nach Einschätzung Luthers und Anselms ist die Traditionslinie Anselm - Luther unterschiedlich gesehen worden. Die klassisch gewordene Interpretation Auléns[201] sieht Luther in Gegensatz zur Anselmischen Christologie treten, weil Luther sich bewußt an die altkirchliche Kampfestradition anschließe: Nach Aulén versteht Luther Tod und Auferstehung Christi nur als Sieg über den Teufel und nimmt so das altkirchliche, von Aulén klassisch genannte Motiv des „Christus victor" auf. Damit aber stehe Luther in Gegensatz zur von Aulén „lateinisch"

[198] G. Locher, Theologie, 140 (Hervorhebung von Locher).
[199] AaO., 142.
[200] Cf. dazu unten S. 127–145 und 155–164.
[201] Cf. zu G. Aulén auch oben S. 9–12.

genannten, anselmischen Auffassung, bei der ein „rationaler Ausgleich“[202] zwischen Gerechtigkeit und Barmherzigkeit gesucht und deshalb die „Versöhnung . . . in den Rahmen der Rechtsordnung fest eingefügt“[203] werde. „Luthers Auffassung der Versöhnung ist darum ihrem innersten Gehalt nach von der lateinischen vollständig geschieden.“[204]

Ganz anders als Aulén sieht Müller Luther durchaus nicht einfach in Gegensatz zu Anselm, sondern sagt mit Hinweis auf den Mittler Christus, der „die Kluft zwischen Gott und Mensch überbrückt“,[205] was nicht einfach in Nichtanrechnung der Sünde geschehen könne: „Luther steht hier in den Bahnen der Anselmschen Satisfaktionstheorie“.[206] Ähnlich weist auch Tiililä darauf hin, daß Luthers Grundauffassungen hinsichtlich der Werkes und Amtes Christi sich immer wieder an Anselm orientieren, ohne bei ihm stehenzubleiben.[207]

Luther ist wohl nicht so einlinig zu verstehen, wie das bei Aulén scheint, ganz verschiedene Schwerpunkte und Tendenzen tauchen in Luthers Werken auf, Luthers Christologie ist nicht einheitlich. Deshalb gilt mit Beer: „Luther hat verschiedene Versöhnungstheorien miteinander verbunden. . . . Man kann für die Interpretation der Theologie Luthers nicht eine einheitliche Christologie zugrunde legen.“[208]

Das hat seine Ursache nicht nur in der theologischen Grundauffassung Luthers, sondern auch in seiner Art und Weise, seine Theologie zu verbreiten – vielfach in Form von Predigten und Gelegenheitsschriften, ganz wenig in systematischen Abhandlungen. So spiegelt Luthers vielfältiges Werk auch sein Verhältnis zu Anselm wieder: Seine Christologie ist nicht eine Weiterführung der anselmischen Auffassung, jedoch tauchen Elemente und Überlegungen Anselms immer wieder auf. Dabei kommt auch mehr oder minder deutlich zum Ausdruck, wie Luther Cur Deus homo verstanden hat.

2. Zum Verständnis von ‚Cur Deus homo‘ bei Luther

Eine umfassende Untersuchung über die Rezeption Anselms bei Luther verlangt einen größeren Umfang, als hier möglich und auch nötig ist. An wenigen exemplarischen Stellen soll gezeigt werden, daß und wie Luther mit ‚Cur Deus homo‘ umgegangen ist.

[202] G. Aulén, Haupttypen, 523.
[203] Aao., 515.
[204] Aao., 514.
[205] G. Müller, Christusverständnis, 51.
[206] Ebd.
[207] Cf. Tiililä, 196–260.
[208] T. Beer, Wechsel, 438f. Cf. auch P. Althaus, Theologie Luthers, 159–195.

a) Randbemerkungen

Luther hat CDh auf jeden Fall gelesen, davon zeugen seine handschriftlichen Randbemerkungen in seinem Exemplar.[209] Im wesentlichen beziehen sich die Bemerkungen auf das erste Buch. Zunächst stellt er fest, daß methodologische Voraussetzungen gemacht werden, greift Aussagen aus CDh I,10 auf und nennt zwei ‚Suppositionen':
1. jeder Mensch ist sündlos geschaffen und zur Seligkeit bestimmt.
2. jeder Mensch hat gesündigt.[210]
Damit hat Luther Anselms Einleitung verhältnismäßig gut wiedergegeben. Er bemerkt, daß Anselm nicht voraussetzungslos arbeitet, daß Erkenntnis der Sünde seiner Argumentation vorausgehen muß, wobei offenbleibt, ob Sündenerkenntnis remoto Christo geschehen kann oder nicht.
Ausgehend von diesen Voraussetzungen sieht Luther bei Anselm zwei Schlußfolgerungen:
1. Zur Rettung des Menschen ist Genugtuung nötig und
2. Kein Mensch kann das leisten.[211]
Aus dem ganzen sieht Luther Anselm den Schluß ziehen: „Conclusio: Ergo sine Christo impossibile est salvari et necessario per ipsum redimi."[212] Damit geht Luther in der Zusammenfassung nur bis zum Ende des 1. Buches von Cur Deus homo und greift den Schluß gleichsam als Zitat aus CDh I,25 auf. Luther zeigt so sein Verständnis von Cur Deus homo auf: Die stärker anthropologisch orientierte erste Argumentationsreihe Anselms ist Luther wichtiger als der stärker christologisch denkende zweite Teil. Im Vordergrund bei Luther steht die Soteriologie. Deshalb kann er Anselm auch selektiv lesen, der Gesamtzusammenhang von CDh I,1 bis II,22 interessiert ihn nicht so sehr.

b) Zum Verhältnis von Gerechtigkeit und Barmherzigkeit

In einer Predigt zu Titus 3,4–7 sagt Luther 1522: Die Vergebung der Sünden kann uns „nit umbsonst odder on genugthun seyner gerechtikkeyt" zugesprochen werden: „denn der barmhertzickeyt und gnade ist kein rawm ubir unß und ynn unß tzu wircken, odder unß tzu helffen ynn ewigen guttern und selickeyt; der gerechtickeyt muß tzuvor gnug geschehen seyn aufs aller volkomlichst".[213] Ohne Anselm direkt zu nen-

[209] WA 9, 108.
[210] „1 Suppositio: hominem esse creatum ad rectitudinem et ad hoc ordinatum sic a deo . . . 2 Suppositio: hominem peccasse et sine peccato non posse vivere" WA 9,108.
[211] „1 Propositio: hominem impossibile esse sine peccatorum satisfactione salvari . . . 2 propositio: Impossibile esse hominem posse satisfacere vel solvere debitum" WA 9,108.
[212] WA 9,108.
[213] WA 10,I,1, 121, 16–20.

nen, liegt hier eine Aufnahme des anselmischen Begriffspaares Barmherzigkeit – Gerechtigkeit vor. Dabei versteht Luther Anselm durchaus nicht so, als spiele Anselm die Gerechtigkeit gegen die Barmherzigkeit aus, vielmehr will Luther mit Anselm einem Verständnis von Gnade und Barmherzigkeit wehren, welches keine Wirkungen beim Menschen zeitigt: Barmherzigkeit ist kein Prinzip, sondern ein Handeln Gottes in Jesus Christus. Deswegen steht es nicht in Gegensatz zur Gerechtigkeit, vielmehr fallen in Jesus Christus Barmherzigkeit und Gerechtigkeit Gottes zusammen.[214]

c) Zum Begriff „satisfactio"

Luther gebraucht diesen seit Anselm sehr geläufigen Ausdruck durchaus, jedoch nicht unkritisch. Er will das Wort nur gelten lassen in bezug auf das Handeln Christi, nicht aber auf menschliches Tun, „dass es heisse, nicht unsere Genugthuung (wie wir denn in Wahrheit keine haben), sondern Christi, damit er für unsere Sünde durch sein Blut und Sterben bezahlet, und Gott versöhnet hat".[215] Damit entspricht er der anselmischen Auffassung, der jeglichem Genugtun des Menschen gewehrt hat, und widerspricht einem nachanselmischen flacheren Verständnis von satisfactio. Gleichzeitig kommt darin auch ein radikales Sündenverständnis zum Ausdruck, das Anselm auch schon in Zusammenhang mit „satisfactio" beschrieben hatte.[216]

Zusammenfassung:

Luther nimmt Anselm verschiedentlich auf, wobei er eigentlich nicht kritisch ist, vielmehr sieht er sich selber in gewisser Hinsicht in der Tradition Anselms stehen. Eine zentrale Rolle spielt Anselm bei Luther nicht, er nimmt ihn in eigenen Fragestellungen eher zustimmend auf.[217] Ein differenzierteres Urteil ist bei Luther nicht zu geben, weil systematische Abhandlungen weitgehend fehlen.

[214] Cf. G. Müller, Christusverständnis, 51; R. Weier, Erlösungslehre, 3. 5. M. Luthers eigene Position hinsichtlich des Verhältnisses von Barmherzigkeit und Gerechtigkeit Gottes, namentlich hinsichtlich der Zuordnung und der Gewichtung, ist natürlich weitaus komplexer.

[215] Zitiert nach T. Harnack, Luthers Theologie, 270. Cf. WA 44,468.

[216] Luther hatte allerdings auch Bedenken gegen den Begriff „satisfactio", weil er für sich gesehen eher zu schwach sei. Cf. dazu T. Harnack, Theologie, 270f u. M. Lienhard, 138f.

[217] Daß M. Luther die Liebe gegenüber Anselms Ehre betont (so G. Müller, Christusverständnis, 51 und M. Lienhard, Zeugnis, 137), ist mit F. Lau, Erstes Gebot, 720. 730, nicht aufrechtzuerhalten.

XII. Thomas von Aquin (1225–1274)[218]

Die Christologie des „doctor communis der röm. Kirche“[219] ist ohne Beziehung auf und Weiterführung von anselmischen Gedanken nicht zu verstehen. Allerdings geschieht diese Bezugnahme auf Anselm meistens sehr indirekt, und es ist von daher auch nur indirekt zu erschließen, wie Thomas von Aquin Anselm verstanden hat.
Ich möchte anhand von drei Begriffen oder Vorstellungen versuchen, einige Linien der Anselmrezeption des Thomas aufzuzeigen: 1. Die Notwendigkeit der Satisfaktion; 2. Der Zusammenhang von Gerechtigkeit und Barmherzigkeit Gottes; 3. Die Frage nach der Versöhnung Gottes.

1. Die Notwendigkeit der Satisfaktion

Der in „Cur Deus homo“ zentrale Gedanke der necessitas satisfactionis taucht bei Thomas von Aquin zentral im 46. Kapitel der Summa Theologica auf. So lautet gleich die erste Frage: „Utrum fuerit necessarium Christum pati pro liberatione humani generis“[220] – ‚War das Leiden Christi für die Befreiung des Menschengeschlechts notwendig?‘
Diese Frage wird weder einfach bejaht noch negiert, vielmehr folgt Thomas einer Begriffsdefinition des Aristoteles, der verschiedene Formen der necessitas aufweist, so daß necessitas entweder von einer äußeren Ursache her bestimmt zu denken ist oder aber „ex suppositione finis“,[221] auf Grund der Zielsetzung gilt. Auf Christi Tun bezogen gelte auf gar keinen Fall, daß ein Leidenszwang vorliege, dem Christus sich zu unterwerfen hätte. Vielmehr gilt, daß eine necessitas „necessitate finis“,[222] also vom Ziel her gedacht bestand. Diese zweite Form der necessitas besagt nun nach Thomas nicht, daß Gott nicht auch anders hätte den Menschen erlösen können (so STh 46,2), sondern vielmehr ist die necessitas ein Ausdruck der Angemessenheit (convenientia).
Vor allem Kessler hat versucht, in diesen Aussagen einen Grunddissens zwischen Anselm und Thomas zu entdecken: „Thomas kennt also nicht die absolute Vernunftnotwendigkeit“,[223] die Kessler bei Anselm

[218] Ganz besonders wichtig ist mir die profunde Darstellung von O. H. Pesch, „Thomas von Aquin. Grenze und Größe mittelalterlicher Theologie“ geworden, der sehr deutlich zwischen Thomas und dem Thomismus unterscheidet und dadurch Thomas selber in den Blick bekommt.
[219] Pannenberg, Art. Thomas, Sp. 856 mit Hinweis auf Papst Pius XI.
[220] STh 46,1 (DThA 28, 4).
[221] STh 46,1 (DThA 28, 6).
[222] Ebd.
[223] H. Kessler, 173.

vorzufinden meint. Thomas gebrauche den Begriff der necessitas aposteriorisch im Unterschied zu Anselm, der ihn apriorisch setze und damit Gott der necessitas unterordne.[224]
Nun ist ein Unterschied zwischen Anselm und Thomas nicht zu leugnen, allerdings ist gerade die Argumentation um den Begriff der necessitas ein Beispiel dafür, wie aufmerksam Thomas Anselm gelesen hat: Thomas gebraucht die gleiche Differenzierung beim Begriff wie Anselm,[225] auch er weist auf die aristotelische Logik hin, die verschiedene Seiten der necessitas aufzeigt. Thomas gebraucht aber im Gegensatz zu Anselm den Begriff der convenientia; das liegt m. E. daran, daß Anselm nicht hätte so weit gehen können, überhaupt die Möglichkeit, daß Gott hätte anders die Erlösung vollbringen können, zu diskutieren; nicht, daß Anselm sie ausschließt, aber schon die positive Behauptung der Möglichkeit weiß nach Anselm mehr, als der Mensch wissen kann. Die Differenz zwischen Anselm und Thomas liegt also darin, daß Thomas neben der tatsächlich geschehenen Erlösung andere Wege Gottes denken kann, was heißt, daß die Offenbarung Gottes in Jesus Christus nicht unbedingt letztgültige Erkenntnis Gottes bringt – er hätte ja auch anders können.
In der Grundargumentation liegt aber kein Dissens zwischen Thomas und Anselm vor, vielmehr gilt, daß bei Thomas die necessitas „wie schon bei Anselm"[226] verstanden wird.

2. Der Zusammenhang von Gerechtigkeit und Barmherzigkeit Gottes

Thomas erkennt im Christusgeschehen Gottes Barmherzigkeit wie seine Gerechtigkeit: „quod hominem liberari per passionem Christi, conveniens fuit et misericordiae et justitiae ejus"[227] – ‚die Befreiung des Menschen durch das Leiden Christi entsprach sowohl Seiner Barmherzigkeit als auch Seiner Gerechtigkeit'.
Thomas trennt also beide Eigenschaften Gottes nicht, er sieht gerade in der Erlösung beide wirksam: „Die Gerechtigkeit kommt in diesem Erlösungswerk Christi zu ihrem Recht".[228] „Aber auch die Barmherzigkeit Gottes bleibt bei aller Betonung der Gerechtigkeit nicht nur irgendwie gewahrt, sie leuchtet nach Thomas gerade in dem genugtuenden Leiden Christi heller auf als in der einfachen Erlassung der Schuld".[229]

[224] Cf. dazu auch G. Wenz, 51; A. Hoffmann, 353. 360; J. Gottschick, 30f.
[225] Cf. unten S. 155–164.
[226] O. H. Pesch, Thomas von Aquin, 327.
[227] STh 46,1 (DThA 28, 7).
[228] A. Hoffmann, DThA 28, 355.
[229] AaO., 356. Cf. dazu auch J. Gottschick, 355.

Kessler sieht auch in diesem Begriffspaar einen deutlichen Gegensatz zu Anselm, der die Barmherzigkeit der Gerechtigkeit untergeordnet hätte, hingegen habe bei Thomas die Barmherzigkeit den Primat, in die die Gerechtigkeit nur eingeordnet werde.
Gegen Kessler mag ich auch hier keinen Grunddissens zwischen Anselm und Thomas sehen, vielmehr greift Thomas m. E. das Ergebnis Anselms auf, bei dem trotz methodischer Einklammerung die Barmherzigkeit der Gerechtigkeit nicht untergeordnet, sondern Gottes Gerechtigkeit als Barmherzigkeit erkannt wird.[230] Es läßt sich vielmehr in dem Satz: „Et hoc fuit abundantioris misericordiae quam si peccata absque satisfactione dimisisset."[231] – ‚Das zeugt in größerem Maße von der überreichen Barmherzigkeit Gottes, als wenn Er die Sünden ohne Genugtuung vergeben hätte' – ein Nachklang des anselmischen Verfahrens wiederfinden, wenn Thomas es auch abschwächt.

3. Die Frage nach der Versöhnung Gottes

Wenn Thomas von der menschlichen Schuld im Zusammenhang mit der Erlösung spricht, gebraucht er ständig das Wort ‚offensa', Beleidigung. Der Mensch hat Gott in seiner Sünde beleidigt. Und diese Beleidigung Gottes verlangt nach Genugtuung. „. . . ille proprie satisfacit pro offensa"[232] – ‚der für die Beleidigung eigentlich Genugtuung leistet'. Der Zusammenhang der Begriffe ‚offensa' und ‚satisfactio' ist für Thomas v. Aquin wesentlich, immer wieder taucht gerade in der Frage 48 diese Begrifflichkeit auf. Das ist ein nicht zu übersehender Hinweis auf die Frage nach der Versöhnung Gottes. Denn wenn die Beleidigung Gottes der Grund oder die Ursache sind für Gottes Eingreifen, so findet in erster Linie eine Versöhnung Gottes statt – er ist ja beleidigt worden. Konsequenterweise sagt Thomas dann auch in der Antwort auf die Frage, ob Christi Leiden als Opfer zu verstehen sei: „. . . sacrificium proprie dicitur aliquid factum in honorem proprie Deo debitum, ad eum placandum."[233] – ‚Opfer im eigentlichen Sinne wird etwas genannt, das man zur Ehrung eigens Gott schuldet, um Ihn zu versöhnen.'[234] Thomas nimmt also den Begriff der satisfactio in diesem Zusammenhang so auf, daß der Adressat der Versöhnung Gott selber ist: „Genugtuung bedeutet also: für eine Beleidigung einen . . . entsprechenden Ersatz leisten."[235]

[230] Cf. unten S. 164–171.
[231] STh 46,1 (DThA 28, 7f).
[232] STh 48,2 (DThA 28, 86).
[233] STh 48,3 (DThA 28, 89).
[234] Übersetzung in Anlehnung an A. Hoffmann, DThA 28, S. 89.
[235] A. Hoffmann, 387.

Thomas bezieht sich hier mit sehr großer Wahrscheinlichkeit auf Anselm, allein die Begrifflichkeit im zuletzt genannten Zitat weist in den Worten „honor" und „Deo debitum" auf klassische anselmische Formulierungen hin. Thomas meint bei Anselm den Gedanken der Beleidigung Gottes zu finden. M. E. meint Anselm selber etwas anderes, ist der Begriff der ‚offensa' Anselms Ansatz nicht entsprechend.[236] Dennoch aber ist dieser Hinweis auf Thomas beredt hinsichtlich der Wirkungsgeschichte von ‚Cur Deus homo'. Vielfach ist Anselm so verstanden worden, wie Thomas ihn hier aufnimmt, vielfach ist gerade Anselm als *der* Vertreter einer theologischen Auffassung bezeichnet worden, die die Versöhnung Gottes und nicht des Menschen als Ausgangspunkt hat.
In der Wirkungsgeschichte könnte es nun sehr gut so gewesen sein, daß gerade die Auffassung des Thomas gleichsam die Brille war, mit der Anselm gelesen worden ist, daß gleichsam die thomanische[237] Interpretation Schlüssel geworden ist. Zweifellos ist damit der Christologie des Thomas keineswegs umfassend Rechnung getragen, er hat an anderen Stellen sehr wohl auch die Versöhnung des Menschen in den Mittelpunkt stellen können,[238] aber der eben genannte Aspekt der Versöhnung Gottes ist nicht marginal.[239]

Zusammenfassung:

Thomas von Aquin hat sich sehr intensiv mit Anselms Cur Deus homo beschäftigt und fußt an vielen Stellen seiner eigenen Christologie darauf. Dabei folgt er etwa bei necessitas oder dem Zusammenhang von misericordia und iustitia sehr differenziert Anselm, wohingegen er bei der Versöhnung den Akzent, wohl eher unwillentlich, zugunsten einer Versöhnung Gottes verschiebt.

XIII. Peter Abaelard (1079–1142)

In vielen Entwürfen der Dogmengeschichte wird Abaelards Versöhnungsverständnis Anselms Cur Deus homo geradezu entgegengestellt: Abaelard habe einen Gegenentwurf zu Anselm geschaffen. Nach Seeberg etwa hat die Lektüre Anselms Abaelard geradezu herausgefor-

[236] Cf. dazu unten S. 79–98 und 106–126.
[237] Zur Unterscheidung von thomanisch und thomasisch cf. O. H. Pesch, Thomas v. Aquin, 25.
[238] Cf. O. H. Pesch, Thomas v. Aquin, 318ff.
[239] Wie das H. Kessler, Bedeutung, 207 u. ö. zu zeigen versucht.

dert, einen eigenen Entwurf darzulegen.[240] Auch Aulén versteht Abaelards Weg als Reaktion auf Anselm von Canterbury.[241] Diese These setzt natürlich eine intensive Auseinandersetzung Abaelards mit Anselms Cur Deus homo voraus. Hier allerdings stellen sich Schwierigkeiten ein. So stellt Peppermüller in eingehender Diskussion die These auf, Abaelard habe Cur Deus homo gar nicht gekannt und sei also auch nicht als Reaktion darauf zu verstehen, da sich die Aufnahme anselmischer Terminologie gerade im Römerbriefkommentar kaum finden lasse.[242] In seiner Auslegung zu Römer 3, 21ff.[243] diskutiert Abaelard die Frage nach der necessitas des Leidens und Sterbens Christi – was oft als Indiz für die Aufnahme Anselms von Canterbury verstanden worden.[244] Allerdings ist die Aufnahme des Begriffes auch daher zu verstehen, daß sie sich eher auf Anselm von Laon und seine Schule[245] bezieht als auf Anselm von Canterbury. Abaelard hatte in Laon bei Anselm eine Weile studiert und kennt ihn von daher. Gekennzeichnet ist die Laon-Schule durch eine große Systematisierung in Form von Sentenzenwerken, wobei gerade auch die Lehre von der Erlösung unter juridischen Gesichtspunkten behandelt wurde.[246] Peppermüller trägt nun den Gedanken vor, daß sich Abaelard auf einen Schüler Anselms von Canterbury beziehen könnte, so daß doch Abaelard seinen eigenen Entwurf gegen einen ihm mündlich überlieferten Anselm von Canterbury verstanden haben könnte.[247] Auch wenn Peppermüller diesen Gedanken aufgibt, weil „sich die Einwände Abaelards auch ohne die Annahme, er setze sich mit Anselm v. Canterbury auseinander, verstehen lassen",[248] meine ich dennoch, daß gerade Anselm von Laon als Schüler Anselms von Canterbury eine verzerrte Darstellung Anselms von Canterbury zu Zeiten der Schülerschaft Abaelards vorgetragen haben kann, gegen die sich Abaelard hier wenden könnte. Für unsere Fragestellung, wie Abaelard Cur Deus homo verstanden hat, trägt dieser Gedanke allerdings nichts aus, da eine direkte Auseinandersetzung nicht nachzuweisen ist.

[240] R. Seeberg, Dogmengeschichte, 237–239.

[241] Cf. Aulén, Christus Victor, 95–97.

[242] R. Peppermüller, Auslegung, 91f. Cf. auch 175. Auch L. Grane, Abaelard, 116 vertritt diese These.

[243] P. Abaelard, in: CC, CM XI, 113–121.

[244] Cf. R. Peppermüller, Auslegung, 91.

[245] Cf. Hödl/Peppermüller/Reinhardt, Art. Anselm von Laon und seine Schule. In: TRE 3, 1–5.

[246] Cf. Anselms von Laon Systematische Sentenzen, hg. v. F. Bliemetzrieder, 22f 26–29. 37–42.

[247] R. Peppermüller, Auslegung, 92.

[248] Ebd.

XIV. Systematisierende Zusammenfassung

Es hat sich beim Durchgang durch die Rezeptionsgeschichte gezeigt, daß einige immer wiederkehrende Grunderkenntnisse die Aufnahme bzw. Ablehnung von Anselms Cur Deus homo bestimmten. Sie lassen sich wie folgt zusammenstellen:

1. Zur Methode

Anselms methodisches Vorgehen beschäftigt seit der Aufklärung die Rezeption, dabei vor allem die Frage, ob es ein apriorisches[249] oder ein aposteriorisches[250] Vorgehen sei. Wird ein apriorisches Verfahren bei Anselm entdeckt, so taucht damit auch die Frage auf, inwiefern mehr als nur eine Möglichkeit der Versöhnung aufgewiesen sei, da der Ausgangspunkt ja nicht das Versöhnungsgeschehen selber sei.[251] Zu dieser Fragestellung cf. ausführlich die Teile BII1–5 dieser Arbeit.

2. Zur Versöhnung Gottes

Anselms Versöhnungsverständnis wird häufig deswegen heftig kritisiert, weil es impliziere, daß Gott versöhnt werden müsse, und das heiße letztlich, daß der Mensch Gott gegenüber ein Werk vollbringe, das ihn versöhnt.[252] Das widerspreche jedoch der biblischen Sicht der Versöhnung, wo Gott der Versöhnende und nicht der zu Versöhnende sei. Diese Sicht Anselms wird meistens festgemacht an Anselms Gebrauch der Begriffe ‚satisfactio' und ‚meritum'. Allerdings gibt es auch Interpretationen Anselms, die bei ihm die Versöhnung des Menschen finden.[253] Ausführlich zu satisfactio siehe BIII5 und zu meritum BIV1.

3. Geschichtlicher Fortschritt

Von fast allen Rezipienten wird positiv aufgenommen (wenn auch lange nicht überall vermerkt), daß der Fortschritt Anselms gegenüber der ihm vorhergehenden Versöhnungslehre darin besteht, daß Erlösung nicht ein Handeln Gottes gegenüber dem Teufel ist, der auf den Menschen durch dessen Sünde ein Anrecht habe, sondern daß vielmehr der Teufel kein Recht auf den Menschen habe.[254] Anders freilich argumentiert Aulén, der gerade diese Abgrenzung als Verfall versteht.[255]

[249] Etwa A. v. Harnack.

[250] So K. Barth und der Heidelberger Katechismus.

[251] So A. v. Harnack.

[252] So etwa K. Rahner, A. v. Harnack und Thomas v. Aquin.

[253] Etwa der Heidelberger Katechismus und Luther.

[254] So etwa A. v. Harnack und F. C. Baur.

[255] S. o. zu G. Aulén, 9–12.

4. Notwendigkeit

Häufig besprochen an Anselms Cur Deus homo ist die Aufnahme des Begriffes der necessitas. Oft wird Anselm dahingehend verstanden, daß necessitas heiße, Gott habe so handeln müssen, er sei dazu gezwungen gewesen, Christus Mensch werden zu lassen.[256] Wenn Anselm so verstanden wird, erhebt sich sofort auch berechtigter Widerspruch: Welche Gottesvorstellung, welch menschliche Überheblichkeit zeigt sich hier bei Anselm? Auf der anderen Seite hat es auch Rezeptionen Anselms in der Geschichte gegeben, die unbefangener ‚necessitas' aufnehmen konnten, ohne oben genanntes Verständnis zu sehen.[257] Ausführlich dazu siehe Teil BIV3 dieser Arbeit.

5. Barmherzigkeit und Gerechtigkeit

Dieser Zusammenhang spiegelt vielleicht am besten die Disparatheit wider, die in der Interpretation begegnet. Auf der einen Seite gibt es deutliche Stellungnahmen vor allem zugunsten der Gerechtigkeit, d. h. Anselm verstehe Barmherzigkeit erst von der Gerechtigkeit her. Das aber habe zur Folge, daß die Barmherzigkeit Gottes, die doch für den christlichen Glauben von fundamentalster Bedeutung sei, zugunsten einer Gerechtigkeit Gottes begrenzt werde.[258] Dagegen stehen Auffassungen, die bei Anselm geradezu das Ineinander beider Eigenschaften Gottes, also keine eindeutige Bevorzugung der einen oder anderen Größe, eher eine gegenseitige Interpretation[259] wahrnehmen. Vgl. dazu Teil BIV 4 und 5 dieser Arbeit.

[256] Etwa F. C. Baur.

[257] Cf. Heidelberger Katechismus; Thomas v. Aquin; J. Gerhard.

[258] So etwa K. Rahner, F. C. Baur und K. Barth (mit Einschränkungen).

[259] Cf. etwa Heidelberger Katechismus, J. Gerhard, J. Calvin, H. Zwingli und M. Luther.

Teil B

INTERPRETATION VON CUR DEUS HOMO

I 1. Einführung

Anselm von Canterbury hat ‚Cur Deus homo' in England wahrscheinlich um 1094 zu schreiben begonnen und 1098 während seines Exils in der Provinz Capua/Italien vollendet.[1] Zweimal für je drei Jahre mußte Anselm nach Italien ausweichen, weil er sich im „Investiturstreit für die Rechte des Papsttums und die Freiheit und Unabhängigkeit der Kirche vom englischen König"[2] vehement einsetzte. Wahrscheinlich 1092 bis 1094 hatte Anselm schon die ‚Epistola de Incarnatione Verbi'[3] geschrieben. In CDh II,9 verweist Anselm einmal auf diesen Brief.[4] Manche Gedanken berühren sich mit Cur Deus homo, aber es ist auf jeden Fall ein völliger Neueinsatz zu konstatieren.
Insgesamt gesehen fällt auf, daß sein Exulantendasein ebenso wie der ihn heftig beschäftigende Investiturstreit keine Aufnahme in das Werk finden, überhaupt fehlen zeitgeschichtliche Bezüge.
Hinzu kommt noch, daß weder Eadmer noch die wenigen Briefe, in denen Cur Deus homo erwähnt wird,[5] genauere Informationen über Entstehungsumstände liefern.
Damit ist ein Hauptproblem in der Forschung zu Cur Deus homo aufgezeigt: Die historisch wünschenswerte Einordnung in den zeitgeschichtlichen Kontext ist angewiesen auf Analogien und Hypothesen. Dieses Dilemma, auf der einen Seite wenig Informationen zu haben und auf der anderen Seite ein Werk ohne Einordnung in den Kontext eigentlich nicht verstehen zu können, spiegelt sich in der Literatur zu Cur Deus homo deutlich wieder.
So gibt es Vertreter der ‚kontextuellen' Interpretation bei Anselm von Canterbury, vor allem R. W. Southern[6] und J. Gauss,[7] aber auch Heer.[8]

[1] Cf. CDh Praefatio (II,42,6–8); Eadmer, Das Leben des Heiligen Anselm von Canterbury, 124; F. S. Schmitt, Zur Chronologie, 345–347.
[2] Heinzmann, Anselm von Canterbury, 171.
[3] II,1–35.
[4] CDh II,9 (II,105,6–9).
[5] Cf. etwa Ep. 209 (IV,104f).
[6] R. W. Southern, St. Anselm and his biographer; ders., Crispin.
[7] J. Gauss, Begegnung; dies., Auseinandersetzung.
[8] F. Heer, Aufgang Europas.

Sie suchen den Ansatzpunkt bei der Interpretation im geistigen und sozialen Umfeld, in das Cur Deus homo eingebunden ist. Eine nichtkontextuelle Interpretation würde ihrer Ansicht nach in unzulässiger Weise von den historischen Gegebenheiten abstrahieren und zu einer Auffassung führen, die der ursprünglichen Intention nicht zu eigen war.[9] So gehen etwa Gauss und Southern davon aus, daß es sich in Cur Deus homo um ein Gespräch zwischen Islam, Judentum und Christentum (so Gauss[10]) bzw. nur zwischen Judentum und Christentum (so Southern[11]) handelt. Anders meint Heer:[12] „Die Mönche Anselms also fragen ihren Abt um Auskunft über Dinge des Glaubens."[13]
Das Problem dieser an sich wünschenswerten Ortsbestimmung liegt im Hypothesencharakter.
Daneben gibt es in großer Anzahl auch Interpreten, die eher ‚textimmanent' verfahren.[14] Sie sehen, auch durch die historische Unsicherheit der Hypothese begründet, die Gefahr, daß bei einer an den Text mehr oder minder herangetragenen Vermutung Cur Deus homo einseitig im Blick auf diese These gelesen und verstanden wird und dann der Wortlaut nicht mehr den nötigen Stellenwert hat.
Werde die Intention des Werks aber aufgrund von Parallelen oder Analogien auf einer bestimmten Ebene fixiert,[15] so lese man das gesamte Werk von dieser Sicht her und beschränke sich dann auch darin. Weil aber ein Text nicht a priori eingeebnet werden dürfe, sei die kontextuelle Interpretation in Fällen historischer Unsicherheiten zurückzustellen.[16]
Das Problem dieser Sichtweise liegt natürlich darin, Cur Deus homo mehr oder minder unabhängig von seiner Entstehungssituation verstehen zu wollen. Bei einer textimmanenten Interpretation kann es passieren, daß durch Nichtbeachtung historischer Gegebenheiten Zeitgebundenes nicht mehr als solches und daher falsch verstanden werden kann.

[9] Es geht nicht um Diskussion über Voraussetzung bzw. Voraussetzungslosigkeit der Interpreten.

[10] J. Gauss, Begegnung, 346ff.

[11] R. W. Southern, Crispin, 92.

[12] Vorher hatte F. Heer behauptet: „Die modernen Untersuchungen des mittelalterlichen theologischen Schrifttums lassen meist zwei Gesichtspunkte außer acht: die historische Situation, innerhalb deren sich der Standort des Autors befindet, und die Gerichtetheit seines Schrifttums." (F. Heer, 167).

[13] F. Heer, 168.

[14] Auch hier gibt es unterschiedliche Ansatzpunkte, etwa philosophischer oder theologischer Art.

[15] Etwa bei J. Gauss die Auseinandersetzung mit den Religionen.

[16] Die Sachlage ist durchaus noch wesentlich komplexer, cf. etwa: H. Thielicke, Glauben und Denken in der Neuzeit, 1–36.

Beide Sichtweisen haben grundsätzlich ihr Recht, es bilden natürlich beide methodischen Zugänge einen ‚hermeneutischen Zirkel', der beachtet werden muß.
Und doch wird man im Blick auf Cur Deus homo fragen müssen, ob nicht das Schweigen Anselms sowohl was die Entstehung wie auch was die zeitgeschichtliche Einordnung anbetrifft, programmatischen Charakter hat. Anselms Verweigerung, uns mehr zu sagen, will in der Interpretation ernst genommen werden.
In der vorliegenden Arbeit möchte ich versuchen, Anregungen aus der kontextuellen Interpretation aufzunehmen und zu überprüfen,[17] allerdings so, daß Ausgangspunkt der überlieferte Text ist, nicht aber das Umfeld.[18]
Einen genauen historischen Ort angeben zu wollen, hieße möglicherweise, dem anselmischen Werk eine Absicht zuzulegen, die Anselm selber fern liegt.
Es geht Anselm um eine einzige Frage,[19] die Zeitgenossen gestellt haben mögen. Und so rückt diese Frage, die dem christlichen Glauben seit jeher inhärent ist, in den Mittelpunkt der Verhandlungen.
Von daher ist zu erwarten, daß auch Anselm über die rein zeitgebundene Antwort hinaus auf eine eher grundsätzliche Behandlung des Verhältnisses von Gotteslehre und Christologie zielt.
Anselm in der Auslegung treu zu sein, heißt: dieses Anliegen ernst zu nehmen, so daß auch von Anselm gelten kann: „Die Unterschiede von einst und jetzt, dort und hier, wollen beachtet sein. Aber der Zweck der Beachtung kann nur die Erkenntnis sein, daß diese Unterschiede im Wesen der Dinge keine Bedeutung haben."[20]

I 2. „Die Frage, von der das ganze Werk abhängt"

Anselm von Canterbury versteht sein Werk ‚Cur Deus homo' als Beantwortung einer einzigen Frage, wie er gleich zu Beginn im 1. Kapitel des ersten Buches klar macht: „Quaestio de qua totum opus pendet"[21] – ‚Die Frage, von der das ganze Werk abhängt'.

[17] Daher auch BII1 über die infideles.

[18] G. Gäde, 46 geht genau anders an die Interpretation heran: „. . . gehen wir zunächst der Frage nach: In welcher konkreten historischen Situation hat ‚Cur Deus homo' seinen Ort, bzw. was ist geschichtlich der Grund gewesen für die Abfassung dieser Schrift?"

[19] Cf. dazu unten S. 43–50.

[20] K. Barth, Römerbrief, V.

[21] CDh I,1 (II,47,4).

Von dieser Frage hängt das ganze opus ab, und also auch eine Interpretation. Nur wenn die Richtung und auch der Umfang dieser Frage verstanden wird, ist zu erkennen, was die Abfassung dieses so vielschichtigen Werkes bezwecken soll. Vom Verständnis dieser Frage hängt auch das Verständnis der Antwort ab.

Die Überschrift über das erste Kapitel ist, wie alle anderen Überschriften auch, so wichtig, daß sie vom Werk nicht getrennt werden darf. Diese Bedingung nennt Anselm ausdrücklich in der Praefatio.[22] Anselm ist also beim Wort zu nehmen – von der Frage hängt das ganze Werk ab.

Die Frage wird zunächst in CDh I,1 genannt: „qua scilicet ratione vel necessitate deus homo factus sit, et morte sua, sicut credimus et confitemur, mundo vitam reddiderit, cum hoc aut per aliam personam, sive angelicam sive humanam, aut sola voluntate facere potuerit."[23] – ‚nämlich aus welchem Grund und welcher Notwendigkeit Gott Mensch geworden ist, und durch seinen Tod, wie wir glauben und bekennen, der Welt das Leben zurückgegeben hat, da er es doch auch durch eine andere Person – sei sie engelhafter oder menschlicher Natur – oder allein durch seinen Willen hätte tun können.'

Die Anselm gestellte Frage ist nicht die Frage: ‚wie ist Gott Mensch geworden?' oder: ‚wie hat er der Welt durch seinen Tod das Leben wiedergeschenkt?', sondern: ‚aus welchem Grund, mit welcher Notwendigkeit – er hätte es doch auch anders tun können – kurz: warum?'.

Mönnich stellt richtig fest, daß der Titel des Buches Cur Deus homo heiße und nicht Quomodo Deus homo.[24] Und das bedeutet: In der Frage wird die Menschwerdung – und das heißt das Christusgeschehen – bereits vorausgesetzt;[25] es wird nach dem Warum gefragt.

Etwas weiter unten wird die Frage noch einmal genauer ins Auge gefaßt: „qua necessitate scilicet et ratione deus, cum sit omnipotens, humilitatem et infirmitatem humanae naturae pro eius restauratione assumpserit."[26] – ‚nämlich aus welcher Notwendigkeit und mit welchem Grund Gott, da er doch allmächtig ist, die Niedrigkeit und Schwäche der menschlichen Natur zu ihrer Wiederherstellung angenommen hat.' Die Warum-Frage erhält eine Zuspitzung, einen Rahmen. Denn

[22] „Hanc praefatiunculam cum capitulis totius operis omnes qui librum hunc transscribere volent, ante eius principium ut praefigant postulo" CDh Praefatio (II,43,4f).

[23] CDh I,1 (II,48,2-5).

[24] C. W. Mönnich, Inhoud, 79: „de titel luidt Cur deus homo, niet Quomodo deus homo."

[25] Es heißt eben nicht: Ob Gott Mensch geworden ist.

[26] CDh I,1 (II,48,22-24).

die Glaubenssaussage, daß Gott Mensch geworden ist, die ja bedeutet, daß er in die Niedrigkeit und Schwäche des Menschen eingegangen ist, steht im Widerspruch zu einer anderen Glaubensaussage: der Allmacht Gottes.

Wie kann Gott allmächtig und schwach sein? Das Schwachsein Gottes paßt doch nicht zu Gott! Die Frage stellt Anselm vor die Aufgabe, diesen Widerspruch zu lösen. In CDh I,3 wird die eine Frage noch weiter präzisiert, um Anselm genau antworten zu lassen.

„quia deo facimus iniuriam et contumeliam, cum eum asserimus in uterum mulieris descendisse, natum esse de femina, lacte et alimentis humanis nutritum crevisse, et – ut multa alia taceam quae deo non videntur convenire – lassitudinem, famem, sitim, verbera et inter latrones crucem mortemque sustinuisse“[27] – ‚weil wir ja Gott Ungerechtigkeit und Schmach zufügen, wenn wir behaupten, er sei in den Unterleib einer Frau herabgestiegen, von einer Frau geboren, mit Milch und anderen menschlichen Speisen genährt aufgewachsen und habe, um von vielem anderem zu schweigen, was zu Gott nicht zu passen scheint, Ermüdung, Hunger, Durst, Schläge und zwischen Räubern das Kreuz und den Tod ertragen'. Die entscheidenden Ausdrücke dieser Frage sind: „deo facimus iniuriam et contumeliam“[28] und „deo non videntur convenire“.[29]

In der Aufzählung wird mit wenigen Strichen das schwache und menschliche Leben des Jesus von Nazareth skizziert. Das Problem ist aber, was das mit Gott zu tun hat, genauer: warum und damit dann auch wie kann Gott so niedrig und schwach werden?

Hoheit und Herrschaft Gottes scheinen nicht zur Geschichte des Jesus von Nazareth zu passen – wenn gesagt wird, daß Gott selber dieser Jesus von Nazareth war, ist das ein Verstehensproblem.

In CDh I,6 heißt es noch einmal: „Si dicitis quia facere deus haec omnia non potuit solo iussu, repugnatis vobis metipsis, quia impotentem illum facitis“[30] – ‚Wenn ihr sagt, Gott hätte all dies nicht allein durch einen Befehl tun können, kämpft ihr gegen euch selber, weil ihr ihn ja ohnmächtig macht'.

Die in der menschlichen Natur offen sichtbare Ohnmacht steht nach Ansicht der Frage in Widerspruch zur Allmacht Gottes. Der Widerspruch zwischen ‚Gotteslehre und Christologie' beschränkt sich aber nicht auf den Aspekt der Allmacht. Im weiteren Verlauf der Prälimi-

[27] CDh I,3 (II,50,24–28).
[28] CDh I,3 (II,50,24f.).
[29] CDh I,3 (II,50,27).
[30] CDh I,6 (II,54,1–3).

narien, die bis CDh I,10[31] reichen, werden weitere Widersprüche beim Namen genannt.- „altissimum ad tam humilia inclinari“[32] – ‚daß der Höchste zu so Niedrigem herabsteigt‘. – „Quae autem iustitia est hominem omnium iustissimum morti tradere pro peccatore“[33] – ‚Was für eine Gerechtigkeit ist es aber, den Gerechtesten aller Menschen für die Sünde dem Tode zu überliefern?‘[34] Leben und Sterben Jesu Christi, des fleischgewordenen Gottes, scheinen in Gegensatz zu stehen zu Gottes Allmacht, Höhe und Gewalt.

‚Cur Deus homo?‘ fragt nach diesen Widersprüchen, will in das Dunkel dieser Widersprüche Licht gelangen lassen. Das ‚Cur‘ sucht nicht ein abstraktes Warum, sondern will die Allmacht und Ohnmacht Gottes zusammensehen.

Diese Frage verlangt von Anselm, in der Menschwerdung den Willen Gottes[35] deutlich zu machen, den oben genannten Widerspruch aufzulösen, der zwischen der Niedrigkeit des Menschen Jesus und der Hoheit Gottes zu sehen ist. Das aber heißt, daß die Frage, die sich als roter Faden durch das gesamte Werk hindurchzieht, vom Christusgeschehen aus die Frage nach der Gotteslehre, der Lehre von Gottes Wesen und Eigenschaften, in den Blick nimmt und damit auch die Frage nach der Gottesgerechtigkeit.

Natürlich geht es in ‚Cur Deus homo‘ um die Menschwerdung Gottes, aber bezeichnenderweise sagt Anselm in der Praefatio, in der er den Inhalt seiner beiden Bücher skizziert: „Quod secundum materiam de qua editum est, Cur Deus homo nominavi“[36] – ‚Nach dem Stoff, von dem es handelt, habe ich es Warum Gott Mensch geworden genannt‘.

Materiam, Stoff – so nennt Anselm die Menschwerdung, und das steht ganz in Einklang mit seiner Kapitelüberschrift in CDh I,1 – die Frage, von der das ganze Werk abhängt, weist über die Menschwerdung hinaus.

Leider ist dieser Zusammenhang in der Interpretation von Cur Deus homo wenig gesehen worden.

„Das Thema, um das es geht, und das Gegenstand des Beweises ist, ist

[31] Cf. dazu unten S. 74–78.

[32] CDh I,8 (II,59,16).

[33] CDh I,8 (II,60,5f.).

[34] Cf.: „Nam si aliter peccatores salvare non potuit quam iustum damnando: ubi est eius omnipotentia? Si vero potuit sed non voluit: quomodo defendemus sapientiam eius atque iustitiam?“ CDh I,8 (II,60,8–10).

[35] „Sufficere nobis debet ad rationem voluntas dei“ CDh I,8 (II,59,10).

[36] Praefatio (II,42,8f).

also die Menschwerdung, die Person und das Werk Christi und ganz allgemein der christliche Glaube",[37] heißt es etwa bei F.S. Schmitt. Diese Sichtweise isoliert m. E. in unzulässiger Weise die anselmische Christologie und wird dadurch Anselm kaum gerecht.
Auch bei der populären Meinung, in Cur Deus homo entwickele Anselm die Satisfaktionstheorie, handelt es sich um eine Verkürzung, die der eigentlichen Intention nicht folgt.
Etwas deutlicher heißt es bei Heinrichs zwar: „Mit dem 11. Kapitel des ersten Buches beginnt dann die Diskussion der eigentlichen Frage, wie der Tod Christi einerseits als notwendig für unser Heil, andererseits als vereinbar mit der Güte und Gerechtigkeit Gottes bezeichnet werden könne."[38] Hier wird schon etwas deutlich von der Frage, von der das ganze Werk abhängt, jedoch trennt Heinrichs im folgenden: „Während aber der letztere Teil dieser Doppelfrage eine leichte und durchsichtige Lösung findet und daher ganz an das Ende des Werkes zurückgesetzt werden kann, muß die Frage nach der Notwendigkeit des Todes Christi zum Zwecke der Erlösung von der Sünde um so eingehender behandelt werden."[39]
Indem Heinrichs den Zusammenhang zwischen Notwendigkeit der Menschwerdung und ‚Güte und Gerechtigkeit Gottes' verwischt, sieht er die eigentliche Zielrichtung nicht mehr. Aber es geht Anselm m. E. zentral darum, daß in der Menschwerdung ein ‚fester Grund'[40] sichtbar wird, daß ‚ratio und necessitas'[41] der Menschwerdung so einsichtig werden, daß in der Menschwerdung Gottes Handeln, Gottes Wille[42] deutlich wird, daß die Menschwerdung nicht in Widerspruch zum Wesen Gottes steht.
Am ehesten sieht Mönnich diesen Zusammenhang, wenn er schreibt, daß nicht die Satisfaktionslehre die Hauptsache sei, sondern der Gottesbegriff und der daraus erwachsende Begriff von Schöpfung und Vollendung.[43] „Anselm will diesen Gedanken (sc. der Genugtuung) gebrauchen, um deutlich zu machen, warum Gott Mensch geworden ist".[44] Auch stellt Mönnich fest, daß die Frage nach der Satisfaktion an

[37] F. S. Schmitt, Wiss. Methode CDh, 351f.
[38] L. Heinrichs, 10.
[39] Ebd.
[40] „aliquid solidum" CDh I,4 (II,51,17).
[41] Cf. etwa „ratione vel necessitate" CDh I,1 (II,48,2) u. ö.
[42] Cf. oben Anm. 35.
[43] „Evenmin is de satisfactieleer hoofdzaak: hoofdzaak is het Godsbegrip en het daaruit voortvloeiende begrip van schepping en voleinding." (C. W. Mönnich, Inhoud, 107). Cf. auch F. Heer, Aufgang Europas, 169. 171.
[44] „Anselmus wil deze gedachte gebruiken om duidelijk te maken waarom God mens is geworden" (C. W. Mönnich, Inhoud, 78).

den Anfang gestellt und Anselms Schrift ausschließlich in Hinsicht auf diese Lehre kritisiert wurde[45].
M. E. liegt diese schon seit der Scholastik vorgenommene Interpretation darin begründet, daß Anselm zwar in fast allen Schriften nach dem Wesen Gottes fragt und den Menschen erst von Gott her in den Blick bekommt,[46] aber schon Abaelard und noch stärker die von der Metaphysik des Aristoteles beeinflußte Theologie der Scholastik[47] eher ‚vom Menschen her dachten'.
Anselms Thema ist aber die Gotteslehre, und in Cur Deus homo die Frage nach der Übereinstimmung der Niedrigkeit und Ohnmacht des menschgewordenen Gottes mit der Allmacht und Hoheit Gottes.
Diese am Anfang gestellte Frage taucht ganz am Schluß wieder auf, und auch daran ist der Zusammenhang zu sehen: „et per unius quaestionis quam proposuimus solutionem"[48] – ‚und durch die Lösung der einen Frage, die wir uns vornahmen'.
Die Frage nach der Übereinstimmung von Menschwerdung und Wesen Gottes bestimmt das anselmische Werk, die Christologie ist Mittel, Stoff,[49] nicht aber Ziel von Cur Deus homo. Von daher scheint es mir geboten zu sein, diesem anselmischen Weg zu folgen und nach der Übereinstimmung von Christologie und Wesen Gottes zu fragen.
Deshalb folgt der Darstellung der Christologie auch ein ausführlicher Teil, der auf das Wesen Gottes reflektiert.
Dabei ist es nicht a priori ausgemacht, daß das Wesen Gottes die Konstante, die Christologie aber die Variable ist.

Exkurs:
Zum Verhältnis von Christologie und Gotteslehre.
Zu einer neuen Interpretation von Gerhard Gäde.

Die 1989 erschienene Dissertation von Gerhard Gäde[50] interpretiert Anselms Erlösungslehre neu, indem als Hintergrund von Anselms Argumentation der Proslogion-Grundsatz: „aliquid quo nihil maius cogitari possit" sowohl in methodischer wie auch in inhaltlicher Hinsicht zur Geltung gebracht wird. Gäde stellt sich dem Hauptvorwurf, der an Anselms Werk immer wieder herangetragen wurde: die Barmherzig-

[45] „Het merkwaardige is, dat men ... de vraag van de satisfactie voorop heeft gesteld en Anselmus' geschrift uitsluitend heeft getoetst naar deze leer" (C. W. Mönnich, Inhoud, 78).
[46] Dazu weiter unten S. 145–155.
[47] Cf. dazu oben etwa S. 34–37.
[48] CDh II,22 (II,133,4).
[49] „materiam" CDh Praefatio (II,42,8).
[50] G. Gäde, Eine andere Barmherzigkeit. Zum Verständnis der Erlösungslehre Anselms von Canterbury. Würzburg 1989.

keit werde zugunsten der Gerechtigkeit abgewertet,[51] es dominiere ein juridisch-juristisches Verfahren, „in dem Gott selbst rechtlich verstandenen Gesetzmäßigkeiten und Sachzwängen unterworfen sei".[52]
Aufgrund einer detaillierten und profunden Untersuchung einzelner Begriffe (etwa: Ehre Gottes, Schöpfungsordnung, Genugtuung etc.) kommt Gäde schließlich zu der Feststellung, daß die Gerechtigkeit „Leitbegriff"[53] sei, jedoch sei das rechte „Verständnis des Gerechtigkeitsbegriffs Anselms"[54] zu suchen. Und der stehe in ‚Cur Deus homo' „in engem Zusammenhang mit der Denkregel des ‚Proslogion'",[55] d. h. es sei eine Gerechtigkeitsvorstellung, die nicht zu überbieten sei, die also nicht einfach gefüllt werden könne mit Vorverständnissen. Vielmehr „setzt Anselm die ‚iustitia' mit Gott gleich".[56] Deshalb lehne Anselm auch eine Vergebung ‚sola misericordia' ab, weil sie diesem Verständnis der Gerechtigkeit insofern nicht entspreche, als Gott dann sowohl seiner wie auch der Ehre des Menschen widersprechen würde. Nach Gäde lehnt Anselm damit jedoch die Barmherzigkeit nicht einfach ab, vielmehr versucht Anselm, die Barmherzigkeit Gottes „unüberbietbar groß zu denken".[57] Nach einer ausführlichen Darstellung des Gottesbegriffes bei Anselm kommt Gäde zum Schluß: „Erst Anselms Sorge um die Wahrung der schlechthinnigen Absolutheit Gottes läßt es verständlich erscheinen, warum eine solche Barmherzigkeit der Würde Gottes widerspräche und Gott sich selbst nicht gerecht würde."[58] Deshalb muß, so Boso[59] und auch der Titel der Arbeit von Gäde, „eine andere Barmherzigkeit" gesucht werden. Diese findet Anselm nach Gäde in der Inkarnation und im Tod Jesu: „Gott selbst hat durch die Menschwerdung seines Sohnes für die gerechte Leistung der Genugtuung gesorgt."[60] Und das begründet eine „Übereinstimmung von Gerechtigkeit und Barmherzigkeit",[61] nicht als Kompromiß zwischen beiden Größen: „Vielmehr sind beide miteinander in Einklang."[62] Gädes Arbeit arbeitet m. E. zu Recht heraus, daß die eigentliche Frage im Verhältnis von Barmherzigkeit und Gerechtigkeit bei An-

[51] Cf. dazu S. 39f dieser Arbeit.
[52] G. Gäde, 15.
[53] AaO., 107.
[54] Ebd.
[55] AaO., 120.
[56] AaO., 114.
[57] AaO., 124.
[58] AaO., 194.
[59] „Aliam misericordiam dei video esse quaerendam quam istam." CDh I,24 (II,93,29).
[60] G. Gäde, 269.
[61] AaO., 279.
[62] AaO., 285.

selm die Frage nach dem Verhältnis Gotteslehre und Christologie ist[63]. Grundsätzlich gibt es auf diese Frage drei Antwortmöglichkeiten:
1. Es besteht ein bleibender Widerspruch bzw. Dualismus. So deuten eine große Anzahl von Interpreten Anselm.[64]
2. Es ist kein Widerspruch vorhanden, vielmehr entspricht die Christologie recht verstanden der Gotteslehre, ist die Christologie kein Widerspruch zur Absolutheit Gottes. Diesen Weg sieht m. E. Gäde in seiner Interpretation Anselm gehen. Hinter Anselms Konzeption der Erlösungslehre sieht Gäde den methodischen und inhaltlichen Grundsatz aus Anselms Proslogion, der vor allem die Absolutheit Gottes ausdrückt. Die Christologie steht dem nicht entgegen, sondern wird erst von ihr her recht verstanden. Damit wird die Christologie methodisch und inhaltlich der Gotteslehre, die zunächst unabhängig von der Christologie darstellbar ist, ein- und damit untergeordnet.
3. Ein dritter Weg ist die Aufhebung des vermuteten Widerspruchs dahingehend, daß die Gotteslehre von der Christologie her entwickelt wird, so daß am Ende der Argumentation Anselms auch ein durch die Inkarnation und den Tod Jesu begründetes anderes Erkennen Gottes stattfindet. Meiner Ansicht nach verfährt Anselm so, und das heißt, daß beide[65], Barmherzigkeit und Gerechtigkeit, gerade vom Christusgeschehen her zu verstehen und zu füllen sind.

[63] Allerdings geht Gäde nicht explizit auf die Frage des Verhältnisses ‚Christologie – Lehre von den Eigenschaften Gottes' ein.

[64] Cf. dazu S. 39f dieser Arbeit.

[65] G. Gäde interpretiert Gerechtigkeit eigentlich nur im Blick auf die Gotteslehre, wohingegen er Barmherzigkeit von der Christologie her dann der Gottesvorstellung anpaßt.

II 1. Die Bedeutung der infideles in Cur Deus homo

1. Der ‚Sitz im Leben' des Werkes ‚Cur Deus homo' ist sehr unterschiedlich beschrieben worden.
Auf der einen Seite stehen Aussagen wie: „Man ist sich heute einig, daß Anselms Programm nicht apologetisch zurechtgedeutet werden dürfe",[1] oder man sagt, daß die Schrift „beispielhaft ... für rein theologische Argumentation"[2] sei.
In eine ganz andere Richtung weisen aber Thesen, die Anselms Vorgehen als „Apologie"[3] und „wissenschaftliche Apologetik"[4] bezeichnen oder behaupten, daß „Anselm ... sich bei der Abfassung des ... CDH einer apologetisch-missionarischen Aufgabe bewußt gewesen"[5] sei.
Diese sehr unterschiedliche Auffassung hängt zum größten Teil ab von der Einschätzung der Ungläubigen (infideles) in ‚Cur Deus homo' in bezug auf ihre Identität und Funktion.

2. Anselm nennt die infideles gleich im ersten Kapitel des ersten Buches: „Quam quaestionem solent et infideles nobis ... obicere, et fideles multi in corde versare"[6] – ‚Diese Frage pflegen sowohl die Ungläubigen uns entgegenzuhalten als auch viele Gläubige im Herzen hin und her zu wenden'.
Die im vorherigen Punkt thematisierte Frage ist ein Problem sowohl für die Ungläubigen wie auch für die Gläubigen, wenn auch in unterschiedlicher Art: die Glaubenden erwägen sie in ihren Herzen, die Ungläubigen werfen sie den Glaubenden vor.
Wer sind diese ‚infideles'?
Strijd will sich auf die Aussage beschränken, es seien keine Atheisten,[7] konkreter meint Geyer, daß „diese infideles ... identisch mit den Gegnern, die Augustinus im gleichen Zusammenhang einführt und widerlegt",[8] seien und daß der „Ausgangspunkt ... Anselms ... nicht die Bekämpfung irgendwelcher zeitgenössischer Gegner und infideles, sondern ... ein literarischer"[9] sei. Nach Geyer ist die Einführung der

[1] A. Lang, 31.
[2] M. Awerbuch, 86.
[3] F. S. Schmitt, Wiss. Methode CDh, 366.
[4] Ebd.
[5] J. Gauss, Auseinandersetzung, 102.
[6] CDh I,1 (II,47,11–48,2).
[7] K. Strijd, 33.
[8] B. Geyer, 205.
[9] Ebd.

infideles und somit die Abfassung des gesamten Werks gerade nicht apologetisch zu nennen, sondern sie dienten der Klärung und Verdeutlichung der anselmischen Gedanken.
Nach Heer sind unter den infideles durchaus Zeitgenossen Anselm zu verstehen: „Wer sind diese ‚Ungläubigen'? . . . spiritualistische-sektiererische Kreise, . . . dialektische, intellektualistische Gruppen, italienische Wanderlehrer . . . An diese Bewegungen mag Anselm mit-gedacht haben . . . Dennoch scheint hier Anselm primär an ganz andere Kreise zu denken. Sein Werk ist für die Mönchsgemeinschaft seines Klosters geschrieben".[10]
„Aus dem Kreise dieses Volkes selbst müssen demnach die Zweifler stammen . . . Dieses Heidentum inmitten . . . seiner Mönche . . . will nun Anselm überzeugen".[11]
Zwar sind nach Heer die infideles Zeitgenossen, aber solche, denen gegenüber eine apologetisch-missionarische Zielsetzung nicht am Platze ist – sie sind ja auch schon Mönche.
Nach Geyer und Heer ist der Charakter von ‚Cur Deus homo' klar der ‚rein theologischen Argumentation' zuzuordnen.
Gegenüber diesen beiden Auslegern vertreten etwa Southern und Gauss die These, daß unter den infideles nicht-christliche Zeitgenossen Anselms zu verstehen sind.
Southern sieht zwischen der ‚Disputatio Judaei cum Christiano' des Gilbert Crispin,[12] Abt von Westminster, der Schüler und Freund Anselms war, und Anselms ‚Cur Deus homo' eine, vielleicht sogar literarische, Abhängigkeit.
Die Disputatio fand zwischen Crispin und einem Juden in London statt.[13] Aus gleichen Argumenten und Argumentationsweisen schließt Southern: „The infidelis was not altogether . . . a creature of the imagination"[14] und „. . . the Jewish criticism was the starting point . . . of his argument".[15]
Während Southern zwar deutlich macht, daß die Einwände der infideles in ‚Cur Deus homo' und des Juden in Gilberts ‚Disputatio' zusammenhängen, so daß die infideles und der Jude nahe beieinander stehen, scheut sich Southern doch vor einer glatten Identifikation.
Julia Gauss geht in ihren Aufsätzen einen Schritt weiter. Indem sie „indirekte Beweise sowohl historischer als auch innerer Art aus dem

[10] F. Heer, 169.
[11] AaO., 170.
[12] Der Text ist abgedruckt in PL 159, col. 1005–1030.
[13] Cf. R. W. Southern, Crispin, 80.
[14] R. W. Southern, Crispin, 80.
[15] R. W. Southern, biographer, 91.

Werk Cur Deus homo selber"[16] bringt, versucht sie darzulegen, daß eine „Auseinandersetzung mit Judentum und Islam bei Anselm"[17] stattfindet und daß die Voraussetzungen in CDh I,10[18] „Ausdruck einer Vernunftreligion"[19] seien, in die Juden und Muslime einstimmen könnten. Daraus zieht Gauss die für sie logische Schlußfolgerung: „Darin manifestiert sich unverkennbar sein missionarischer Wille, mit den Andersgläubigen von dem auszugehen, was sie selber glauben, um sie zu dem zu führen, was sie noch nicht glauben."[20]

‚Cur Deus homo' ist demnach eine Streitschrift, „konzipiert ... mit der Bestimmung, die zentralen Dogmen in philosophischer Art ... zu exponieren und zu verteidigen."[21]

Gegen diese Deutung hat F. S. Schmitt Protest erhoben: „So bestechend diese Hypothese auf den ersten Blick erscheint, sprechen doch schwerwiegende Gründe dagegen."[22]

3. Nach einer Übersicht über die Identitätsdeutungen der infideles ist jetzt nach der Aufgabe zu fragen, die die infideles in ‚Cur Deus homo' haben.

Ein großer Teil der Forscher weist den infideles zunächst die Aufgabe zu, „das Thema des Werkes"[23] gestellt zu haben, indem sie „die Grundobjektionen"[24] formuliert hätten.

Die infideles in ‚Cur Deus homo' gelten nach Ansicht vieler Interpreten allerdings weiterhin als „Anselms ungläubige Gesprächspartner",[25] sie seien „Adressaten".[26]

Hauptbeleg für diese These ist die Kennzeichnung Bosos, der „die Partei der ‚infideles'"[27] übernimmt, so daß „der Ungläubige fast durch das ganze Werk gegenwärtig"[28] bleibe, „er ergreift die Initiative und bestimmt der Hauptsache nach den Gang der Diskussion."[29]

[16] F. S. Schmitt, Muslims, 245.

[17] J. Gauss, Auseinandersetzung, 101. Zu gleichen Ergebnissen kommt auch R. Roques, Les Pagani.

[18] Cf. dazu unten S. 74–78.

[19] J. Gauss, Begegnung, 348. Dem stimmt auch Gäde, 65 zu.

[20] AaO., 353.

[21] AaO., 357.

[22] F. S. Schmitt, Muslims, 245.

[23] F. Hammer, 96.

[24] Ebd. Ähnlich auch H. Kessler, Bedeutung, 87; A. Faust, 132; H. Kohlenberger, Similitudo, 111.

[25] F. Hammer, 99.

[26] AaO., 98.

[27] E. Haenchen, 319.

[28] F.S. Schmitt, Wiss. Methode in CDh, 354.

[29] Ebd.

Die infideles sind also nach weit verbreiteter Auffassung Themasteller und Gesprächspartner.

4. Unter BI ist gezeigt worden, daß Anselm sich in ‚Cur Deus homo' mit nur einer einzigen Frage beschäftigt, wie nämlich die Christologie in Einklang zu bringen sei mit der Gotteslehre, wie die Allmacht und Größe Gottes mit der Niedrigkeit Jesu Christi zusammenzudenken sei.

Ausgangspunkt ist eben diese eine Frage, die Ungläubigen und Gläubigen gemeinsam ist: „Quam quaestionem solent et infideles nobis ... obicere, et fideles multi in corde versare."[30] – ‚Diese Frage pflegen sowohl die Ungläubigen uns entgegenzuhalten als auch viele Gläubige im Herzen hin und her zu wenden.' Nicht die Ungläubigen sind die Themasteller, sondern die Ungläubigen und die Gläubigen.

Zum Gesprächspartner wird Boso genommen,[31] und in CDh I,3 sagt Boso: „Patere igitur ut verbis utar infidelium."[32] – ‚Dulde also, daß ich die Worte der Ungläubigen gebrauche.'

Selbstverständlich ist es nicht, daß Boso die Ungläubigen mit ins Spiel bringt, er bittet um Erlaubnis. Das ist ein Hinweis darauf, daß die Frage nicht einfach von den infideles gestellt worden ist, sondern daß die infideles in die Frage einstimmen.

Das macht das Wort ‚utar' – gebrauchen deutlich. Daß die infideles ins Spiel kommen, daß Boso ihre Worte benutzt, hat einen Zweck: er gebraucht die Worte der infideles, um die Frage, um die es in ‚Cur Deus homo' geht, zu präzisieren.[33]

Nachdem Boso gesagt hat, daß er die Worte der infideles gebrauchen will, begründet er dies:

„Aequum enim est ut, cum nostrae fidei rationem studemus inquirere, ponam eorum obiectiones, qui nullatenus ad fidem eandem sine ratione volunt accedere."[34] – ‚Es ist nämlich billig, daß ich, wenn wir die Begründung unseres Glaubens zu untersuchen uns bemühen, die Einwände derer vorbringe, die keineswegs diesem Glauben ohne Begründung zustimmen wollen.'

Die Hauptaufgabe ist die Erforschung der ‚ratio fidei nostrae', wobei die Einwände der infideles von Nutzen sind.

Absicht ist demnach nicht in erster Linie die Bekehrung der infideles.

[30] CDh I,1 (II,47,11–48,2).

[31] „accipiam mecum disputantem, ut Boso quaerat ..." CDh I,1 (II,48,14).

[32] CDh I,3 (II,50,15).

[33] Das ist auch die Hauptaufgabe von CDh I,1–10. Cf. BIII.

[34] CDh I,3 (II,50,16–18).

Aber noch einmal setzt Boso an, denn es ist nicht selbstverständlich, daß die infideles hinzukommen: „Quamvis enim illi ideo rationem quaerant, quia non credunt, nos vero, quia credimus: unum idemque tamen est quod quaerimus.“[35] – ‚Auch wenn jene nämlich nach einer Begründung fragen, weil sie nicht glauben, wir aber, weil wir glauben: dennoch ist es ein- und dasselbe, was wir fragen.‘
Es ist die Frage, die für beide Gruppen im Mittelpunkt steht.
Im 3. Kapitel des ersten Buches wird diese Frage präzisiert, da wird die Verstehensschwierigkeit deutlich beim Namen genannt: „deo facimus iniuriam et contumeliam, cum eum asserimus in uterum mulieris descendisse“[36] – ‚wir fügten Gott Ungerechtigkeit und Schmach zu, wenn wir ihm anhängen, er sei in den Unterleib einer Frau herabgestiegen‘.
Solch offene und klare Formulierungen nötigen zum Nachdenken über die Frage, wie Gott und Christus zusammenzudenken sind, fordern eine Antwort heraus, die auf einem Grund, einem festen Fundament ruht.[37]
Warum diese deutlichen Formulierungen der infideles nötig sind, wird schon in CDh I,1 klar: Die Ungläubigen werfen diese Frage, die die Gläubigen selber in ihrem Herzen erwägen, den Gläubigen vor.[38] Und weil die Gläubigen die Frage zwar im Herzen bewegen, sie aber nicht aussprechen, die infideles aber dieselbe Frage den Glaubenden vorwerfen, darum ist es nötig und hilfreich, ihre Einwände zu nennen, sie zu bedenken und zu beantworten.
Indem Anselm auf die deutlichen Fragen und Vorwürfe der infideles eingeht, die in der einen Frage kulminieren, geht er auf die Herzensfrage der Gläubigen ein.
Der Gesprächspartner Boso nennt die Worte der infideles, er übt sozusagen eine Sprachrohrrolle aus.[39] Im Gespräch zwischen Boso und Anselm ist Boso derjenige, der die Argumente hinsichtlich der einen Frage einbringt, er ist sozusagen Stellvertreter, geht aber in dieser Rolle nicht auf.

[35] CDh I,3 (II,50,18–20).
[36] CDh I,3 (II,50,24–26).
[37] Cf. CDh I,4 (II,51,17).
[38] Siehe CDh I,1 (II,47,11–48,2).
[39] Zwar geht m. E. die These K. Barths, Boso übernehme in CDh I,10 nur die Maske der infideles („personam eorum“ CDh I,10: II,67,1 cf. Fides, 60), etwas zu weit, was die Übersetzung von personam betrifft, zugleich aber geht die Kritik von E. Haenchen in anderer Hinsicht zu weit, wenn er „personam accipere“ mit „Partei übernehmen“ übersetzt (E. Haenchen, 319).

Nicht die infideles sind Anselms Gesprächspartner,[40] sondern Boso! Das erklärt auch, daß die Ungläubigen nach CDh I,10 nur noch an wenigen Stellen auftauchen;[41] es geht eben um die eine Frage.

5. Was Anselm mit der Antwort auf die eine Frage bezwecken will, wird gleich am Anfang deutlich: „Quod petunt, ... ut eorum quae credunt intellectu et contemplatione delectentur, et ut sint, quantum possunt, ‚parati semper ad satisfactionem omni poscenti' se ‚rationem de ea quae in' nobis ‚est spe'."[42] – ‚Darum bitten sie, ... damit sie sich am Verstehen und Beschauen dessen, was sie glauben, erfreuten, und damit sie, soweit sie können, immer bereit seien zur Genugtuung jedem, der von ihnen Rechenschaft fordert über die Hoffnung, die in uns ist.' An erster Stelle steht die Freude[43] über die Einsicht und Beschauung des Glaubens – und das betrifft natürlich nur die Gläubigen. Und an zweiter Stelle steht der Auftrag aus 1. Petrus 3,15, Auskunft über die Hoffnung, den christlichen Glauben zu geben. Auch hier können nur die Gläubigen gemeint sein, die Auskunft geben. Darum ist ‚Cur Deus homo' keine apologetische Schrift, vertritt kein Programm „einer apologetisch-missionarischen Aufgabe".[44] Adressaten sind die Gläubigen, aber über sie kommen die Ungläubigen mit in den Blick. Das heißt, daß eine apologetische Absicht nicht völlig auszuschließen ist, aber sie ist nur eine indirekte. ‚Cur Deus homo' will Hilfestellung leisten beim Auskunftgeben.
Der Adressatenkreis ist wohl in erster Linie die Klostergemeinschaft,[45] in zweiter Linie darüber hinaus auch andere. Allerdings ist hinsichtlich der Identität der infideles wenig auszumachen, sondern Hammer zuzustimmen: „Zur Charakterisierung dieser infideles trägt es ... nicht viel aus, wer sie in concreto eigentlich sind. Eine Beantwortung dieser Frage scheint zudem kaum möglich."[46]
Ich kann und will die Hypothesen in bezug auf die Identität der infideles von Geyer, Heer, Southern, Gauss und anderen nicht ausschließen,

[40] Sie bestimmen auch nicht „der Hauptsache nach den Gang der Diskussion" F. S. Schmitt, Wiss. Methode CDh, 354. Leider hat G. Gäde in seiner sehr schönen Untersuchung die Forschungsergebnisse von R. Roques, J. Gauss und P. G. van den Plaas zu kritiklos übernommen: „Wir halten abschließend die Thesen von v. d. Plaas, Roques und Gauss für gut begründet und abgesichert." (69).

[41] Etwa CDh II,8 (II,104,13f).

[42] CDh I,1 (II,47,8–11).

[43] Cf. K. Barth, Fides, 13.

[44] J. Gauss, Auseinandersetzung, 102.

[45] Cf. auch B. Lohse, Methode, 323.

[46] F. Hammer, 96f.

eine Interpretation von ‚Cur Deus homo' darauf zu stützen, erscheint mir auf jeden Fall unmöglich.
Es gibt diese infideles. Aber wer sie sind, trägt zum Verständnis von ‚Cur Deus homo?' nichts aus. Ihre Aufgabe ist es, die eine Frage zu präzisieren:
„Quaeritur enim cur deus aliter hominem salvare non potuit; aut si potuit, cur hoc modo voluit."[47] – ‚Es fragt sich nämlich, warum Gott den Menschen nicht anders retten konnte; oder wenn er es konnte, warum er es so gewollt hat.'

II 2. Das Verhältnis von fides und ratio

1. Einführung

Seit Jahrzehnten kreist die Hauptdiskussion in bezug auf Anselm von Canterbury um sein methodisches Vorgehen in seinen Schriften, vor allem um sein Verhältnis von Glaube und Vernunft.
Aufgrund der Beurteilung seiner Methode wurde und wird Anselm entweder eher als Philosoph oder eher als Theologe verstanden, und in der Folge dieser unterschiedlichen Methodenbewertung ist eine philosophische und eine theologische Anselminterpretation entstanden.[48]
Ein wesentlicher Ausgangspunkt für diese Diskussion war die 1931 erschienene Schrift „Fides quaerens intellectum" von Karl Barth,[49] die ebenso heftige Zustimmung wie harsche Kritik erfuhr.[50]
In der Auslegung von Proslogion 2 bis 4 versucht Barth nachzuweisen, daß Anselms sogenannter Gottesbeweis im eigentlichen Sinne kein Gottesbeweis ist, da Anselm den Glauben voraussetze; Anselm wolle vielmehr „das im Credo Vorgesagte *nach*denken,[51] den Glauben Allen . . . *verständlich*[52] machen".[53] Diese Interpretation versucht, die dem Proslogion ursprünglich zugedachte Überschrift ‚Fides quaerens intellectum' wörtlich zu nehmen, den Glauben also bei der Verstehensarbeit vorauszusetzen: es handelt sich also um eine aposteriorische Deutung.

[47] CDh I,10 (II,66,21f).
[48] Cf. H. Kohlenberger, Similitudo, 9–11; K. Kienzler, Glauben und Denken, 11–18.
[49] K. Barth, Fides quaerens intellectum.
[50] Cf. etwa die in der Neuausgabe 1981 aufgeführten Rezensionen sowie K. Barths Vorwort zur zweiten Auflage, 5–8.
[51] K. Barth, Fides, 40 (Hv. v. Barth).
[52] Hv. vom Vf.
[53] K. Barth, Fides, 69.

Dieser „theologische[n]' Anselmdeutung“[54] Barths steht eine „philosophische' Anselminterpretation“[55] gegenüber, die versucht, „Anselm nur als Philosophen zu betrachten“.[56]
Diese Deutungslinie sucht Anselms Vorgehensweise als glaubensunabhängig aufzuzeigen. Die Argumentationsgänge seien alleine mit der Vernunft zu verstehen, das Proslogion stelle einen Beweisversuch dar.
Diese aprioristisch zu nennende Vorgehensweise stützt sich vor allem auf Äußerungen Anselms, er wolle „sola ratione“[57] und „remoto Christo“[58] vorgehen, und das bedeute eben: rein vernunftgemäß.
Zwischen diesen sehr konträren Auffassungen gibt es mittlerweile auch Versuche, beide Ansätze zu harmonisieren,[59] daneben auch weitere sehr voneinander differierende Vorschläge, Anselms Vorgehensweise zu charakterisieren.[60]
Deutlich wird jedenfalls, daß aus dem Verständnis des Verhältnisses Glaube – Vernunft die weitere Interpretation des Gesamtwerks und einzelner Werke Anselms erwächst: Die methodische Entscheidung ist so etwas wie das Vorzeichen vor der Interpretation des jeweiligen Textes, so daß Kopf sagen kann, „daß die Methode Anselms ... entscheidend für die Gesamtbeurteilung seines Werkes ist“.[61]
Auffällig ist auch, daß etwa F. Hammers Buch „Genugtuung und Heil“, dessen Darstellung der anselmischen Erlösungslehre laut F. S. Schmitt „der Wahrheit am nächsten kommt“,[62] nach einem Forschungsüberblick auf etwa 75 Seiten Anselms Methode beschreibt,[63] um dann auf etwa zwanzig Seiten Anselms Schrift ‚Cur Deus homo' darzustellen.[64]
Ich möchte im Folgenden das Verhältnis Glaube und Vernunft nicht auf dem Hintergrund des gesamten anselmischen Werkes darstellen, sondern versuchen, die in der Schrift ‚Cur Deus homo' genannten Äußerungen zu bedenken und zu deuten. Ein Gesamtverständnis der Methode Anselms kann m. E. erst dann gegeben werden, wenn jede Schrift interpretiert worden ist, weil sonst die Gefahr zu groß ist, daß die je vorliegende Schrift vorschnell in ein vorgefundenes System ein-

[54] F. Hammer, 29.
[55] AaO., 23.
[56] AaO. 24.
[57] Etwa: Monol. I (I,13,11); CDh I,20 (II,88,5).
[58] CDh Praef. (II,42,12).
[59] Cf. K. Kienzler, 11–25.
[60] Siehe K. Kienzler, 11–25.
[61] H.-P. Kopf, 68.
[62] F. Hammer, 7.
[63] AaO., 39–113.
[64] Cf. aaO. 113. 132.

gepaßt und so der Möglichkeit beraubt wird, ihre eigene Stimme auch bezüglich der methodischen Vorgehensweise Anselms zu erheben.[65] Natürlich ist auch hier wieder ein Zirkelschluß da, weil es keine voraussetzungslose Interpretation geben kann. Ein Einstieg in diesen Zirkel ist aber m. E. nur durch die Interpretation eines konkreten Textes möglich.
Auch möchte ich versuchen, das Werk ‚Cur Deus homo' nicht auf dem Hintergrund der benutzten Methode zu sehen, sondern die von Anselm gebrauchte Vorgehensweise aus dem vorliegenden Text und seinen Aussagen zu erheben.

2. ratio

Im Monologion findet sich gleich zu Beginn der Ausdruck „sola ratione",[66] mit dem Anselm sein Vorgehen benennt und der auch in vielen Werken Anselms wieder auftaucht.[67] Er ist auch vielfach zur Beschreibung der Methodik Anselms im Allgemeinen verwandt worden, vor allem von F.S. Schmitt.[68]
Im Werk ‚Cur Deus homo' taucht der Begriff „sola ratione" dreimal auf,[69] und wenn man der deutschen Übersetzung von F.S. Schmitt folgt, heißt ‚sola ratione' „durch die bloße Vernunft"[70] und bedeutet so viel wie: „selbständige menschliche Vernunft".[71] Wer ‚ratio' so versteht, hat natürlich schon eine Vorentscheidung im Sinne der im vorigen Abschnitt aufgezeigten Alternative getroffen.
Was aber heißt denn überhaupt ‚ratio' in Anselms Cur deus homo?
Nach Schmitt[72] ist das „etwa 107 mal"[73] begegnende Wort ‚ratio' in „dreifacher Bedeutung"[74] vorhanden: „1) Einige wenige Male . . . heisst es: wie; auf welche Art und Weise. 2). . . Vernunft, als Fähigkeit. Instrument zum ratiocinari . . . 3) Die Hauptbedeutung ist: Grund; und zwar objektiver Grund für eine Sache."[75]
Dieser Einteilung kann ich grundsätzlich zustimmen, allerdings muß m. E. die dritte Bedeutung, die Schmitt Hauptbedeutung nennt, aufge-

[65] In der Vorgehensweise ist m. E. K. Kienzler durchaus vorbildhaft.
[66] Mon I (I,13,11).
[67] Cf. die skizzenartige Übersicht in VI,301 zu ratio sola.
[68] Cf. F. S. Schmitt, Wiss. Methode CDh.
[69] CDh I,20 (II,88,5); I,20 (II,88,8); II,22 (II,133,8).
[70] F. S. Schmitt, Cur, 155.
[71] F. Hammer, 91.
[72] F. S. Schmitt, Wiss. Methode CDh, 358f.
[73] AaO., 358.
[74] Ebd.
[75] AaO., 358f.

fächert werden. In der Tat meint ratio in erster Linie ‚Grund', hinzu kommt aber auch noch: ‚Begründung'.[76]
Diese Differenzierung soll verdeutlichen, daß ratio den ‚objektiven Grund' einer Sache angibt, aber auch hinweist auf den Weg, diesen Grund zu finden und zu bezeichnen.
Diese komplexe Bedeutung des einen Wortes erschwert die klare Bestimmung, was denn „sola ratione" heißt, was es bedeutet, wenn der Vorgehensweg, den Anselm begeht, „rationale" genannt wird. Es ist also nach der Beziehung zwischen diesen einzelnen Bedeutungen zu fragen.
Von vielen wird die Unterscheidung der zweiten und dritten Bedeutung von ratio[77] als subjektive und objektive ratio bestimmt,[78] als eine vom Menschen aus betätigte ratio und als eine in der ‚Sache' selbst vorhandene ratio.
Die Erkenntnis der Unterscheidung alleine aber macht ihre Beziehung zueinander noch nicht klar.
In neuerer Forschung wird die Beziehung entweder auf dem Hintergrunde der Aristotelischen Logik in der Vermittlung durch Boethius[79] oder des bei Augustin vorhandenen Neuplatonismus[80] gesehen, vom Ergebnis her allerdings ähnlich: „Was besagt z. B. die problematisierende Feststellung, Anselm gehe sola ratione vor, wenn nicht zugleich die teleologische Gebundenheit der ratio als imago dei beachtet wird?"[81] Nach Kohlenberger ist daher wichtig, „daß die Bedingung für die Möglichkeit des intellectus in der ratio selbst gelegen ist."[82]
Und Strijd sagt von der menschlichen ratio, daß sie „durch ihre ‚similitudo', ihre Übereinstimmung mit der göttlichen ‚Ratio' diese in ihrer Offenbarung zu verstehen vermag".[83]
Wichtig ist also, daß die sogenannte subjektive ratio nicht isolierbar ist, daß die menschliche ratio nicht als „selbständig tätig"[84] zu interpretie-

[76] So etwa CDh I,1 (II,48,8) oder I,16 (II,74,14).
[77] Von der genauen Bezugnahme der ersten wird aufgrund des unspezifischen Charakters zu Recht abgesehen.
[78] So schon M. Grabmann, Geschichte I,272.
[79] So H. Kohlenberger, Similitudo, 21.
[80] So K. Strijd, Struct., 46.
[81] H. Kohlenberger, Similitudo 21.
[82] AaO., 128.
[83] Siehe K. Strijd, 16f.: „de menselijke ratio, die door haar ‚similitudo' haar overeenkomstigheid met de Goddelijke ‚Ratio' deze in zijn Openbaring vermag te verstaan". Cf. auch G. Gäde, 27: „Was Anselm unter ‚Vernunft' (‚ratio') versteht, dürfte sich mit Sicherheit nicht mit unserem neuzeitlichen Vernunftbegriff . . . decken."
[84] Cf. oben S. 59.

ren ist und daß die Übersetzung „bloße Vernunft“[85] diese von Anselm nicht beabsichtigte Autonomie ausdrückt.
So bleibt festzuhalten, daß Anselms „ratio is sui generis, as unique as is the ratio dei, subordinate to nothing but the will and essence of God Himself“.[86]

3. Das Verhältnis von fides und ratio

Wenn wir zunächst einmal absehen von der Praefatio[87] und direkt mit dem Text von ‚Cur Deus homo‘ beginnen, so lautet der Auftrag gleich zu Anfang, „cuiusdam de fide nostra quaestionis rationes ... memoriae scribendo commendem“[88] – ‚die Begründungen für eine gewisse Frage unseres christlichen Glaubens ... der Nachwelt schriftlich zu überliefern‘.
Gesucht werden Gründe für eine Frage[89] des Glaubens. Aber damit die Vorgehensweise unmißverständlich klar ist, heißt es anschließend: „Quod petunt, non ut per rationem ad fidem accedant, ...“[90] – ‚Das bitten sie, nicht daß sie durch die Begründung zum Glauben gelangten, ...‘.
Hier ist also klar, daß der Glaube nicht das Ziel der Beantwortung der Frage ist, sondern ihre Voraussetzung.
Im ersten Kapitel ergreift Boso das Wort und macht gleich im ersten Satz klar, was vorausgesetzt wird und was noch folgt: „Sicut rectus ordo exigit ut profunda Christianae fidei prius credamus, quam ea praesumamus ratione discutere“[91] – ‚Wie die richtige Ordnung verlangt, daß wir zuerst die Tiefen des christlichen Glaubens glauben, bevor wir uns vornehmen, sie durch die Begründungen zu erörtern‘.
Gleich zu Anfang wird deutlich: nicht der Glaube ist das Ziel, sondern das Verstehen, nicht das Verstehen ist die Voraussetzung, sondern der Glaube.
Das Verstehen dieses Glaubens ist dabei allerdings nicht beliebig, sondern es ist „neglegentia ..., si, postquam confirmati sumus in fide, non studemus quod credimus intelligere.“[92] – ‚Nachlässigkeit ..., wenn, nachdem wir im Glauben befestigt sind, uns nicht bemühen, das, was wir glauben, zu verstehen.‘

[85] So F. S. Schmitt, Cur, 155.
[86] J. McIntyre, Premises, 100. Cf. auch B. Lohse, Methode, 326: „Zugrunde liegt letztlich die Gleichsetzung von Gott mit der höchsten Vernunft.“
[87] Zum dort auftauchenden Begriff ‚remoto Christo‘ (II,42,11) siehe BII3.
[88] CDh I,1 (II,47,6–7).
[89] S. o. S. 43–50.
[90] CDh I,1 (II,47,8f.).
[91] CDh I,1 (II,48,16f.).
[92] CDh I,1 (II,48,17f.).

Der Glaube drängt hin auf das Verstehen, er will das Verstehen, er ist auf das Verstehen hin angelegt.
Das nicht zu wollen, heißt, nicht alle Dimensionen des Glaubens begriffen zu haben.
Der Glaube selber sucht das Verstehen,[93] er zielt darauf![94] Jedoch – so sagt Boso, gleichsam bevor es falsch verstanden werden kann: „ut etiam si nulla possum quod credo ratione comprehendere, nihil tamen sit quod ab eius firmitate me valeat evellere ...“[95] – ‚daß, auch wenn ich nichts von dem, was ich glaube, durch die Begründung verstehen kann, dennoch nichts ist, was mich von seiner Festigkeit losreißen könnte‘.
Deutlicher kann man es eigentlich gar nicht mehr sagen: der Glaube baut nicht auf die Vernunft auf.
Selbst wenn Boso *nichts* versteht, kann ihn *nichts* von seiner Festigkeit losreißen.
Ist der Glaube dann ein blinder Glaube? Ein billiger Glaube, der die Augen verschließt – *nur* glauben?
M. E. stehen hinter dem letztgenannten Satz Bosos unausgesprochen die Schlußverse aus dem achten Kapitel des Römerbriefs – nichts kann uns trennen von der Liebe Gottes. Der Glaube ist nach Bosos und Anselms Auffassung kein Menschenwerk, er kann nicht durch Gründe gestützt werden; ein abgesicherter Glaube ist kein Glaube mehr. Im weiteren Verlauf der Argumentation kommt Boso noch einmal zurück auf das Verhältnis fides – ratio: „Non ad hoc veni ut auferas mihi fidei dubitationem, sed ut ostendas mihi certitudinis meae rationem“[96] – ‚Ich bin nicht gekommen, daß du mir einen Glaubenszweifel nimmst, sondern daß du mir die Begründung für meine Gewißheit zeigst‘.
Nicht einmal der Zweifel soll durch das Verstehen weggenommen werden, sondern: Gewißheit ist da; und gerade diese Gewißheit sucht das Verstehen. Boso will jetzt verstehen, was für einen Grund es dafür gibt, daß der Glaube bei ihm diese Gewißheit hat, aber *daß* der Glaube diese hat, wird deutlich betont.
Ähnlich auch in CDh II,18: „Si possum intelligere quod non dubito“[97] – ‚Wenn ich verstehen kann, woran ich nicht zweifle‘.
Nun gibt J. Gauss dieser Interpretation des Verhältnisses von fides und ratio durchaus ihr Recht, sagt aber, daß es eine Voraussetzung sei, die

[93] ‚Fides quaerens intellectum‘.
[94] ‚Credo ut intelligam‘.
[95] CDh I,1 (II,48,20f).
[96] CDh I,25 (II,96,6f).
[97] CDh II,18 (II,127,12).

für die Person Anselms gelte (und wohl auch für Boso persönlich), nicht aber für die infideles. Bei Anselm persönlich stimme die Reihenfolge: fides zuerst, dann intellectus, nicht aber bei den infideles. Da diese Adressaten seien, sei Anselms Methode doch rationalistischer.[98]
Abgesehen davon, daß diese Arbeit davon ausgeht, daß die infideles keine direkten Gesprächspartner sind[99], ist m. E. J. Gauss auch ein Interpretationsfehler unterlaufen. Ihrer Ansicht nach ist ab CDh I,11 Boso der Wortführer der infideles, über den das Gespräch verläuft. Jedoch redet Boso in CDh I,25, also im Gespräch, in dem er nach J. Gauss Wortführer der Ungläubigen ist, von seinem eigenen Glauben,[100] der schon da ist und nicht durch das Verstehen geweckt werden soll.
Boso geht also zumindest nicht auf in der Rolle als Wortführer, sondern ist auch selber „dabei".
K. Kienzler hat in seiner großen Studie ‚Glauben und Denken' die These aufgestellt, das Verhältnis Glaube – Denken sei komplexer, als Zirkel zu sehen – „‚ratio' und ‚fides' stehen in einem doppelten Verhältnis zueinander",[101] so daß auch „das Denken dem Glauben selbst wesentlich"[102] wird: „‚fides quaerens intellectum' und ‚intellectus quaerens fidem'".[103]
Hier geht m.E. Kienzler zumindest in bezug auf ‚Cur Deus homo' einen Schritt zu weit. Zwar betont Boso am Anfang, daß Glaube ohne Denken Nachlässigkeit sei, aber es ist und bleibt doch klar, daß Glaube ohne Denken nicht etwa nur halber Glaube ist; der Glaube drängt auf das Verstehen hin, aber ist auch ohne das Verstehen noch Glaube.[104]
Hat aber dann F. S. Schmitt recht, wenn er sagt: „Ratio und Glaube . . . stehen einander konträr gegenüber"?[105]
Hier übergeht Schmitt m. E. gerade die Position, die Boso benennt. Fides quaerens intellectum – der Glaube sucht das Verstehen, und

[98] „Folgendermaßen unterschied er (sc. Anselm) die Bedeutung der ratio fidei für den Gläubigen und für den Ungläubigen: jener kann von seiner Glaubensüberzeugung aus, der bloßen Hinnahme der Offenbarungswahrheiten, eine Stufe weiterschreiten zum Glaubensverständnis, dem intellectus fidei; dieser dagegen soll erst einmal erkennen, daß ein bestimmter Glaubensinhalt nicht grundlos sei, sondern sich vor dem Forum der Vernunft und Wahrheit rechtfertigen lasse." (J. Gauss, Anselm, 288). Dem stimmt auch Gäde zu: „Dennoch ist ‚ratio' für Anselm eine vom Glauben deutlich unterschiedene, davon unabhängige und dem Menschen von Natur aus zukommende Möglichkeit der Erkenntnis" (28).
[99] S. o. S. 51–57.
[100] S. o. Anm. 95.
[101] K. Kienzler, 68.
[102] Ebd.
[103] AaO., 310. Cf. auch W. Christe, 373–375.
[104] Cf. CDh I,1 (II,48,16–21).
[105] F. S. Schmitt, Wiss. Methode CDh, 359.

wenn er es nicht tut, ist es Nachlässigkeit. Glaube und ratio stehen nicht konträr gegeneinander, vielmehr ist es gerade umgekehrt:
Erst bei vorausgesetztem Glauben findet sich die ratio ein: „... hier, in Cur Deus homo, ist klar zum Ausdruck gebracht, daß die rationes fidei sich nur finden, wenn man diesen Glauben voraussetzt.“[106] – „Der Glaube setzte das Denken frei, damit das Denken zu sich selbst komme.“[107]
Daher ist Kessler aufs heftigste zu widersprechen, wenn seiner Ansicht nach Anselm „Gott zum Gefangenen der menschlichen ratio und ihrer Denkstruktur“[108] mache, so daß „Gott nicht mehr frei“[109] sei.
Vielmehr ist der Weg der anselmischen ratio umgekehrt: „Anselms Rationalität ist ... dem Glauben ... folgend“[110]. Deshalb hat diese ratio auch nicht nur logische Bedeutung, ist nicht allein eine Zusammenfassung der Erkenntnismöglichkeit, sondern hat mehr Inhalt.[111]
Nämlich: Die Aktivität der ‚ratio‘ ist bei Anselm verbunden mit Gebet und Meditation und der Hoffnung auf die Gnade Gottes.[112]
So sind die Beziehungen zwischen fides und ratio sehr vielfältig – die fides sucht nach Verstehen, und die subjektive ratio, die dieses Verstehen erst ermöglicht, wird durch den Glauben aktiviert, weil die subjektive ratio ihren Ausgangspunkt in der objektiven ratio nimmt, und das ist schließlich Gott selber.[113]

II 3. ‚remoto Christo‘ oder: Die Bedeutung der auctoritas

1. In den Zusammenhang der Diskussion um die Vorgehensweise Anselms ‚sola ratione‘ gehört auch das Bedenken von Begriffen wie „remoto Christo“[114] bzw. „quasi nihil sciatur de Christo“[115] aus der Praefatio und damit auch die Frage, was ‚auctoritas‘ für Anselms methodi-

[106] S. V. Rovighi, 177.
[107] K. Kienzler, 351.
[108] H. Kessler, Bedeutung, 126.
[109] Ebd.
[110] H. Ott, 185.
[111] Cf. C.W. Mönnich, Inhoud, 87: „... dat deze ratio niet een uitsluitend logische betekenis heeft, niet alleen een samenvatting is van het kennisvermogen, maar meer inhoud heeft“.
[112] Cf. K. Strijd, 11: „De activiteit van de ‚ratio‘ is bij Anselmus verbonden met gebed en meditatie en met de hoop op Gods genade.“
[113] Cf. J. McIntyre, Premises, 100.
[114] CDh Praef. (II,42,12).
[115] CDh Praef. (II,42,14).

sches Vorgehen bedeutet. Schon Lanfranc hatte in einem Brief an Anselm über das Monologion kritisiert, daß er mit sehr wenig Stellen aus der Bibel argumentiere;[116] und seither ist die Diskussion um Rolle und Funktion der Autoritäten im Zusammenhang mit der Vorgehensweise Anselms nicht abgeschlossen.
Gerade durch Anselms Betonung, daß ‚Cur Deus homo‘ erarbeitet sei „quasi nihil sciatur de Christo“, ist die Frage auch für das Verständnis von ‚Cur Deus homo‘ virulent.
Kann Hammer auf der einen Seite sagen: „mit der Suspendierung des factum incarnationis . . . erscheint implizit beiseitegestellt Offenbarung Gottes in menschlichen Kategorien überhaupt“,[117] so sagt Barth: „Der Unterscheidung zwischen dogmatischer Forschung und autoritativem Zitat dient auch Anselms bekannte und nicht ganz unanstößige Formel: ‚remoto Christo . . . quasi nihil sciatur de Christo‘.“[118] Hingegen meint Kessler: „Kein Zweifel, sein ‚remoto Christo‘ ist ernst gemeint. Aber es ist eine Selbsttäuschung.“[119]

2. Die beiden eben genannten Ausdrücke stehen in der Praefatio zu ‚Cur Deus homo‘, nicht aber in den ersten Kapiteln der Schrift. Das heißt m. E., daß die Praefatio nicht eine Voraussetzung beschreibt, sondern den Weg, den Anselm in beiden Büchern gegangen ist. In den kurzen Übersichten zum 1. und 2. Buch[120] kommen sie zusammen mit der Inhaltsbeschreibung vor, sind also Teil der Inhaltsangabe.
So wie Anselm vorgegangen ist, wie er argumentiert hat, *das* ist ‚remoto Christo‘.
Auch diese Formel ist nicht mit einem Vorverständnis zu füllen, sondern das, was Anselm unter ‚remoto Christo‘ versteht, kann erst anhand der vorliegenden Schrift erarbeitet und erkannt werden.
Von daher ist Kesslers Vorwurf, Anselm erliege einer Selbsttäuschung,[121] zurückzuweisen, weil Kessler damit a priori zu wissen glaubt, was Anselm unter remoto Christo versteht.[122]

116 Siehe Anselms Antwort an Lanfranc in Epistola 77 (III,199f.), wo er, ganz in der Linie der hier vorgetragenen Interpretation, der ‚auctoritas‘ eine wichtige Funktion zuweist. Cf. auch R.W. Southern, St. Anselm, 51.

117 F. Hammer, 104.

118 K. Barth, KD I,1, 15f.

119 H. Kessler, Bedeutung, 148.

120 CDh Praef. (II,42,9–43,3).

121 So H. Kessler, Bedeutung, 148.

122 Ähnlich bei O. Weber, II,242: Anselm „glaubt, remoto Christo Christologie treiben zu können . . . In Wirklichkeit treibt er . . . trotz der vielgescholtenen Formel remoto Christo nachträgliche Interpretation.“

3. So ist es geboten, zunächst Anselms eigene Auffassung hinsichtlich des Umgangs mit Vorgegebenheiten und Autoritäten zu klären, um danach das ‚remoto Christo' verstehen zu können.[123]
Dabei stellen wir zunächst die besonderen Vereinbarungen, die Anselm mit Boso trifft,[124] zurück[125] und beschränken uns auf Anselms Äußerungen zur Autorität.
a) Nach der grundsätzlichen Klärung über die eine Frage, die beantwortet werden soll, folgt als 2. Kapitel die Einordnung der Antwort: „Quomodo accipienda sint quae dicenda sunt"[126] – ‚Wie das, was gesagt werden wird, aufzufassen ist'. Zunächst gilt als weiteste Voraussetzung: „Immo sciendum est, quidquid inde homo dicere possit, altiores tantae rei adhuc latere rationes"[127] – ‚Vielmehr ist zu wissen, daß, was auch ein Mensch darüber sagen kann, tiefere Gründe für eine solche Sache verborgen bleiben'.
Alle Antwort, die Anselm geben kann, ist nicht erschöpfend, kann die Tiefe des Themas nicht ausloten. Es ist grundsätzlich möglich, Anselm geht sogar noch weiter: es ist nicht nur möglich, sondern tatsächlich so, daß es tiefere, bessere, angemessenere Begründungen gibt. Anselms Antwort entzieht sich einer Perfektibilität, und das ist nicht nur Demut, sondern in der Sache selbst begründet – sie hat einen prinzipiellen Verstehensüberschuß, der über das menschliche Aussage- und auch Fassungsvermögen hinausgeht, eben weil die Sache, um die es geht, „erhabener" als des Menschen Verstand ist.
Nur mit dieser, vielleicht selbstverständlichen Voraussetzung will Anselm seine grundsätzlich unvollständige Antwort wagen.
b) Neben dieser sehr grundsätzlichen Feststellung trifft Anselm in diesem 2. Kapitel des ersten Buches eine weitere Einschränkung der Geltung seiner Antwort: „Videlicet ut, si quid dixero quod maior non confirmet auctoritas . . . non alia certitudine accipiatur, nisi quia interim ita mihi videtur"[128] – ‚Es ist klar, daß, wenn ich etwas sage, was eine höhere Autorität nicht bestätigt . . . das mit keiner anderen Gewißheit angenommen werden soll, als es mir einstweilen so scheint'. Die ratio hat, wenn sie losgelöst und als für sich stehend betrachtet wird, keine

[123] G. Gäde geht in seiner Arbeit auch auf die Problematik ‚remoto Christo' ein, versteht es aber in Aufnahme der Arbeiten etwa von J. Gauss nur als Voraussetzung im Gespräch mit den infideles (26ff).
[124] Siehe CDh I,10 (II,67,13–16).
[125] Siehe dazu unten S. 74–78.
[126] CDh I,2 (II,50,2).
[127] CDh I,2 (II,50,12f).
[128] CDh I,2 (II,50,7–9).

letztendliche Beweiskraft, ohne Bestätigung der Autorität[129] ist nur eine sehr vorläufige Antwort möglich.
Diese Funktion der Autorität wird im folgenden Kapitel von Boso übernommen: „Et si quid responderis cui auctoritas obsistere sacra videatur, liceat illam mihi obtendere"[130] – ‚Und wenn du etwas antwortest, dem eine heilige Autorität entgegenzustehen scheint, so sei es mir erlaubt, jene davor zu halten'. Gegen die Autoritäten kann Anselm nie recht haben, hat seine Antwort keine Geltung. Die Autoritäten, und im eigentlichen Sinne ist das in ‚Cur Deus homo' die Heilige Schrift,[131] haben eine höhere Geltung, der ratio ist von vornherein ein begrenztes Arbeitsfeld zugewiesen: sofern sie der auctoritas nicht widerspricht.
So heißt es bei Anselm selber: „Certus enim sum, si quid dico quod sacrae scripturae absque dubio contradicat, quia falsum est"[132] – ‚Ich bin aber sicher, daß, wenn ich etwas sage, was den heiligen Schriften ohne Zweifel entgegensteht, es falsch ist'.
Von daher meint Christe, daß „Anselm sich nicht als im Gegensatz zu Tradition und Autorität stehend"[133] begreift und daß für sein Vorgehen gilt: „Ein Denken also, das zum Wider-spruch und Gegen-satz des Glaubens wird, kann für Anselm keine Wahrheit beanspruchen."[134]
Die Autoritäten, wobei hier vor allem an die Heilige Schrift zu denken ist,[135] sind hier quasi als Regulativ[136] gedacht – sie üben eine Art Kontrolle aus. Jedoch: sie in dieser regulativen Funktion alleine tätig zu sehen, hieße, Anselms Aussagen zu verkürzen. Es geht ja nicht nur um den Widerspruch, in den man im Verhältnis zur Autorität geraten könnte, nein, es geht auch um Entsprechung. Neben dem Wort „obsistere"[137] – ‚entgegenstehen' wird der auctoritas auch die Funktion des „confirmare"[138] – ‚bestätigen' zugeschrieben.
Hammer hat nicht recht, wenn er „die Schrift ... nur als negative Norm"[139] sieht, weil er die Bestätigungsaussage nicht wahrnimmt.

[129] Mit K. Strijd, 43, ist unter auctoritates bei Anselm zu verstehen: „... de Heilige Schrift, de Patres (Augustinus), de Kerk, de ‚Catholica fides', de Paus."
[130] CDh I,3 (II,50,20–22).
[131] Cf. aber oben Anm. 129, dazu Abschnitt d) in diesem Kapitel (S. 68f), aber auch die Kritik an Augustin in CDh I,16–18.
[132] CDh I,18 (II,82,8–10).
[133] W. Christe, 351.
[134] Ebd.
[135] Ohne nähere Begründung identifiziert B. Lohse, Methode, 326: „Mit dieser höheren Autorität ist natürlich [!] Rom gemeint."
[136] So F. S. Schmitt, Wiss. Methode in CDh, 359.
[137] CDh I,3 (II,50,21).
[138] CDh I,2 (II,50,8).
[139] F. Hammer, 104. So auch F. S. Schmitt, Wiss. Methode in CDh, 359.

Richtig gesehen ist zwar, daß Anselm die Autorität nicht als Beweismittel versteht,[140] aber die Beweisführung Anselms ist erst dann zu Ende, am Ziel, wenn die Autorität, die Heilige Schrift, die durch Gebrauch der ratio erzielten Ergebnisse bestätigt.

c) Bevor Anselm aber am Schluß seiner Darlegung auf die Bestätigung seiner Antwort durch die auctoritates eingeht, gibt es inmitten der Beweisführung einige eher grundsätzlich klingende Aussagen über die Bedeutung der Heiligen Schrift: „. . . nos ubique sacra scriptura docet, quae super solidam veritatem . . . velut super fundamentum fundata est. . . Vere quidquid super firmum fundamentum hoc aedificatur, super firmam petram fundatur."[141] – ‚das lehrt uns überall die Heilige Schrift, die auf festgegründeter Wahrheit . . . gleichsam wie auf einem Fundament gegründet ist. . . Wirklich, was auf diesem Fundament gebaut wird, ist auf festem Felsen gegründet.'

Die Heilige Schrift selber gründet auf einem festen Grund, so daß das, was sie zu sagen hat, unumstößlich gilt. Damit wird ihr in vielerlei Weise eine Rolle zugeschrieben, die durch die Aussagen in CDh I,18,[142] die fast wie reformatorische Sätze klingen, vorbereitet wurden.

Diese grundlegenden Sätze haben auch eine Funktion innerhalb des gesamten Argumentationsganges. Wessen Aussagen die Heilige Schrift selber sagt, dessen Sätze ruhen auf einem festen Fundament, auf ‚firmam petram'. Erst wer eine Antwort findet, die darauf beruht, hat eine wahrhaft fundamentale Wahrheit gefunden. Die confirmatio-Funktion der Autorität bereitet diese Sätze vor, hier wird aber die Absicht Anselms klar: seine Antwort soll auf diesem Grunde stehen.

d) Am Ende des zweiten Buches, im letzten Kapitel von ‚Cur Deus homo' nimmt Anselm diese Absicht wieder auf. „Quod in iis quae dicta sunt, veteris et novi testamenti veritas probata sit."[143] – ‚Daß in dem, was gesagt wurde, die Wahrheit des Alten und Neuen Testaments bewährt ist.'

Hier schließt sich jetzt ein Kreis. Das Ziel der Argumentation ist erst dann erreicht, wenn der Autorität entsprochen wird[144] – und gerade das sieht Anselm: seine Untersuchung widerspricht nicht der Heiligen Schrift, vielmehr bestätigt sie die Aussagen Anselms.[145]

[140] Siehe unten zu d).
[141] CDh II,19 (II,131,8–12).
[142] Cf. oben Anm. 130.
[143] CDh II,22 (II,133,2).
[144] Siehe oben unter b).
[145] Rein grammatisch ist natürlich auch die Auffassung, daß durch Anselms Argumentation die Wahrheit der Heiligen Schrift bewiesen wird, möglich; das aber stünde in Widerspruch zu vorhergehenden Aussagen über den Charakter der Schrift als ‚maior auctoritas'.

„Si autem veritatis testimonio roboratur, quod nos rationabiliter invenisse existimus, deo non nobis attribuere debemus“.[146] – ‚Wenn aber das, was wir auf dem Begründungswege gefunden zu haben glauben, durch das Zeugnis der Wahrheit bekräftigt wird, so müssen wir es Gott, nicht uns, zuschreiben‘.
Ganz am Ende, als Ziel- und Endpunkt alles Bedenkens steht jetzt nicht mehr die ratio, die menschliche Begründung, die Dogmatik, sondern das Zeugnis der Wahrheit. Erst jetzt werden die ratio-Aussagen als wahrhaft begründet eingesetzt, erst jetzt wird klar, daß die bestätigende Funktion der Autorität zu Recht gefordert wurde. Und damit hat die ratio wirklich ihr Ziel erreicht, den wahrhaften Grund angegeben zu haben: durch die ‚ratio‘ ist die ‚Ratio‘ wirklich erreicht, es ist wahrhaftige Rede.

Und doch ist dieses letzte Kapitel noch weiter zu verstehen:

i. „et per unius quaestionis quam proposuimus solutionem, quidquid in novo veterique testamento continetur, probatum intelligo.“[147] – ‚und durch die Lösung der einen Frage, die wir uns vornahmen, erkenne ich alles, was im Neuen und Alten Testament enthalten ist, bestätigt.‘
Die eine Frage wird beantwortet. Aber durch die Beantwortung der einen Frage tun sich weitere Dimensionen auf: es betrifft quidquid – alles in der Bibel.
Durch die Antwort versteht Boso die Bibel neu und besser, so wird Boso durch die Zuhilfenahme der menschlichen ratio zu einem tieferen Verständnis der auctoritas, der Schrift, geführt.

ii. ‚testamentum‘

In der Übersetzung von Schmitt wird in CDh II,22[148] testamentum zweimal mit Testament wiedergegeben und bezeichnet die biblischen Bücher Alten und Neuen Testaments, und einmal mit Bund: „. . . et ipse idem deus-homo novum condat testamentum et vetus approbet“[149] – „und eben der Gott-Mensch den Neuen Bund begründet und den Alten bestätigt“.[150]
Diese doppelte Wiedergabe entspricht m. E. dem Wortspiel Anselms – ‚Bund‘ und ‚Testament‘ hängen zusammen.
Hier klingt eine christologische Begründung der Wahrheit des Alten und Neuen Testaments an: „. . . sicut ipsum (sc. der Gott-Mensch, der den Neuen Bund begründet und den Alten bestätigt) veracem esse

[146] CDh II,22 (II,133,13–15).
[147] CDh II,22 (II,133,4f).
[148] F. S. Schmitt, Cur, 155.
[149] CDh II,22 (II,133,8f).
[150] F. S. Schmitt, Cur, 155.

necesse est confiteri, ita nihil quod in illis continetur verum esse potest aliquis diffiteri."[151] – ‚wie es nötig ist, zu bekennen, daß er wahrhaftig ist, so kann keiner leugnen, daß wahr ist, was in ihnen enthalten ist.' Diese hermeneutische Auffassung, die nur am Rande und am Ende explizit erwähnt ist, zeigt in deutlicher Weise den Erkenntnis- und Begründungsweg Anselms: Der Gott und Mensch Christus ist Maßstab alles Erkennens.[152]

4. Von dieser Vorgehensweise her, die Autorität als Beweismittel einzuklammern und sie doch ständig im Hintergrund zu wissen,[153] sind auch die anselmischen Aussagen ‚remoto Christo', ‚nihil sciatur de Christo' zu verstehen, die in CDh I,10 aufgenommen werden.
„Ponamus ergo dei incarnationem et quae de illo dicimus homine numquam fuisse"[154] – ‚Nehmen wir also an, die Menschwerdung und was wir von jenem Menschen sagen, sei nie gewesen'.
In den Kapiteln CDh I,1–10 hatte Anselm auf die Frage Bosos hin mit bekannten Argumenten geantwortet, die aber reichen nach Bosos Meinung nicht hin, da von ihnen gelte: „. . . non est aliquid solidum super quod sedeant"[155] – ‚es ist kein fester Grund, auf dem sie ruhen'. In den Antworten hatte Anselm durchaus mit ‚Christus' argumentiert[156] – aber das half Boso nur zur Präzisierung der Frage.
Er sucht einen Grund, auf dem die Antwort auf die Frage, wie denn die Hoheit Gottes mit der Niedrigkeit Christi zusammenpasse, wirklich stehen kann.
Die Voraussetzung ‚remoto Christo' ist also eine methodische Einschränkung, die zu verhindern hilft, sich mit vorläufigen Antworten zufrieden zu geben.[157] Die ratio hat die Aufgabe, innerhalb eines zugewiesenen Raumes zu arbeiten, jedoch nicht vorausetzungslos!
Denn in CDh I,10 werden die Voraussetzungen beim Namen genannt: „. . . et constet inter nos hominem esse factum ad beatitudinem, quae in hac vita haberi non potest; nec ad illam posse pervenire quemquam nisi dimissis peccatis, nec ullum hominem hanc vitam transire sine peccato, et alia quorum fides ad salutem aeternam necessaria est."[158] – ‚und es stehe unter uns fest, daß der Mensch zur Seligkeit geschaffen

[151] CDh II,22 (II,133,9–11).
[152] Dazu weiter unten S. 155–175.
[153] Cf. C. W. Mönnich, Auctoritas, 82: „De auctoritas is voortdurend aanwezig als achtergrond."
[154] CDh I,10 (II,67,12f).
[155] CDh I,4 (II,51,17).
[156] Cf. etwa CDh I,3 (II,50,14–51,12).
[157] Cf. CDh I,20: Zuflucht zum Glauben zu nehmen, weil das Denken zu bedrückend ist, gestattet Anselm nicht.
[158] CDh I,10 (II,67,13–16).

ist, die er in diesem Leben nicht haben kann; und daß niemand dorthin gelangen kann ohne Nachlaß der Sünden, und daß kein Mensch ohne Sünde durch dieses Leben geht, und anderes, dessen Glaube zum ewigen Heil nötig ist.'
Erst nachdem diese, wegen des ,et alia' nicht ganz fest zu umreißenden Voraussetzungen klargemacht sind, kann die Arbeit der menschlichen ratio beginnen, die objektive Ratio für die Inkarnation und damit die Übereinstimmung von Gotteslehre und Christologie zu suchen.

Eine einzige Frage wird anhand und mit Hilfe von Voraussetzungen geklärt, und so ist Barth rechtzugeben, daß diese Frage „als das unbekannte x figuriert, das in der Untersuchung mittels der als bekannt vorausgesetzten Glaubensartikel a, b, c, d . . . (ohne Voraussetzung der Bekanntschaft mit x und insofern: sola ratione) aufgelöst wird."[159] Die Heilige Schrift dient in ,Cur Deus homo' nicht als Beweismittel – und die Christologie auch nicht.
Aber ausgeschlossen sind beide Größen nicht. Die Heilige Schrift bietet die Klammer, und die Christologie, die in Übereinstimmung mit der Gotteslehre gefunden werden soll, das bekannte Ziel.
Die Aussagen ,remoto Christo' u. a. dürfen und können nicht isoliert verstanden werden, in der Tat ist der „nächstliegende Kommentar zu diesen Stellen . . . das, was Anselm in Cur Deus homo wie in allen seinen Schriften faktisch getan hat".[160]

II 4. Der dialogische Charakter von ,Cur Deus homo'

1. Auffällig und zu Recht immer wieder bedacht worden ist die dialogische Form, in der Anselm einen großen Teil seiner Werke schreibt.[161] Immer ist es ein Gespräch zwischen Lehrer und Schüler; das deutet auf eine Verbindung zur Dialogform der Klosterschule hin.
Auch ,Cur Deus homo' ist in Gesprächsform abgefaßt, Anselm als Lehrer und Boso – daß der Name des Schülers genannt wird, ist in Anselms Werken singulär – als Schüler.
Gleich im ersten Kapitel wird in Abklärung des zu gehenden Weges die Gesprächsform eingeführt: „Et quoniam ea quae per interrogationem et responsionem investigantur, multis et maxime tardioribus ingeniis magis patent et ideo plus placent, unum ex illis qui hoc flagitant, qui inter alios instantius ad hoc me sollicitat, accipiam mecum

[159] K. Barth, Fides, 54. Cf. auch J. McIntyre, St. Anselm, 51ff.
[160] K. Barth, Fides, 42.
[161] De grammatico, De veritate, De libertate arbitrii, De casu diaboli, Cur Deus homo.

disputantem, ut Boso quaerat et Anselmus respondeat hoc modo."[162] – ‚Und weil das, was durch Frage und Antwort erforscht wird, vielen und vor allem langsameren Geistern sich mehr zeigt und deshalb besser gefällt, so will ich einen von denen, die das stark verlangen, einen, der unter anderen inständiger mich dazu einlädt, zum Gesprächspartner nehmen, so daß auf diese Art und Weise Boso fragt und Anselm antwortet.'
Die Dialogform verhilft zu tieferem und besserem Verstehen, weil Einwände eingebracht und diskutiert werden können: es leuchtet besser ein und sagt deshalb (!) mehr zu.[163]

2. Die Eigenart jedes Dialoges ist der Weg-Charakter. Fragender und Antwortender machen sich gemeinsam auf den Weg des Verstehens, der gemeinsam gegangen werden muß, um zum Ziel des Verstehens zu gelangen. In diesem Sinn sagt Anselm auch zu Boso: „quod quaeritis non tam ostendere quam tecum quaerere"[164] – ‚das, wonach ihr fragt, nicht so sehr zu zeigen als mit dir zu erforschen'.
Das hat Folgen auch für den Interpretationsweg eines dialogischen Werkes. Es ist nicht möglich, Sätze und Thesen aus dem Zusammenhang herauszunehmen und isoliert zu betrachten, sondern die Antwort auf die eine Frage ergibt sich aus dem ganzen Werk und spitzt sich gegen Ende von ‚Cur Deus homo', quasi als Ergebnis des Dialogs, erst zu.
In einer Untersuchung zu „De grammatico" hat L. Steiger die m. E. für alle dialogischen Werke Anselms, und also auch für ‚Cur Deus homo', geltende Feststellung getroffen: „Die Definition steht am ... Ende einer Untersuchung und ist deren begrifflich explizierte Reduktion".[165]
Das bedeutet, daß die einzelnen Teile des Werkes mit ihren Teilantworten vom Ende des Buches her gelesen werden wollen.
Das Gespräch zielt auf das Ergebnis am Ende hin und will von daher verstanden werden, aber nicht, ohne den Weg mitzugehen.

3. Dieser Ansatz verbietet die Absolutierung von Einzelaussagen: das läßt sich in ‚Cur Deus homo' etwa am Begriff der misericordia beschreiben. Gegen Anselms Verständnis der misericordia sind äußerst starke Bedenken[166] aufgekommen, was m. E. vor allem an der Nichtbeachtung der Dialogform liegt.

[162] CDh I,1 (II,48,11-15).
[163] Cf. H. Kohlenberger, Dial. Denken, 32f u. G. Gäde, 24-26.
[164] CDh I,2 (II,50,6).
[165] L. Steiger, 141 (Hv. v. Steiger).
[166] Cf. etwa K. Barth, KD IV,1, 541.

Zunächst taucht der Begriff misericordia[167] in CDh I,12, also fast gleich zu Beginn des eigentlichen Gesprächs auf. „Utrum sola misericordia sine omni debiti solutione deceat deum peccatum dimittere“[168] – ‚Ob es Gott geziemt, die Sünde ohne alle Abtragung der Schuld allein aus Barmherzigkeit nachzulassen‘?
Die Antwort lautet hier am Ende des Kapitels klar: nein! Das kann Gott nicht tun! Die misericordia scheint im Handeln Gottes ausgeschlossen zu sein.
Und dennoch taucht der Begriff misericordia in bezug auf das Handeln Gottes wieder auf: „Sed derisio est, ut talis misericordia deo attribuatur“[169] – ‚Aber es wäre ein Hohn, Gott eine solche Barmherzigkeit zuzuschreiben‘.
Das wichtigste Wort ist hier ‚talis‘. Gottes Barmherzigkeit scheint hier nicht mehr völlig ausgeschlossen zu sein, nur: ‚talis‘ misericordia ist Gott nicht zu eigen. Die Diskussion hat einen Fortschritt genommen, und Boso fordert darum auch: „Aliam misericordiam dei video esse quaerendam quam istam.“[170] – ‚Ich sehe, daß man eine andere Barmherzigkeit Gottes als diese suchen muß.‘
Aus dem ‚nein‘ zur misericordia in CDh I,12 ist ein ‚nein‘ zu einer bestimmten Vorstellung von misericordia dei geworden, das ‚nein‘ gilt also eigentlich dem Verständnis von misericordia.
Die Aufforderung Bosos, eine andere Barmherzigkeit Gottes zu suchen, scheint dann im Verlaufe des weiteren Dialoges erfolgreich zu verlaufen, jedenfalls sagt Boso in CDh II,20: „Quam magna et quam iusta sit misericordia dei“[171] – ‚Wie groß und wie gerecht die Barmherzigkeit Gottes ist‘.
Aus dem ‚nein‘ zur misericordia dei in CDh I,12 wird ein großes und volles ‚ja‘ zu ihr in CDh II,20.[172]
Eine Interpretation des Verständnisses von sola misericordia, das sich nur auf CDh I,12 bezieht, wird Anselms Gedankengang und Absicht nicht gerecht!
Es gilt also, den gesamten Gedankengang Anselms zu durchdenken.

[167] In diesem Abschnitt betrachte ich den misericordia-Begriff nur in formaler, nicht aber in inhaltlicher Hinsicht. Siehe dazu unten S. 164–171!

[168] CDh I,12 (II,69,6f).

[169] CDh I,24 (II,93,20).

[170] CDh I,24 (II,93,29).

[171] CDh II,20 (II,131,26).

[172] Cf. dazu (in der Interpretation zu „De grammatico“) L. Steiger, 127: „Was tut der Magister? Er legt den Finger auf die schwache Stelle der Prämissen . . . und dringt auf das Verstehen, um zu zeigen, daß die Prämissen zwar nicht falsch seien, aber falsch verstanden seien.“

4. Natürlich gilt diese Einsicht und Aufforderung nicht nur für die Interpretation einzelner Begriffe, sondern vor allem für das Gesamtwerk. Viele Kritik, die Anselm zuteil wurde und auch mit anselmischen Zitaten zu belegen war, wird angesichts dieser Erkenntnis zu überprüfen und in vielen Fällen auch zu widerlegen sein.
Nur wer den Verstehensweg Anselms mitgeht, kann zu seinem Ziel gelangen.

II 5. Die Aufgabe von CDh I,1–10 innerhalb der Argumentation: Voraussetzung und Absicht

Zu Recht betont Geyer, daß den ersten 10 Kapiteln des 1. Buches von ‚Cur Deus homo' verhältnismäßig wenig Aufmerksamkeit zuteil wurde, was zur Folge hatte, daß „man wesentliche Gesichtspunkte für das Verständnis der Theorie selbst außer acht"[173] ließ.
Im folgenden möchte ich versuchen, die Bedeutung dieses ersten Teils zu erhellen. CDh I,1-10 hat eine dreifache Aufgabe:

1. Benennung und Klärung der Frage

Das Kapitel CDh I,1 ist überschrieben: „Quaestio de qua totum opus pendet."[174] - ‚Die Frage, von der das ganze Werk abhängt.'
Wie unter BI2 gezeigt, dienen die Kapitel I,1-10 vor allem zur Klärung der einen Frage, die im ersten Kapitel genannt wird: wie stimmt die Niedrigkeit und Ohnmacht des Menschgewordenen mit der Hoheit und Allmacht Gottes überein?[175]

2. Einwände und Antwortversuche

Die Form, in der die eigentliche Intention der Frage geklärt wird, ist der Dialog[176] zwischen Anselm und Boso. Indem Boso mittels der Einwände der Ungläubigen Anfragen und Verständnisprobleme nennt, zeigt er die Größendimension der einen Frage auf: das Verhältnis von Christologie und Gotteslehre.
a) Nachdem in CDh I,1 die Frage genannt und in CDh I,3 präzisiert wurde, folgt dem Antwortversuch[177] Anselms die Entgegnung Bosos: „Quod hae responsiones videantur infidelibus sine necessitate et quasi

[173] B. Geyer, 204.
[174] CDh I,1 (II,47,4).
[175] Siehe dazu oben S. 43-50.
[176] Cf. dazu oben S. 71-74.
[177] Der die Angemessenheit des Tuns Gottes in Bezug auf die Situation des Menschen betont. CDh I,3 (II,50,29-51,12).

quaedam picturae"[178] – ,Daß diese Antworten den Ungläubigen ohne Notwendigkeit und gleichsam wie Bilder erscheinen'.
Statt dessen fordert Boso, einen festen Grund („aliquid solidum"[179]) zu finden, eine solide Basis („soliditas"[180]), um eine Antwort zu finden, die als Begründung ausreicht. Dieser Grund wäre dann erreicht, wenn erkennbar wird, daß Gott sich erniedrigen konnte oder mußte.[181]
Erst wenn in der Niedrigkeit Christi das Tun Gottes erkannt wird, ist die Antwort nicht mehr nur ein Bild.
b) Gerade das aber macht Verstehensschwierigkeiten. Warum soll Gott selber Mensch werden, die Erlösungstat hätte doch auch durch einen Engel oder einen Menschen geschehen können – so lautet der Einwand Bosos: „Quomodo ergo indigebat deus, ut ad vincendum diabolum de caelo descenderet?"[182] – ,Wie also hatte Gott es nötig, daß er vom Himmel herabstieg, um den Teufel zu besiegen?'
c) Das Kapitel CDh I,7 bietet praktisch einen notwendigen Exkurs hinsichtlich der sogenannten ,Loskaufungs-' bzw. ,Lösegeldtheorie'.
In der voranselmischen Beschäftigung mit der Bedeutung des Werkes Christi war betont worden, daß die Menschheit infolge der Sünde des ersten Menschen unter die Herrschaft des Teufels geraten sei, daß dieser nun ein Anrecht auf die Menschen habe und daß Christus die Menschen durch seinen Tod aus dieser Herrschaft befreie, indem er mit seinem Tod den Teufel ,auszahlt'.[183]
Boso lehnt dies vor allem aufgrund einer Auslegung von Kol 2,14 ab: Der Teufel hat kein Recht auf den Menschen. Indem Boso diesen Einwand nennt, fordert er Anselm schon auf, eine Antwort zu geben, die gegen die bisherigen Überzeugungen nicht mit dem Recht des Teufels argumentiert.[184]
d) Die eigentliche Frage: wie passen Hoheit Gottes und Niedrigkeit Christi zusammen, scheint in CDh I,8 zunächst geklärt: In der Zweinaturenlehre rechnet Anselm die Erniedrigung und Schwachheit des Menschgewordenen der menschlichen substantia Christi zu, die göttliche substantia ist leidensunfähige Natur.
Dem stimmt Boso zu: „Ita sit, nihil imputetur divinae naturae, quod secundum infirmitatem hominis de Christo dicitur."[185] – ,So sei es,

[178] CDh I,4 (II,51,14f).
[179] CDh I,4 (II,51,17).
[180] CDh I,4 (II,52,3).
[181] „. . .deum . . . debuisse aut potuisse humiliari" CDh I,4 (II,52,4f).
[182] CDh I,6 (II,55,7-9).
[183] Diese Grundüberzeugungen finden Ausdruck in verschiedenen einzelnen Theorien. Cf. B. Funke, 4-80 (bes. 16-57).
[184] Im Zusammenhang mit der Darstellung der Bedeutung der Sünde nimmt Anselm diesen Einwurf auf und überbietet ihn sogar noch. S. u. S. 79-85.
[185] CDh I,8 (II,60,1f).

nichts soll der göttlichen Natur zugerechnet werden, was von Christus der Schwachheit des Menschen nach gesagt wird.'
Die Ausgangsfrage, wie Christologie und Gotteslehre zusammen passen, scheint geklärt.
Doch entsteht sie im nächsten Augenblick neu:
„Verum quomodo iustum aut rationabile probari poterit, quia deus hominem illum, quem pater filium suum dilectum in quo sibi bene complacuit, vocavit . . ., sic tractavit aut tractari permisit? Quae autem iustitia est hominem omnium iustissimum morti tradere pro peccatore?"[186] – ‚Aber wie wird man als gerecht oder vernünftig anerkennen können, daß Gott jenen Menschen, den der Vater seinen geliebten Sohn, an dem er sein Wohlgefallen hat, nannte . . ., so behandelte oder behandeln ließ? Was für eine Gerechtigkeit aber ist es, den gerechtesten aller Menschen für den Sünder dem Tode zu überliefern?'
Im Tod Christi erfährt die eine Frage erst ihre wirkliche und brisante Zuspitzung. Denn nach Bosos Meinung steht im Tod entweder die Allmacht Gottes auf dem Spiel, wenn Gott nicht anders handeln konnte als durch Verurteilung eines Gerechten, oder aber die Weisheit und Gerechtigkeit, wenn Gott nämlich anders gekonnt, aber nicht anders gewollt hätte.[187]
Anselm entgegnet, die Freiwilligkeit Christi hebe die Gefahr auf, Gott entweder Weisheit und Gerechtigkeit oder Allmacht abzusprechen. Denn dann wollte und täte es ja die menschliche Natur, nicht aber die göttliche, und so falle auch keine Schmach auf sie.
Doch Boso ist mit dieser Antwort nicht zufrieden, weil auch das Wollen des Sohnes bzw. das Erlauben des Vaters zu klären sind, so daß die Frage bleibe:
„Quaeritur enim cur deus aliter hominem salvare non potuit; aut si potuit, cur hoc modo voluit. Nam et inconveniens videtur esse deo hominem hoc modo salvasse, nec apparet quid mors ista valeat ad salvandum hominem. Mirum enim est, si deus sic delectatur aut eget sanguine innocentis, ut non nisi eo interfecto parcere velit aut possit nocenti."[188] – ‚Es fragt sich nämlich, warum Gott den Menschen anders nicht retten konnte; oder wenn er es konnte, warum er es so wollte. Denn es scheint Gott nicht zu entsprechen, den Menschen so zu retten, noch wird klar, was dieser Tod zur Rettung der Menschen vermöchte. Es wäre ja verwunderlich, wenn Gott sich am Blut des Un-

[186] CDh I,8 (II,60,2–6).
[187] „Nam si aliter peccatores salvare non potuit quam iustum damnando: ubi est eius omnipotentia? Si vero potuit sed non voluit: quomodo defendemus sapientiam eius atque iustitiam?" CDh I,8 (II,60,8–10).
[188] CDh I,10 (II,66,21–26).

schuldigen so sehr erfreute oder seiner bedürfte, daß er nur nach dessen Tötung dem Schuldigen verzeihen wollte oder könnte.'
Die eine Frage, von der das ganze Werk abhängt, ist jetzt noch präziser und schärfer formuliert.
Niedrigkeit und Schwachheit, vor allem aber der Tod des Menschgewordenen scheinen in Widerspruch zur Allmacht oder Gerechtigkeit Gottes zu stehen.
Wie kann im Tod Christi der Wille Gottes gesehen werden, der ja zur Begründung ausreicht?[189]
Wie passen Christologie und Gotteslehre zusammen?
Das ist die Leitfrage, die in der Frage nach der Bedeutung des Todes Christi ihre Zuspitzung findet.
So ist Geyer zuzustimmen, „daß es sich" in CDh I,1–10 „immer um denselben Gedanken in verschiedener Formulierung und Begründung handelt",[190] wobei hinzuzufügen ist, daß der Gedanke innerhalb der Kapitel CDh I,1–10 eine Zuspitzung erfährt.
So dient der Abschnitt CDh I,1–10 der Benennung und Klärung der einen Frage, auf die die Antwort gesucht wird.

3. Benennung der inhaltlichen Voraussetzungen[191]

Bevor aber ab Kapitel CDh I,11 die Beantwortung der einen Frage begonnen wird, werden am Ende des Einleitungsteils die Voraussetzungen genannt.[192]
„Ponamus ergo dei incarnationem et quae de illo dicimus homine numquam fuisse; et constet inter nos hominem esse factum ad beatitudinem, quae in hac vita haberi non potest, nec ad illam posse pervenire quemquam nisi dimissis peccatis, nec ullum hominem hanc vitam transire sine peccato, et alia quorum fides ad salutem aeternam necessaria est . . . Necessaria est igitur homini peccatorum remissio, ut ad beatitudinem perveniat."[193] – ‚Nehmen wir also an, daß die Menschwerdung Gottes und was wir von jenem Menschen sagen niemals gewesen sind; und es stehe unter uns fest, daß der Mensch zur Seligkeit geschaffen ist, die er in diesem Leben nicht haben kann, und daß niemand ohne Nachlaß der Sünden dazu gelangen kann, und daß niemand ohne Sünde durch dieses Leben geht, und anderes, dessen

[189] „Sufficere nobis debet ad rationem voluntas dei . . ." CDh I,8 (II,59,10).
[190] B. Geyer, 205.
[191] Cf. dazu J. McIntyre, St. Anselm, 56ff. u. F. R. Hasse II, 497.
[192] B. Lohse, Methode, 333–335, sieht jedoch weit mehr undiskutierte Voraussetzungen in der gesamten Durchführung von CDh, die er mit zwei Ausnahmen (‚Geziemen' und ‚Ehre') auf neuplatonisch-augustinische Tradition zurückführt.
[193] CDh I,10 (II,67,12–19).

Glaube zum ewigen Heil nötig ist . . . Es ist also die Vergebung der Sünde des Menschen nötig, um zur Seligkeit zu gelangen.‘

Folgende Voraussetzungen liegen also vor:

a) Von der Menschwerdung wird abgesehen in Bezug auf die methodische Vorgehensweise. Anselm nimmt hier die Äußerungen ‚remoto Christo‘ u. ä. aus der Praefatio auf.[194]
b) Der Mensch ist zur Seligkeit geschaffen, d. h. von der Schöpfung an war das Ziel, das Gott der Menschheit gab, die Seligkeit, die in diesem Leben nicht erreicht werden kann. Hier nimmt Anselm Bezug auf das Verhältnis von Schöpfung und Bund, das er in den Kapiteln CDh I,16–18 und II,1 ausführlich behandelt.[195]
c) Zu dieser Seligkeit kann kein Mensch ohne Sündenvergebung gelangen. Ausführlich behandelt Anselm diese Thematik in CDh I,19.[196]
d) Kein Mensch geht ohne Sünde durchs Leben.
e) Und anderes mehr, dessen Glaube zum ewigen Heile notwendig ist. Das heißt, daß nicht allein die Voraussetzungen a) bis d) gelten, sondern auch noch weitere.
Da unter a) die Menschwerdung Christi ausgeschlossen wird, bezieht sich das ‚et alia‘ wohl auf die gesamte katholische Lehre; die Punkte b) bis d) werden deshalb herausgehoben, weil sie im Verlauf des Gesprächs eine wichtige Rolle spielen.
Mit Dörholt gilt: „Die ganze tatsächlich bestehende Ordnung der Dinge also, wie der christliche Glaube sie lehrt, will Anselm voraussetzen, nur von der Menschwerdung will er abstrahieren.“[197]

[194] Cf. dazu die Ausführungen BII3.
[195] Cf. unten S. 98–103.
[196] Cf. unten S. 103–106.
[197] B. Dörholt, 256. Cf. auch H.-P. Kopf, 68. M. E. falsch, weil die Wiederaufnahme der Punkte in der Argumentation nicht beachtend J. Gauss, Anselm, 348: „Man darf in den 4 Lehrsätzen wohl mit Recht den Ausdruck einer Vernunftreligion erblicken.“ Zum Ganzen cf. oben S. 110–122.

III 1. „Quid sit peccare“[1]

1. In den Voraussetzungen, die in I,10 behandelt wurden, hieß es auch: „nec ullum hominem hanc vitam transire sine peccato“[2] – ‚daß kein Mensch ohne Sünde durch dieses Leben geht‘. Diese Voraussetzung wird jetzt nicht mehr diskutiert.
Aber bevor Anselm die Antwort geben kann auf die Frage, auf welche Art und Weise Gott den Menschen die Sünde erläßt,[3] muß vorher geklärt werden: 1. „quid sit peccare“[4] – ‚was sündigen ist‘ und 2. „quid . . . pro peccato satisfacere“[5] – ‚was für die Sünde genugtun‘.
In der Interpretation von „Cur Deus homo“ wird sehr häufig der zweite Teil dieser Antwort zu geben versucht, ohne sich wirklich darüber klar zu werden, worin das Sündenverständnis Anselms besteht. Weil aber Anselm nicht ohne Grund sein Verständnis von „peccare“ voranstellt, sondern es als Verstehensvoraussetzung ansieht, möchte ich zu würdigen versuchen, was Anselm meint.
Denn erst wenn verstanden ist, was Sünde und sündigen heißt, kann auch nachvollzogen werden, was „pro peccato satisfacere“ heißt – sonst besteht die Gefahr des Isolierens einzelner Aussagen.
Dabei bin ich, wie im folgenden zu zeigen ist, nicht der Ansicht Hammers, als diene CDh I,11 lediglich „einer förmlichen Begriffsbestimmung von Sünde und Genugtuung“,[6] vielmehr arbeitet Anselm auch sehr inhaltlich, nicht nur formal.
Auffällig ist zunächst – formal – die Beobachtung, daß die Darstellung der Sünde ganz eng an die Christologie heranrückt, ja, daß vielleicht sogar erst im Zusammenhang der Christologie zu sehen ist, „quid sit peccare“.

2. Die Bestimmung des Sündigens beginnt bei der Darlegung dessen, was ‚nicht-sündigen‘ heißt, und das bedeutet: bei der Gerechtigkeit. „Si angelus et homo semper redderet deo quod debet, numquam peccaret.“[7] – ‚Wenn Engel und Mensch Gott immer das zurückgeben wür-

[1] CDh I,11 (II,68,2).
[2] CDh I,10 (II,67,15).
[3] Cf. CDh I,11 (II,68,3): „qua ratione deus dimittat peccata hominibus“.
[4] CDh I,11 (II,68,2).
[5] CDh I,11 (II,68,2).
[6] F. Hammer, 114.
[7] CDh I,11 (II,68,7f).

den, was sie sollen, hätten sie niemals gesündigt.‘[8] Das ist die Gerechtigkeit, die vor Gott gilt.

Was Sünde ist, ist erst zu erkennen anhand des Positiven, anhand der Gerechtigkeit, die dann da ist, wenn der Mensch sich so verhält, wie er es soll. Das Wort „reddere“ will durchaus ein zurückgeben intendieren[9] und versteht sich selbst schon als Hinweis auf die Schöpfung, auf die Geschichte Gottes mit dem Menschen. Das Verhalten des Menschen Gott gegenüber ist gegründet in der Schöpfung: Gott hat ihm eine doppelte Aufgabe übergeben: die Schöpfung und damit auch den Menschen selber (und auch den menschlichen Willen), nicht als Selbstzweck, sondern als Aufgabe.

„Quod debet“ ist nicht ein abstraktes „Muß“, sondern zielt auf diesen Auftrag des Menschen. Die dem Menschen schon in der Schöpfung übertragene Aufgabe ist dabei nicht beliebig, sondern in der Wahrnehmung dieser „Sache“ erfüllt der Mensch seine Bestimmung, ist er gerecht; und Gott als der Herr ist der, an dem sich diese Bestimmung ereignet.

3. Aber was ist denn diese Bestimmung inhaltlich, „Quod est debitum quod deo debemus?“[10] – ‚Was ist das Gesollte, das wir Gott schulden?‘ fragt Boso.

Anselm antwortet: „Omnis voluntas rationalis creaturae subiecta debet esse voluntati dei.“[11] – ‚Aller Wille der vernünftigen Kreatur soll dem Willen Gottes unterworfen sein.‘

Das ist die Konkretion der Gerechtigkeit, des sündlosen Lebens: Gott als den anerkennen, der er ist, nämlich als den Herrn, der der Schöpfer ist. Dem Willen Gottes gehorchen ist die Bestimmung des Menschen: „Nam tunc est simplex et vera oboedientia, cum rationalis natura non necessitate, sed sponte servat voluntatem a deo acceptam.“[12] – ‚Denn dann ist der Gehorsam unvermischt und wahr, wenn die vernünftige Natur nicht aus Zwang, sondern freiwillig dem Willen Gottes dient.‘

Bei Christus ist diese Bedingung erfüllt, er hatte „voluntatem iuste vivendi“[13] – ‚den Willen, gerecht zu leben‘, er war gerecht, der Gehorsame.[14] An ihm ist abzulesen, was das Ziel des Menschen bedeutet.

[8] F. S. Schmitt, Cur, 39, übersetzt „reddere“ mit „leisten“; das aber legt m. E. den Akzent zu einseitig auf die actio des Menschen.

[9] Cf. 1. Kor 4,7: „Was hast du, was du nicht empfangen hast?“

[10] CDh I,11 (II,68,11).

[11] CDh I,11 (II,68,12).

[12] CDh I,10 (II,65,17–19).

[13] CDh I,10 (II,64,19f).

[14] Cf. CDh I,9–10 (II,61,3–67,20).

Der Mensch soll seinen Willen dem Willen Gottes unterwerfen. Damit ist aber nun nicht eine Brechung, eine Zerstörung des menschlichen Willens gemeint. Das hieße ja, der menschliche Wille hätte seinen eigentlichen Raum vielleicht im Gegensatz zum Willen Gottes. Anselm aber erklärt, daß der menschliche Wille gerade dann am rechten Ort sei, wenn er Gott gehorsam ist. Das Ziel des menschlichen Willens ist nach Anselm nicht Autonomie, sondern Heteronomie, aber nicht eine beliebige Heteronomie, sondern gottbezogene Heteronomie. Diese Bestimmung von „voluntas“ deckt sich mit anderen Definitionen Anselms. So heißt es in „De libertate arbitrii“,[15] daß das Vermögen zu sündigen nicht zur Freiheit des Willens gehört,[16] weil das dem Charakter des Willens widerspräche. Denn voluntas, wie Anselm sie versteht, ist „potestas servandi rectitudinem voluntatis propter ipsam rectitudinem“[17] – ‚die Fähigkeit, die Rechtheit des Willens wegen seiner Rechtheit zu bewahren‘.
Und das heißt, daß voluntas nicht Beliebigkeit des Willens meint, sondern das Ausgerichtetsein auf das „Sollen“, auf den wahren Auftrag der voluntas. Alles andere wäre Perversion. Der menschliche Wille findet seine Erfüllung, wo er Gottes Willen gehorcht. Und dann ist Gerechtigkeit da: „Haec est iustitia sive rectitudo voluntatis, quae iustos facit sive rectos corde, id est voluntate.“[18] – ‚Dies ist die Gerechtigkeit oder Rechtheit des Willens, die gerecht oder rechten Herzens, das ist Willens, macht.‘

4. Erst von dieser Position her, erst vom Verständnis der Gerechtigkeit her kann Anselm das Wesen der Sünde verstehen. Sünde ist geradewegs nur als Gegenteil zu dieser Gerechtigkeit zu verstehen: „Non est itaque aliud peccare quam non reddere deo debitum.“[19] – ‚Deshalb ist sündigen nichts anderes als Gott das Gesollte nicht zurückzugeben.‘ Das Gott Gesollte war die Unterwerfung des menschlichen Willens unter Gottes Willen. Wer also seinen Willen nicht Gottes Willen unterwirft, der sündigt. „Hunc honorem[20] debitum qui deo non reddit, aufert deo quod suum est, et deum exhonorat; et hoc est peccare.“[21] – ‚Wer diese geschuldete Ehre Gott nicht zurückgibt, nimmt Gott, was ihm gehört, und entehrt Gott; und das ist sündigen.‘ Sündigen besteht

[15] De lib (I,201–226).

[16] Denn der, der das Ziel des Menschseins verliert, ist unfreier als der, der es behält. Cf. De lib 1 (I,207–209).

[17] De lib 13 (I,225,2f).

[18] CDh I,11 (II,68,15f).

[19] CDh I,11 (II,68,10).

[20] Zum umstrittenen Begriff „honor“ und seiner Bedeutung siehe unten zu BIV3.

[21] CDh I,11 (II,68,19–21).

für Anselm „im Fehlen der iustitia“,[22] und die iustitia des Menschen fehlt deshalb, weil sich die Sünde gegen Gott wendet.
Das ist für Anselm ganz zentral, und ohne diese Erkenntnis ist überhaupt nicht zu verstehen, was „Erlösung“ heißt. „Die Frage nach des Menschen Sünde und Schuld hat in Anselms Theorie einen zentralen Platz inne, was von fast allen Forschern anerkennend hervorgehoben wird. Von dogmengeschichtlicher Bedeutung ist dabei, daß Anselm die Sünde als gegen Gott selbst gerichtet ansieht.“[23] Sünde ist gegen Gott selbst gerichtet, weil der Mensch die Herrschaft Gottes leugnet, weil er den Willen Gottes nicht mehr als das einzig mögliche Gebot ansieht. Die Sünde versucht, die Herrschaft Gottes zu umgehen, die Sünde ist Verstoß gegen das erste Gebot. Indem der Mensch nicht mehr seinen Willen dem Willen Gottes unterwirft, und das heißt ja, die Herrschaft Gottes anzuerkennen, setzt er seinen eigenen Willen an die Stelle Gottes (womit der Mensch eben auch seinen eigenen Willen pervertiert). Sünde ist die Nichtanerkennung Gottes als Herrn und die „Nichtanerkennung der Geschöpflichkeit der Welt“.[24]
Dabei ist von vornherein klar, daß es nicht um irgendwelche Tatsünden geht, nein, Anselm geht tiefer, es geht ihm um das, was die Sünde in ihrem Innersten ist: „Daß Anselm tiefer als unsere jetzige dogmatische und nicht dogmatische, philosophische und nicht philosophische Zeit das Wesen der Sünde auffaßt, nämlich nicht als einzelne That eines endlichen Wesens gegenüber einem einzelnen Gesetze, sondern als eine ewige That des Geistes Gott schlechthin gegenüber, als Negation Gottes selbst“,[25] urteilt etwa zu Recht die Evangelische Kirchenzeitung 1834. Indem die Sünde aber Gott selbst negiert, heißt das auch, daß nicht nur ein Teil des Menschen dies getan hat, sondern: „tota humana natura corrupta et quasi fermentata est peccato“[26] – ‚die ganze menschliche Natur ist verdorben und gleichsam von der Sünde durchsäuert‘.
Kein guter Rest ist im Menschen mehr vorhanden, keine Gerechtigkeit. Der Mensch ist totus peccator: Anselms Verständnis von Sünde ist radikal, es gibt keine gute Ecke mehr, der ganze Mensch ist durchsäuert. Ein Anknüpfungspunkt, an den sich etwa der Mensch halten könnte, um von sich aus ein wenig Gerechtigkeit zu erlangen, um ein wenig dem Willen Gottes entsprechend zu leben: tota humana natura corrupta est! Die Tatsünden sind nur aus dem Verständnis der Sündigkeit des ganzen Menschen her zu verstehen: die Durchsäuerung wirkt

[22] R. Seeberg, 221. Cf. auch J. Gross, 35.
[23] H.-P. Kopf, 16. Cf. auch C. W. Mönnich, Inhoud, 99; K. Strijd, 84.
[24] G. Gäde, 91.
[25] EKZ 1834, 12. Cf. auch R. Hermann, Anselms Lehre, 381; H.-P. Kopf, 17.
[26] CDh I,23 (II,91,21f.).

fort. Diese sehr grundsätzliche und tiefe Auffassung der Sünde stellt Anselm an die Seite des Paulus und der Reformatoren: Die Sünde ist die Negation Gottes als des Herrn!

5. Damit ist die grundsätzliche Zielrichtung der Sünde benannt; aber was das genau für die Größe der Schuld bedeutet, wird erst im Zusammenhang mit der Erlösung klar.[27] Anselm fragt Boso, was er denn Gott für die Sünde erstatten – „solvere“ könne. Boso beginnt aufzuzählen: „Paenitentiam, cor contritum et humiliatum, abstinentias et multimodos labores corporis, et misericordiam dandi et dimittendi, et oboedentiam.“[28] – ‚Buße, ein zerknirschtes und gedemüdigtes Herz, Enthaltsamkeit und vielerlei körperliche Anstrengungen, und Barmherzigkeit im Geben und Verzeihen, und Gehorsam.‘
Doch das, so entgegnet Anselm, ist etwas, was schon zum „debitum“ gehört, zu dem, was Gott vom Menschen ohnehin will. Boso gibt zu: „nihil habeo quod pro peccato reddam.“[29] – ‚nichts habe ich, was ich für die Sünde geben kann.‘ Die Totalität des Verhaftetseins in der Sünde wird deutlich: „nihil“ vermag der Mensch zu tun, um aus dem Sündensumpf herauszukommen. Doch noch einmal setzt Anselm an, das, was in Kapitel I,20 gesagt wurde, hypothetisch zurückstellend: Wenn also nicht gelten würde, daß der Mensch grundsätzlich nichts tun kann, um Gott Genüge zu tun, reicht dann das, was der Mensch tun kann und was Boso aufgezählt hat, hin, „ad satisfactionem unius tam parvi peccati, sicuti est unus aspectus contra voluntatem dei“[30] – ‚zur Genugtuung einer einzigen so kleinen Sünde, wie es ein Blick gegen den Willen Gottes ist‘?
Boso bejaht diese Frage,[31] aber Anselm entgegnet: „Nondum considerasti, quanti ponderis sit peccatum.“[32] – ‚Du hast noch nicht erwogen, von welchem Gewicht die Sünde ist.‘ Das Gewicht der Sünde liegt eben in ihrer Gerichtetheit gegen Gott, so daß Boso schweren Herzens zugeben muß: „Fateri me necesse est quia pro conservanda tota creatura nihil deberem facere contra voluntatem dei.“[33] – ‚Ich muß eingestehen, daß ich für die Erhaltung der ganzen Kreatur nichts gegen den Willen Gottes tun dürfte.‘ Und weil die Genugtuung entsprechend der Größe der Sünde zu geschehen hat, die Größe der Sünde aber uner-

[27] Cf. dazu unten S. 142–155.
[28] CDh I,20 (II,86,25f).
[29] CDh I,20 (II,87,27).
[30] CDh I,21 (II,88,14f).
[31] In CDh I,21 (II,88,16f).
[32] CDh I,21 (II,88,18).
[33] CDh I,21 (II,89,12f).

meßlich ist, weil sie eben gegen den Willen Gottes und nicht irgendeines Menschen geschah, muß auch die Genugtuung unermeßlich sein. Der Vergleich der beiden Größen: Sünde und mögliche Genugtuung ist ein Vergleich, der die Unvergleichlichkeit aufweisen soll. Weil die Sünde gegen Gott selber gerichtet ist, kann der Mensch nichts Entsprechendes tun, er ist und bleibt ja endlicher Mensch.[34] Der Mensch kann also aus doppeltem Grund nicht dem Sumpf der Sünde entkommen:
a) Alles, was der Mensch Gutes tun kann, ist sowieso schon „debitum", der Mensch kann sich vor Gott keine Verdienste erwerben!
b) Selbst wenn der Mensch grundsätzlich etwas gegen die Sünde tun könnte (was er aber in Wirklichkeit nicht kann), selbst dann würde das Tun nicht ausreichen, weil das gute Tun des Menschen und die Sünde gegen Gott unvergleichbar sind.
Der Mensch ist, weil die Sünde gegen Gott gerichtet ist und Gottes Gott-Sein verneint, völlig verdorben.

6. „In der Kritik wird die Sünde als zu äußerlich und die Schuld als zu mathematisch rechnerisch gefaßt empfunden."[35] Nach Meinung von McIntyre geschieht das aufgrund falscher Implikationen: „Far too much has been made by unsympathetic critics of St. Anselm of the commercial and economic implications of the word ‚debt'."[36]
So etwa heißt es bei Kessler zwar, daß bei Anselm „die Sünde zu *dem* Problem überhaupt"[37] werde, ja, daß „Anselm selbst . . . eine Sündenangst besessen zu haben"[38] scheine, jedoch folgert Kessler daraus: „Mag sie aber noch so bedrückend, ja unermeßlich sein, bei Anselm wird die Sünde dennoch zu einer meßbaren, wägbaren Größe"[39] – sie stelle „doch nur einen äußerlichen Fehler dar".[40]
Auch K. Barth meint, Anselm komme nur „bis zu der Beteuerung einer unermeßlichen quantitas peccati"[41] und sehe nicht, daß die „unendliche *Quantität* der menschlichen Schuld . . . aus ihrer *Qualität*"[42] komme.
Meiner Ansicht nach erkennt Anselm gerade das. Weil die Sünde gegen Gott selber gerichtet ist (das ist die Qualität der Sünde), darum ist

[34] Cf. die Beschreibung Gottes in Proslogion 2: „aliquid quo nihil maius cogitari possit" (I,101,5).
[35] H.-P. Kopf, 18.
[36] J. McIntyre, St. Anselm, 73.
[37] H. Kessler, Bedeutung, 154.
[38] Ebd.
[39] AaO., 155.
[40] Ebd.
[41] K. Barth, KD IV,1, 542.
[42] Ebd. (Hv. v. Barth).

die Quantität der menschlichen Schuld unendlich, selbst mit der ganzen Schöpfung nicht ausgleichbar.
Auch Kessler ist zu widersprechen: Die Sünde ist nicht nur ein „äußerlicher Fehler“, sie ist gegen Gott gerichtet und durchsäuert den ganzen Menschen, sie ist keine meßbare, wägbare Größe: „Cum considero actionem ipsam, levissimum quiddam video esse; sed cum intueor quid sit contra voluntatem dei, gravissimum quiddam et nulli damno comparabile intelligo.“[43] – ‚Wenn ich die Handlung selbst erwäge, sehe ich, daß sie etwas ganz Leichtes ist; aber wenn ich betrachte, was gegen den Willen Gottes ist, erkenne ich, daß sie etwas sehr Schweres und mit keinem Schaden vergleichbar ist.‘

III 2. Zur Ehre Gottes

1. Wie eben festgestellt, ist es das Kennzeichen der Sünde, gegen den Willen Gottes gerichtet zu sein. Deshalb kann Anselm sündigen auch „Gott entehren“ nennen.
Damit ist ein großes und schwieriges Terrain betreten: Um das Verständnis von der Entehrung Gottes und Ehre Gottes hat es weitreichende Diskussionen gegeben – der Ausdruck der verletzten Ehre Gottes wurde neben dem Begriff der „satisfactio“[44] zum Charakteristikum von Anselms Auffassung erklärt. Nach Moosherr ist der „Ausgangspunkt der ganzen Theorie . . . die von dem Menschen beleidigte Ehre Gottes“.[45]
Was aber meint Anselm genau mit „Entehrung“ und „Ehre Gottes“? M. E. leiden viele Interpretationsversuche daran, daß sie vorschnell ihr eigenes Verständnis von Ehre mit dem anselmischen identifizieren. Und da Ehre wenn nicht gerade „Ausgangspunkt“,[46] so doch zumindest „Angelpunkt“[47] ist, so wird sich die Beurteilung der Ehre Gottes in Anselms Cur Deus homo auf das Verständnis des ganzen Werks auswirken.

2. Was ist unter der „Ehre Gottes“ zu verstehen?

a) Wenn der Mensch sich so verhält, wie er soll, dann ehrt er Gott. „Quae cum vult quod debet, deum honorat“.[48] – ‚Wenn sie (sc. die menschliche Natur) will, was sie soll, ehrt sie Gott‘. Das, was der

[43] CDh I,21 (II,89,4–6).
[44] Dazu unten S. 106–126.
[45] T. Moosherr, 204.
[46] Ebd.
[47] E. Mühlenberg, 564.
[48] CDh I,15 (II,73,3).

Mensch tun soll (debet), ist nicht irgendein von außen aufgesetztes Gesetz, sondern das „debet“ weist hin auf die Verwirklichung des Menschseins. Der Mensch verwirklicht sich dann selber, wenn er tut, was er soll.[49] Und was das ist, ist schon mehrfach deutlich geworden: sich freiwillig dem Willen Gottes und seinen Anordnungen zu unterwerfen,[50] und das heißt, das Gott-sein Gottes, die Herrschaft Gottes anzuerkennen, das erste Gebot als „Axiom“ zu wissen.

Wenn der Mensch diesem ersten Gebot entsprechend lebt, und sich also nicht selber an Gottes Stelle begibt, dann ehrt er damit Gott. Nicht so, als ob man sich damit Verdienst erwerben könnte: „non quia illi aliquid confert“[51] – ‚nicht, weil sie [sc. die menschliche Natur] ihm irgendetwas darbringt‘.

Aber wenn der Mensch entsprechend dem Willen Gottes lebt, dann ehrt er damit Gott, dann rühmt er sich des Herrn. „Wer sich rühmt, der rühme sich des Herrn.“[52] Gottes Ehre ist hier vor allem als *Ehrung* Gottes zu verstehen.[53]

b) Nach der Position folgt die Negation. Denn daß der Mensch in seinem und durch sein Leben Gott ehrt, ist ja einfach nicht wahr. Anselm setzt dies in CDh I,10 voraus; es braucht daher im Verlaufe von ‚Cur Deus homo‘ nicht erörtert zu werden. Der Mensch verstößt in seinem Leben beständig gegen das erste Gebot und setzt sich selber an die Stelle Gottes. Damit sündigt der Mensch, er tut nicht mehr das, was er eigentlich soll: „Hunc honorem debitum qui deo non reddit, aufert deo quod suum est, et deum exhonorat“[54] – ‚Wer diese geschuldete Ehre Gott nicht zurückgibt, nimmt Gott, was ihm gehört, und entehrt Gott‘.

Was Entehrung Gottes ist, ist also erst aus der Position abzulesen, aus dem, was der Mensch soll, aus der Gerechtigkeit. Entehrung ist also eine Negation dieses rechten Willens.

Nachdem das Faktum der Entehrung Gottes bekannt ist, lautet die nächste Frage, wie darauf zu reagieren ist – von seiten des Menschen und von seiten Gottes.

Vom Menschen heißt es: „Quamdiu autem non solvit quod rapuit, manet in culpa.“[55] – ‚Solange er aber nicht einlöst, was er geraubt hat, bleibt er in der Schuld.‘

[49] Cf. unten zu ‚Freiheit‘ S. 127–155.

[50] „sed quia sponte se eius voluntati et dispositioni subdit“ CDh I,15 (II,73,4).

[51] CDh I,15 (II,73,3f).

[52] 2. Kor 12,17 (Jer 9,22f).

[53] Cf. dazu R. Hermann, Anselms Lehre, 377.

[54] CDh I,11 (II,68,19–21).

[55] CDh I,11 (II,68,21f).

Und wenn gilt, daß der Mensch aus dieser Schuld herauskommen soll:[56] „Sic ergo debet omnis qui peccat, honorem deo quem rapuit solvere; et haec est satisfactio,[57] quam omnis peccator deo debet facere."[58] – ‚So also muß jeder, der sündigt, Gott die Ehre, die er geraubt hat, einlösen; und das ist die Genugtuung, die jeder Sünder Gott tun muß.'

Die Angelegenheit scheint klar und logisch zu sein: der Mensch nimmt Gott etwas weg, nämlich seine Ehre, und muß, um aus der Schuld herauszukommen, diese wieder zurückgeben.[59]

c) Doch in CDh I,14 heißt es: „Deum impossibile est honorem suum perdere."[60] – ‚Es ist unmöglich, daß Gott seine Ehre verliert.'

Und in CDh I,15 fragt Boso: „Nam si deus ita sicut probas suum debet honorem servare: cur vel ad modicum patitur illum violari?"[61] – ‚Wenn nämlich Gott so, wie du glaubhaft machst, seine Ehre wahren muß: Warum duldet er, daß sie doch wenigstens ein bißchen verletzt wird?' Anselm antwortet: „Dei honori nequit aliquid, quantum ad illum pertinet, addi vel minui."[62] – ‚Der Ehre Gottes kann nichts, soweit es sich auf ihn bezieht, hinzugefügt oder entzogen werden.'

Diese Aussagen scheinen nicht miteinander vereinbar zu sein.

Auf der einen Seite heißt es, nur weil die Sünde gegen Gott gerichtet sei und Gott entehre, habe sie diese unendliche Größe, so daß der Mensch sie nicht wieder gut machen könne. Und auf der anderen Seite kann diese Ehre Gottes weder teilweise noch ganz zerstört werden.

So kann Hammer sagen: „Hier nun kommt Anselm sehr bald in ein Dilemma",[63] und nach McIntyre gilt: „In short, the introduction of the theme of I.15 (sc. daß die Ehre Gottes nicht einmal verletzt werden kann) threatens to cut the nerve of the whole argument of the book."[64]

Mit dieser Schwierigkeit ist die Anselm-Interpretation seit über einhundert Jahren beschäftigt, und am Verständnis der Ehre und der Entehrung Gottes hängt auch das Verständnis des gesamten Argumentationsganges.

[56] S. u. S. 112–117.
[57] Zu ‚satisfactio' s. u. S. 106–126.
[58] CDh I,11 (II,68,29–69,2).
[59] Über eine mögliche Reaktion Gottes: vergeben oder nicht s. u. S. 127–145.
[60] CDh I,14 (II,72,8).
[61] CDh I,15 (II,72,26f).
[62] CDh I,15 (II,72,29f)
[63] F. Hammer, 114.
[64] J. McIntyre, St. Anselm, 111.

3. Übersicht über die Deutungen der Ehre Gottes

a) Nach Baur[65] besteht das Hauptproblem in der Frage, ob nach Anselm die Ehre Gottes wirklich oder nur scheinbar verletzt sei. Aufgrund der Aussagen in CDh I,14 und I,15 meine Anselm aber wohl eher, die Ehre Gottes sei nur scheinbar verletzt worden. „Damit aber fällt der objektive Grund hinweg, jede Schuld als unendliche Schuld zu betrachten . . ., wodurch jedoch die ganze Theorie von selbst aufgehoben wird.“[66]

b) Nach Ritschl sind die Aussagen in I,14 und I,15 eher zu vernachlässigen: Anselm „stellt . . . Gott dar als in seiner Ehre, also persönlich beeinträchtigt durch die Schuld der Menschen . . . Er [sc. der Mensch] hat Gott persönlich in den Wechsel der menschlichen Verhältnisse hineingezogen“.[67]

Die Ehre betrifft nach Ritschl Gott selbst, er ist „zum höchststehenden Glied einer nach germanischen Begriffen eingerichteten Rechtsgemeinschaft mit den Menschen herabgedrückt.“[68]

Damit aber nimmt Ritschl die Aussagen, daß Gottes Ehre gerade nicht verletzt werden kann, nicht auf und kann daher Anselm nicht gerecht werden.

c) Harnack dagegen sieht bei Anselm diesen Widerspruch: „Einmal soll Gott persönlich überhaupt nicht beleidigt werden können.“[69] „Sodann wird behauptet, dass sie [sc. Gottes Ehre] wohl beleidigt werden kann.“[70] Dennoch hält Harnack als Grundcharakteristik fest: „. . .das Schlimmste an Anselm's Theorie. . .: der mythologische Begriff Gottes als des mächtigen Privatmanns, der seiner beleidigten Ehre wegen zürnt. . .“[71]

Harnack hat hier den entdeckten Widerspruch Anselms nach einer Seite hin aufgelöst, ohne dies zu begründen: Bei Harnack selbst ist zumindest eine Spannung in der Darstellung da. Daß Harnack aber in der generellen Beurteilung den sogenannten Widerspruch zwischen der verletzten und der nicht verletzbaren Ehre Gottes nicht angeführt hat, ist eine grundlegende Schwäche. Denn die Ehre ist der „Ausgangspunkt der ganzen Theorie“,[72] Harnack nimmt aber nur einen Teil der Aussagen Anselms zur Ehre auf.

[65] F. C. Baur, Versöhnung, 170f. Cf. H.-P. Kopf, 8f.

[66] H.-P. Kopf, 8 in Referierung der Position F. C. Baurs.

[67] A. Ritschl, Rechtfertigung und Versöhnung, 42f.

[68] H.-P. Kopf, 12.

[69] A. v. Harnack, Lehrbuch, 405.

[70] Ebd.

[71] AaO., 408.

[72] So T. Moosherr, 204. Vielleicht ist der Ausdruck ‚Ausgangspunkt‘ zu stark; cf. dazu oben S. 85.

d) F. R. Hasse stellt sich auch die Frage: „Aber hebt nicht Anselm diese tiefste Grundlage seiner Theorie wieder auf, wenn er sagt, daß die Ehre Gottes – unverletzlich sey? ... Allein er unterscheidet deutlich ... eine doppelte Ehre Gottes...: die immanente und die transeunte.“[73]
Die immanente Ehre „ist so unwandelbar, wie der absolute Geist selbst“,[74] aber „diese seine (immanente) Ehre spiegelt sich in der Schöpfung ab: ... in der Ordnung des Weltalls. ... Und hier nun kann allerdings das Geschöpf Gott die Ehre entweder geben oder nehmen“.[75]
Hasse versucht also, dem Widerspruch zu entgehen, indem er verschiedene Ehrbegriffe bei Anselm findet.
e) Moosherr stimmt der Aufteilung von Hasse zu: „Es lässt sich also eine objective und subjective Verletzung der Ehre Gottes unterscheiden. Erstere ist unmöglich, letztere tritt durch die Sünde ein.“[76] Jedoch entgeht Anselm nach Moosherr damit dem von Baur und Harnack festgestellten Widerspruch nicht: „Aber es zeigt sich hier allerdings der Fehler der Scholastik, welche einer unbequemen Consequenz dadurch entgeht, dass sie einen Begriff spaltet und umdeutet, ohne zu beachten, dass er dadurch selbst illusorisch geworden ist ... Die Ehre Gottes ist verletzt, ob an sich oder nicht an sich, das macht logisch nichts aus.“[77]
f) Dorner übt am Verständnis der Ehre als „Privatehre“[78] Kritik: „Jedoch ist die göttliche Ehre nicht wie ein bloßes privates Gut betrachtet ...“[79] – es ist also eher eine öffentliche Ehre, die verletzt wurde. Das könnte ein Hinweis sein auf eine doppelte Sphäre der Ehre nach dem Vorbild von Hasse oder Moosherr. Jedoch nimmt er dazu nicht ausdrücklich Stellung.
g) R. Hermann nimmt zunächst nicht Bezug auf die gegeneinanderstehenden Aussagen, wenn er sagt: In „die Erhaltung und Durchführung ... der gesamten Schöpfungsordnung ... gehört vor allem der Gedanke der Ehre Gottes. Es handelt sich da nicht um irgendwelche

[73] F. R. Hasse II, 576.
[74] Ebd.
[75] AaO. 513.
[76] T. Moosherr, 208.
[77] AaO., 209.
[78] Cf. A. v. Harnack, Lehrbuch, 408.
[79] I. Dorner, 546f.

rechtlich kodifizierte Standesehre, sondern um Ehrung des Schöpfers[80] durch das Geschöpf."[81]
Dieses Gott-ehren besteht nach Hermann im „Einhalten der individuellen Ordnung",[82] und „Gottes Schöpfungsordnung ist nicht unberührbar".[83]
Hiermit ist aber nur die transeunte (Hasse) bzw. subjektive (Moosherr) Ehre gemeint, „als letzter Grund des Alls ruht Gott unveränderlich in sich selbst",[84] ist also letztlich nicht zu entehren.
Auch Hermann unterscheidet also die verschiedenen Bereiche der Ehre.
h) Seeberg hat in seiner Dogmengeschichte, ohne die beiden Sphären der Ehre voneinander zu trennen, Stellung bezogen gegen eine Auffassung, die unter der Ehre Gottes die persönliche Ehre versteht: „Nicht um persönliche Ehre . . . handelt es sich dabei, sondern darum, daß das, was Gott will, geschieht. Wir könnten also die Ehre Gottes gut durch ‚Majestät Gottes' wiedergeben".[85] Auch er versteht Ehre als Ehrung, Sünde ist dann „Majestätsverbrechen".[86] Es wird nicht ganz klar, wie er das Verhältnis von Verletzbarkeit und Nicht-Verletzbarkeit der Ehre Gottes sieht – betont wird von Seeberg nur die sogenannte transeunte Ehre.
i) Otto Weber versucht in seiner Dogmatik eine andere Lösung: „Gott aber *kann* seine Ehre nicht verlieren. Des Menschen Sünde tastet das an, was schlechterdings unantastbar ist."[87] Damit ist die Nicht-Verletzbarkeit der Ehre Gottes eingeklammert: an sich ist Gottes Ehre nicht antastbar, kann der Mensch Gott nicht entehren. Aber angesichts der Schwere der Sünde fällt diese Einschränkung weg. Weber hat damit Anselms Satz von der Nicht-Verletzbarkeit der Ehre Gottes ausgespielt – so, als diene dieser Satz nur dazu, die Größe und Schwere der Sünde aufzuzeigen. Damit aber nimmt Weber Anselm nicht beim Wort!
j) G. Greshake hat in einem 1973 erschienenen Aufsatz „Erlösung und Freiheit. Zur Neuinterpretation der Erlösungslehre Anselms"[88] ver-

[80] Im Text ist m. E. ein sinnentstellender Druckfehler nicht beseitigt: dort heißt es: „Ehrung des Geschöpfs durch den Schöpfer", sinngemäß müßte es aber wohl heißen: Ehrung des Schöpfers durch das Geschöpf. (Stillschweigend hat auch H.-P. Kopf, 13, korrigiert.)

[81] R. Hermann, Anselms Lehre, 377.

[82] AaO., 378.

[83] Ebd.

[84] Ebd.

[85] R. Seeberg, 223f.

[86] AaO., 225.

[87] O. Weber, Dogmatik II, 238.

[88] ThQ 163, 1973, 323–345. In gekürzter Form erschienen 1978: G. Greshake, Erlöste Freiheit. Eine Neuinterpretation der Erlösungslehre Anselms von Canterbury. In: Bibel und Kirche 33, 1978, 7–14.

sucht, von einem neuen Verständnis der „Ehre Gottes" zu einer neuen Sicht Anselms zu kommen. Dieses neue Verständnis von Ehre gewinnt er, indem er seine Überlegungen unter den Titel „Der soziologische Kontext: ‚Ehre im Germanentum'"[89] stellt.
„Gottes Weltregiment ist von Anselm konzipiert nach Analogie eines germanischen Königs oder obersten Lehnsherrn, dessen Ehre den allgemeinen Rechts-, Ordnungs- und Friedstand begründet und garantiert."[90]
Die verletzte Ehre hat keinen beleidigten Gott zur Folge, sondern ist die Zerstörung der Weltordnung. (Diese Überlegungen gelten für die transeunte, nicht aber für die immanente Ehre Gottes).[91]
Die These Greshakes wurde in der Folgezeit durchaus rezipiert, so etwa von Mokrosch,[92] Schwager[93] und tendenziell auch von Hödl.[94]
Für die Aussage, daß der Begriff ‚honor' dem germanischen Ehrbegriff entspricht, beruft sich Greshake vor allem auf Noffke.[95] Noffke versucht nachzuweisen, daß Anselm auf die „Frage ‚Warum ein Gott-Mensch?' aus seinem germanischen Lebensgefühl eine überzeugende Antwort findet".[96]
Seine Abhandlung stützt Noffke auf *ein* Argument: Anselm gebraucht den Begriff ‚honor' und nicht ‚gloria': „Äußerst beweisreich für unsere Behauptung, Anselm stelle trotz lateinischer Sprache und Überlieferung Gottes Herrsein aus seinem germanischen Lebensgefühl dar, ist ferner[97] die Feststellung, daß in seiner Theorie mit keinem Wort von gloria die Rede ist."[98]
Diese Unterscheidung – die auch Greshake aufnimmt[99] – ist wichtig für die Zuweisung von Germanentum im Gegensatz zum römischen Rechtsdenken. Dort bezeichne nur gloria, was mit Ruhm zu übersetzen sei, das Herr-sein Gottes, nicht aber honor. Indem Anselm nun honor zur Bezeichnung nehme und nicht gloria, verlasse er den Bereich des römischen Rechtsdenkens und befinde sich im germanischen. Ausschlaggebend ist die Unterscheidung, daß honor Ehre und gloria

[89] G. Greshake, Erlösung, 330.
[90] AaO., 333.
[91] AaO., 328.
[92] R. Mokrosch, 78.
[93] R. Schwager, 168.
[94] L. Hödl, Anselm, 775.
[95] „Von besonderer Bedeutung waren . . . A. Noffke, Ehre und Genugtuung (Diss, Erlangen 1940)" (G. Greshake, Erlösung, 324).
[96] A. Noffke, 108.
[97] Auch wenn Noffke hier von ‚ferner' spricht und einige Zeilen oberhalb von ‚neben vielen anderen' Stellen, so wird dieser Hinweis auf weitere Argumente nicht ausgefüllt: Noffke wiederholt immer nur das eine Argument.
[98] A. Noffke, 78.
[99] „honor ist nicht gloria" G. Greshake, Erlösung, 331.

Ruhm bedeuten, so daß Noffke sagen kann: „Während nun aber Ehre der umfassende und anerkannte Ausdruck für das Existenzrecht einer Person darstellt, die jedem so selbstverständlich wie das Recht zum Leben zugestanden werden muß, ist es der Ruhm eben keineswegs."[100]

Es ist zu fragen, ob das Argument Noffkes tragfähig ist.

Zwar gebraucht Anselm den Begriff gloria fast nie,[101] aber das muß noch kein Beweis für germanisches Rechtsdenken sein.

In der Vulgata hat gloria eine größere Bedeutungsvielfalt als honor. Gloria umfaßt Herrlichkeit (das in erster Linie), Ruhm und Ehre.[102] Honor hingegen betont mehr das relationale ehren, obwohl es auch an einzelnen Stellen mit Herrlichkeit übersetzt werden kann. Häufig jedoch gebraucht die Vulgata die Begriffe nahezu synonym, es kann kein absoluter Gegensatz festgestellt werden.

Nach Auffassung von Hans Drexler[102] hat allerdings das römische Wort honos auch eine „objektive Größe",[104] d. h. etwa, daß das ‚Gott ehren' seinen Ursprung hat in der Gott eigenen Ehre, einem Besitz. Auch das weist darauf hin, daß beide Begriffe nicht völlig gegensätzlich zu verstehen sind.

Meines Erachtens gebraucht Anselm nur eins der beiden Worte, um einen einheitlichen Sprachgebrauch zu haben. Und er bevorzugt honor, weil es im Gegensatz zu gloria bedeutungsärmer ist. Beides trägt zur Klarheit seiner Argumentation bei.

Wenn also ein absoluter Gegensatz beider Begriffe nicht, wie Noffke es versucht, nachzuweisen ist: Warum versucht Noffke mit seiner Begriffsanalyse Anselm dann mit seiner Bevorzugung von ‚honor' dem Germanentum zuzuordnen? Deutlich sagt er zu Beginn des Werkes, daß es seine Absicht sei, die schon geschehene Germanisierung des Christentums[105] nachzuweisen, um zu zeigen, daß das Christentum für

[100] A. Noffke, 79.

[101] Cf. Opera Anselmi VI, 159.

[102] Und meint keineswegs in erster Linie Ruhm, wie Noffke, 78f, behauptet.

[103] H. Drexler, Honos. Den freundlichen Hinweis auf diesen Aufsatz verdanke ich Prof. Dr. Klaus Haacker, Wuppertal.

[104] H. Drexler, 460.

[105] „Anselm ist ... wohl als Germane der Herkunft nach anzusprechen" (A. Noffke, 17). Anselm und seine Mutter stammen aus Aosta im Burgundischen, sein Vater aus der Lombardei – das gesamte Gebiet ist seit dem sechsten Jahrhundert langobardisch, also germanisch. Und doch wird man aus dieser Tatsache keine allzu weitreichenden Schlüsse ziehen dürfen: sowohl in der Lombardei wie auch in Burgund hatte im Verlaufe der Zeit zwischen dem sechsten und dem elften Jahrhundert eine starke Vermischung zwischen romanischen und germanischen Traditionen stattgefunden. Zwar hat es eine germanische Beeinflussung des Christentums gegeben, aber es ist wegen der mangelnden Aussagekraft der Quellen sehr fragwürdig, Anselm von Canterbury als das herausragende Beispiel zu nennen. Cf. K. D. Schmidt in seinem Artikel „Ger-

das deutsche Volk kein Fremdkörper sei: „Jeder, der den Rassegedanken nüchtern beherzigt . . ., wird um die Annahme einer bereits geschehenen Germanisierung des Christentums nicht herumkommen.“[106] Neben falschen Voraussetzungen arbeitet Noffke auch diffamierend.[107] Von daher ist Kopf zu verstehen, wenn er Noffkes Arbeit als „Musterprodukt deutsch-christlicher Theologie bzw. nationalsozialistischer Wissenschaftsmethode“[108] bezeichnet (auch wenn das vielleicht etwas zu weit geht), weswegen es „wissenschaftlich nicht ernst genommen werden“[109] dürfe.

Das Problem von Greshakes Arbeit ist nun aber eine Ambivalenz. Auf der einen Seite kommt Greshake zu vielen überraschenden und treffenden Beobachtungen, die sich mit manchen Ergebnissen der vorliegenden Arbeit decken. Auf der anderen Seite aber stützt er sich kritiklos auf Noffke, ohne auch nur mit einem Wort auf die offensichtliche Tendenz von Noffkes Werk einzugehen. Indem sich aber Greshake auf das Argument Noffkes (honor statt gloria) bezieht, um in Cur Deus homo den Ehrbegriff aus dem germanischen Lehnsrecht herzuleiten, ist der Wert der Arbeit Greshakes begrenzt.

4. Ehre Gottes[110]

Auf dem Hintergrund der eben besprochenen Deutungen möchte ich jetzt aufweisen, daß es durchaus eine plausible Erklärung für Anselms Gebrauch von ‚honor‘ gibt.

a) Die Ehre Gottes ist Gott selbst.

In CDh I,15 heißt es: „Idem namque ipse sibi est honor incorruptibilis et nullo modo mutabilis.“[111] – ‚Denn ebenso ist er selbst die unverderbliche und ganz und gar unwandelbare Ehre.‘ Die Ehre Gottes – das ist letztlich und eigentlich Gott selber. Die Ehre Gottes, wird sie als Eigenschaft Gottes verstanden, fällt mit Gott zusammen.[112]

b) Weil diese Ehre Gottes nun mit ihm selber identisch ist, ist sie unverletzlich: „Dei honori nequit aliquid, quantum ad illum pertinet, addi

manisierung des Christentums“: „. . . jede Einzelheit der anselmischen Ausformung ist von der germanischen Ehrauffassung her geprägt.“ (1442) Die Gefahr eines Zirkelschlusses liegt hier nahe!

[106] A. Noffke, 11.

[107] Etwa wenn er vom „römischen Menschen, der aus berechnender Selbstsucht auf absolutistische Herrschafts- und Machtentfaltung ausging“, spricht. A. Noffke, 78.

[108] H.-P. Kopf, 81.

[109] Ebd.

[110] Cf. auch R. Guardini, Zum Begriff der Ehre Gottes.

[111] CDh I,15 (II,72,30f).

[112] Cf. unten S. 171–175 und G. Gäde, 85f. Diese Eigenart der anselmischen Gotteslehre, die wohl am ehesten auf platonisch-augustinischem Hintergrund zu sehen ist, wird vor allem im Monologion deutlich. Cf. dazu K. Flasch, Der philosophische Ansatz.

vel minui."[113] – ‚Der Ehre Gottes kann, soweit es sich auf ihn bezieht, nichts hinzugefügt oder entzogen werden.' Wenn die Ehre Gottes vom Wesen Gottes her verstanden wird, ist das eine logische und notwendige Konsequenz – andernfalls bestünde die Gefahr, die Herrschaft Gottes als unvollkommen denken zu müssen. Das aber widerspräche dem Wesen Gottes. Das 1. Gebot erweist sich auch für Anselm als „theologisches Axiom".[114]

c) „Palam igitur est quia deum, quantum in ipso est, nullus potest honorare vel exhonorare"[115] – ‚Also ist offensichtlich, daß Gott, soweit es ihn selber betrifft, niemand ehren oder entehren kann'.

Ich sehe zunächst ab von der Entehrung,[116] sondern beziehe mich nur auf die Ehrung Gottes. Hatte es in CDh I,11 geheißen, daß die Unterwerfung unter den Willen Gottes die Ehre ist, „quem debemus deo et a nobis exigit deus"[117] – ‚die wir Gott schulden und die Gott von uns verlangt', so scheint nun hier der Widerspruch aufzubrechen, der seit langem bemerkt wurde.[118] Jedoch wird in CDh I,15 mehrfach ein Zusatz gemacht:

– entweder auf Gott bezogen: „quantum in ipso est"[119] – ‚soweit es in ihm selber ist'.

– oder den Menschen bzw. die menschliche Natur meinend: „quantum in ipsa est"[120] – ‚soweit es an ihr liegt',

– „quantum ad illam pertinet"[121] – ‚soweit es sich auf sie bezieht' und

– „quantum in se est"[122] – ‚soweit es sich auf sie bezieht'.

Die Ehre Gottes hat also zwei Bezugsgrößen: den Menschen und Gott. Gottes potestas und dignitas kann vom Menschen weder vergrößert noch verkleinert werden, von daher ist bei der Ehrung (und Nichtehrung) nicht an die Bezugsgröße Gott allein zu denken. Es scheint nur so, als werde die Ehre Gottes verletzt: „sed quantum in se est, hoc aliquis facere videtur, cum voluntatem suam voluntati eius subicit aut subtrahit"[123] – ‚aber, soweit es an ihm liegt, tut es scheinbar jemand, wenn er seinen Willen jenes Willen unterwirft oder entzieht'. Die Ehrung Gottes ist hier also gemeint, insofern sie den Menschen betrifft.

[113] CDh I,15 (II,72,29f).
[114] Cf. K. Barth, Das 1. Gebot als theologisches Axiom . . .
[115] CDh I,15 (II,74,4f).
[116] Dazu unten S. 95–97.
[117] CDh I,11 (II,68,17).
[118] Cf. oben S. 99–105.
[119] CDh I,16 (II,74,4).
[120] CDh I,15 (II,73,6).
[121] CDh I,15 (II,73,6f).
[122] CDh I,15 (II,73,8).
[123] CDh I,15 (II,74,5f).

Wieso aber spricht Anselm von Ehrung *Gottes*, wenn Gott gar nicht betroffen ist?

d) Eine Antwort ergibt sich, wenn man das Kapitel CDh I,23, das beschreibt, was der Mensch in der Sünde Gott nimmt, im Hinblick auf die Position liest, also: Was war das, was Gott hat? Da Gott entehren sündigen ist,[124] ist hier ein Rückschluß legitim. „Quid abstulit homo deo, cum vinci se permisit a diabolo?“[125] – ‚Was nahm der Mensch Gott, als er es zuließ, vom Teufel besiegt zu werden?‘ Von den Überlegungen im vorigen Punkt ist klar, daß als Antwort eigentlich folgen muß: nichts! Denn der Mensch kann ja Gottes Macht und Würde weder etwas hinzufügen noch wegnehmen. Und nun doch: Was hat der Mensch genommen?

„Nonne abstulit deo, quidquid de humana natura facere proposuerat?“[126] – ‚Nahm er Gott nicht alles das, was Gott sich mit der menschlichen Natur zu tun vorgenommen hatte?‘

Dem kann Boso nur zustimmen. Die Ehrung Gottes ist also auf das bezogen, was Gott mit der menschlichen Natur vorhat, und das heißt: das Ziel der Menschheit ist die Ehrung Gottes. Die Ehrung Gottes bezieht sich also in der Tat nicht auf die ‚Person‘ Gottes, sondern auf das ‚Werk‘ Gottes.

5. Entehrung Gottes

Von daher ist jetzt klar, was unter Entehrung Gottes zu verstehen ist: Entehrung Gottes nimmt der menschlichen Natur das, was Gott mit ihr vorhatte. Die Absicht Gottes mit der Menscheit im Jenseits und auch im Diesseits wird gestört.[127]

Das Ziel der Menschheit im Jenseits wird ausführlich in CDh I,16–18 behandelt: Gott möchte den Menschen zu sich in seine Herrlichkeit holen.[128]

Das Ziel der Menschheit im Diesseits ist, im Einklang mit dem Willen Gottes zu leben. Das ehrt Gott, oder anders gesagt: das entspricht der Absicht Gottes mit der menschlichen Natur.

„Cum vero non vult [sc. rationalis natura] quod debet, deum, quantum ad illam pertinet, inhonorat“.[129] – ‚Will sie [sc. die vernünftige Natur] aber nicht, was sie soll, entehrt sie Gott, soweit es sich auf sie

[124] Cf. CDh I,11 (II,68,10).
[125] CDh I,23 (II,91,5).
[126] CDh I,23 (II,91,8).
[127] Cf. auch R. Guardini, Begriff, 76: „Der ‚Ehre Gottes‘ entspricht das ‚Heil des Menschen‘. . . Doch ist das Heil der Seele nicht etwas, das neben der Ehre Gottes wie ein zweiter, selbständiger Zweck stünde. Das Heil wird vielmehr eben dadurch erworben, daß der Mensch dem heiligen Gott die ‚Ehre‘ gibt.“
[128] Dazu ausführlich unten S. 98–103.
[129] CDh I,15 (II,73,6f).

selber bezieht.‘ Und das heißt anders gesagt, sie widerspricht der Absicht Gottes mit der menschlichen Natur.
Das aber trifft nicht Gott selbst, sondern den Menschen: „per victum tota humana natura corrupta et quasi fermentata est peccato“[130] – ‚durch den Besiegten wurde die ganze menschliche Natur verdorben und gleichsam von der Sünde durchsäuert‘. Die Entehrung Gottes trifft nicht Gott, sondern den Menschen! Er ist nicht nur ein bißchen, sondern völlig und ganz „corrupta natura“.[131]
Anselm gebraucht also einen doppelten Ehrbegriff, weshalb die Beobachtung von Hasse grundsätzlich richtig ist. Die Vorstellung einer immanenten Ehre in bezug auf Gott ist sicher richtig;[132] daneben steht die transeunte Ehre Gottes. Der Begriff „transeunt“ weist zu Recht darauf hin, daß bei Anselm alles seinen Ursprung in Gott selber hat und nur von daher verstanden werden kann, daß also auch die verletzliche Ehre nur von der unverletzlichen Ehre, von Gott selber her, ihr Licht bekommt.
Von daher ist das Wort „transeunt“ passend, aber nicht ausreichend. Hinzu kommen muß eine Bezeichnung, die den Menschen in diese Ehre involviert. Der Vorschlag von Strijd, diese Ehre die zu nennen, die der Mensch Gott gibt,[133] ist passend, wenn der Zusammenhang mit der „Transeunz“ beibehalten wird.[134]
Nur in dieser Komplexität wird verständlich, wie umfassend dieser „honor“ gemeint ist. Anselm gebraucht den „Ehrbegriff . . ., um damit die richtige Ordnung . . . in ihrer (sc. der Menschen) Beziehung zu Gott zum Ausdruck zu bringen“.[135]
Hier also ist der ordo-Begriff, der vor allem in CDh I,15 gebraucht wird, am Platze. Es ist keine abstrakte Ordnung,[136] sondern die Ordnung, die Anselm meint, ist die Ordnung des Verhältnisses Gott – Mensch, und damit auch die Ordnung und Schönheit der Welt. An der Ordnung des Verhältnisses Mensch–Gott hängt die Ordnung der Welt. Ordnet sich der Mensch nun Gott nicht unter, zerstört die menschliche Natur „universitatis pulchritudinem, quantum in ipsa est“[137] – ‚die Schönheit der Welt, soweit es an ihr liegt‘.

[130] CDh I,23 (II,91,21f). Die Opera Anselmi (hg. v. F. S. Schmitt) lassen hier wohl versehentlich das Wort ‚natura‘ aus. F. S. Schmitt, Cur, 80 hat zu Recht stillschweigend korrigiert. Cf. PL (Migne) Bd.158, 396.
[131] Cf. oben S. 90–93.
[132] Cf. K. Strijd, 78: „Het gaat hem (sc. Anselm) om 1. die eer die God heeft“.
[133] „. . . de eer die de mens hem geeft“ K. Strijd, 78.
[134] Was K. Strijd allerdings nicht tut.
[135] R. Schwager, 168.
[136] So immer wieder H. Kessler, Bedeutung (etwa 125).
[137] CDh I,15 (II,73,5f).

Die rechte Ordnung ist die Einstimmung des Menschen in den Willen Gottes. „Verum quando unaquaeque creatura suum et quasi sibi praeceptum ordinem . . . servat, deo oboedire et eum honorare dicitur“[138] – ‚wenn aber irgendein Geschöpf wirklich seine und ihm gleichsam vorgeschriebene Ordnung wahrt, so sagt man, daß es Gott gehorcht und ihn ehrt‘.

Indem der Mensch dieses Verhältnis zerstört, zerstört er sich selber. Der honor-Begriff möchte die Relationalität von Mensch und Gott aufweisen. M. E. hat Anselm den Begriff „gloria“ deshalb nicht gewählt, weil er die Beziehung zwischen zwei ‚Größen‘ weniger gut aufzeigt – gloria zeigt eher das Ergebnis an. „Honor“ hingegen bezeichnet die Ehrung, also die Tätigkeit des Menschen (und Gottes). Indem der Mensch sich gegen Gottes Absicht mit dem Menschen richtet, trifft er sich selber, weil sein Verhältnis zu Gott, was das Ziel des Lebens im Diesseits war, gestört ist.

Die Größe der Schuld wird nur deutlich, wenn ersichtlich ist, daß der Mensch sich wirklich gegen Gott richtet, wenn er den Plan Gottes untergräbt.

Die Qualität des Menschen ist seine Gottesrelation: „Dem Anselm besteht die Ehre Gottes darin, daß Gott den Menschen sey und gelte, was er an sich ist, der Herr“.[139]

Der Honor-Begriff will diese Relation betonen, es ist nicht nötig, ihn aus dem germanischen Lehnswesen herzuleiten.[140]

6. Wie kommt Anselm aber zum Ehrbegriff?

Was er verdeutlichen will, wurde soeben aufgezeigt. Was die Herkunft anbetrifft, so gibt es ja die These von Noffke, Anselm gebrauche den Begriff, um die germanische Herkunft zu betonen. Das aber ist nicht stichhaltig.[141]

Klaiber hingegen meint: „Dieser Begriff der Ehre wird aber von Anselm . . . weit biblischer gefasst, als oft angenommen wird.“[142]

[138] CDh I,15 (II,72,31–73,2).

[139] EKZ 1834, 15.

[140] Cf. dazu die Ausführungen von G. Gäde, 82–87. Er stellt sehr deutlich heraus, daß die Ehre Gottes bei Anselm als „Relationsbegriff“ (83) gesehen werden muß und „in der Übereinstimmung des menschlichen Willens mit dem göttlichen“ (84) besteht. Jedoch fehlt bei Gäde die ‚heilsgeschichtliche‘ Dimension, die eigentlich erst den Zusammenhang von Gottes Ehre und Schöpfungsziel verdeutlicht. Grund für die Vernachlässigung ist aber wohl, daß auch G. Gäde unter Berufung auf Greshake (84) den Ehrbegriff in Zusammenhang mit dem „germanischen Rechtsdenken“ (84) bringt.

[141] Cf. oben S. 90–93.

[142] C. Klaiber, 25.

Und Seeberg bemerkt: „Der Begriff honor kommt dem neutest. doxa ziemlich nahe, ohne freilich ganz identisch zu sein.“[143] Kopf erweitert noch: „Es darf nämlich auch nicht die Ähnlichkeit, die der Anselmsche Begriff von Gottes Ehre mit der doxa des Neuen Testaments und mit der kabod im Alten Testament aufweist, ... übersehen werden.“[144]
In der Tat ist diese Beobachtung nicht von der Hand zu weisen. Anselm argumentiert zwar nicht mit der Bibel,[145] aber der Sache nach besteht oft eine ziemlich große Übereinstimmung. Doxa „ist in der Bibel im wesentlichen eine Gott eignende und von Menschen nur respondierend anerkannte Qualität, die häufiger mit Herrlichkeit übersetzt ist; es meint mehr das von seinem Träger Ausstrahlende, Eindruck Hinterlassende“.[146]
Gerade das drückt „honor“[147] bei Anselm aus: Zunächst ist es eine Gott eigene Größe, Qualität, ja Gott selber - die kann der Mensch letztlich nicht antasten. Aber dieser honor strahlt aus auf die Schöpfung und bittet um des Menschen Antwort, um die Anerkennung Gottes als des Herrn. Dem verweigert sich der Mensch, und damit wird der Glanz, die Herrlichkeit Gottes in der Schöpfung korrupt. Der Mensch soll anerkennen, daß seine eigene Ehre im rechten Verhältnis Mensch-Gott besteht. Anerkennt er das nicht, zerstört er dieses Verhältnis von sich aus, zerstört so auch seine Ehre.
Die Entehrung Gottes ist also die Entehrung des Menschen - indem der Mensch Gott nicht ehrt, nimmt er sich das Leben.

III 3. Schöpfung und Bund (zu den Kapiteln I,16–18)

1. In den Kapiteln I,16-18 beschäftigt sich Anselm mit dem Fall der Engel und der Einsetzung von Menschen an ihre Stelle. Diese im Kern Augustin[148] entlehnte Theorie hat „bei den Theologen der Neuzeit weithin kein Verständnis gefunden“,[149] sie wird sogar eine „absonderliche Idee“[150] genannt, weil weithin keine Einsicht in die biblisch kaum

[143] R. Seeberg, 224.
[144] H.-P. Kopf, 14. Cf. auch A. Schlatter, 304. Die Ähnlichkeit ist inhaltlicher Art - nur zu einem Zehntel ist das griechische Äquivalent zu honor in der Vulgata doxa, sonst timä.
[145] Obwohl seine Sprache durchaus von biblischen Begriffen geprägt ist. Cf. etwa die Forschungen von D. P. Henry.
[146] S. Aalen, Art. doxa, 204.
[147] F. S. Schmitt übersetzt in CDh I,22 honor auch mit Verherrlichung. (F. S. Schmitt, Cur, 79).
[148] Cf. Augustin, De civitate XXII,1.
[149] H.-P. Kopf, 35.
[150] EKZ 1844, 778.

begründbare Vorstellung vorhanden sei. Wenn der anselmischen Argumentation sonst zumindest teilweise gefolgt werden konnte, haben hier fast alle Interpreten Schwierigkeiten, Anselms Gedankengänge und Intention nachzuvollziehen. Sie begnügen sich zumeist damit, Anselms Spekulation als mythische Reste aus der Alten Kirche, die noch in die Scholastik hineinreichen,[151] abzutun.

Das geht um so leichter, als es sich um einen Exkurs ohne direkten Zusammenhang mit dem eigentlichen Gedankengang zu handeln scheint: Boso bittet um Begründung einer Voraussetzung,[152] Anselm weist zunächst darauf hin, daß das Thema eigentlich die Menschwerdung sei, dies aber eine andere Frage,[153] um sie dann doch ausführlich zu beantworten.

Und am Ende von CDh I,18 heißt es: „Nunc redi ad id unde digressi sumus."[154] – ‚Nun kehre ich zu dem zurück, von wo wir abgewichen sind.' In CDh I,19 wird dann auch die in CDh I,16 gestellte Frage beinahe wortgleich noch einmal gestellt. Von daher ist das Urteil Ritschls verständlich, daß die „Behauptung Anselm's ... für die Theorie von der Genugthuung völlig indifferent ist".[155]

Dieser von vielen anderen geteilten Meinung wird allerdings auch widersprochen. So heißt es etwa: „Es hieße sowohl das Princip der ganzen Anselmschen Deduktion, als auch die bewundernswürdige Geschlossenheit des Gedankenzusammenhangs verkennen, wollte man behaupten, daß jene ganze Erörterung von der vernünftigen Zahl der seligen Geister des himmlischen Staates nur eine zufällige und beiläufige, leicht zu streichende Episode sey."[156]

Immerhin fällt auf, daß der Frageeinsatz in CDh I,16 und CDh I,19 leicht verschieden ist. In CDh I,16 heißt es: „Deum constat proposuisse, ut de humana natura quam fecit sine peccato, numerum angelorum qui ceciderant restitueret."[157] – ‚Es steht fest, daß Gott beschlossen hat, aus der menschlichen Natur, die er ohne Sünde gemacht hat, die Zahl der gefallenen Engel wiederherzustellen.' In CDh I,19 aber ist der Satz weiter gefaßt: dort hat Gott beschlossen „ut de hominibus angelos qui ceciderant restauraret"[158] – ‚aus den Menschen die gefallenen Engel wiederherzustellen': der Begriff der Zahl ist weggefallen.

[151] So etwa F. C. Baur, Versöhnung, 185f.
[152] „Hoc credimus, sed vellem aliquam huius rei rationem habere." CDh I,16 (II,74,14) – ‚Das glauben wir, doch möchte ich irgendeine Begründung dieser Sache haben.'
[153] Cf. CDh I,16 (II,74,15f).
[154] CDh I,18 (II,84,3).
[155] A. Ritschl, 34.
[156] EKZ 1844, 786. So auch H.-P. Kopf, 36 und K. Strijd, 87.
[157] CDh I,16 (II,74,12f).
[158] CDh I,19 (II,84,6f).

2. Was besagt also der Exkurs und welche Funktion hat er im Gesamtzusammenhang des Gedankengangs?

a) In CDh I,16 beginnt der Exkurs mit der eben genannten Sentenz: Es steht fest. Diese Grundvorstellung der gefallenen Engel und Besetzung ihres vorher eingenommenen Platzes durch Menschen gehört zu den Voraussetzungen, die in CDh I,10 implizit mitgedacht wurden.[159] Diese Vorstellung gehört zum allgemeinen Glaubensgut der katholischen Kirche des 11. Jahrhunderts[160] – und Anselm nimmt sie auf.
Boso möchte begründet haben, warum Gott beschlossen hat, aus der menschlichen Natur die Zahl der gefallenen Engel zu ersetzen – daß die gefallenen Engel vorauszusetzen sind, ist für Anselm und Boso selbstredend klar.
Das Kapitel CDh I,16 versucht zu zeigen, daß aus Gründen der Vollkommenheit des Wissens Gottes die Zahl der gefallenen Engel zu ersetzen sei, und zwar von Menschen. Daß es Menschen sein müssen, Engel aber nicht sein können, die wieder in den Stand der Seligkeit kommen können, zeigt CDh I,17: Schlußfolgerung ist dort, daß die auserwählten Menschen nicht weniger als die gefallenen Engel sein können.
Bis hierhin folgt Anselm vor allem der Auffassung Augustins.
Jedoch folgt noch das Kapitel CDh I,18: „Utrum plures futuri sint sancti homines quam sint mali angeli"[161] – ‚Ob mehr heilige Menschen sein werden als böse Engel sind'?
Diese zunächst beiläufig klingende Frage erscheint am Ende des Gesprächs, das sich über viele Zeilen erstreckt,[162] klar beantwortet: Ja, es werden mehr heilige Menschen sein als böse Engel.

Die Gründe für Anselm sind dreifacher Art:

i. Die menschliche Natur ist von Anfang der Schöpfung „non solum pro restaurandis individuis alterius naturae"[163] ‚nicht allein für die Wiederherstellung von Einzelwesen einer anderen Natur' geschaffen.
ii. Wenn nur so viele Menschen wie gefallene Engel selig werden, so ist der Fall der Engel nötig gewesen zur Seligmachung der Menschen. Das

[159] Cf. CDh I,10 (II,67,12–16) – auch schon hier wird klar, daß die explizit genannten Voraussetzungen in CDh I,10 nicht exklusiv verstanden werden dürfen.

[160] Cf. „... et alia quorum fides ad salutem aeternam necessaria est." CDh I,10 (II,67,16).

[161] CDh I,18 (II,76,8).

[162] Die Argumentation hat etwa D. P. Henry Anlaß gegeben, die anselmische Vorgehensweise in diesem Kapitel in mathematischer Rede aufzuzeigen. Siehe D. P. Henry, Numerically... Cf. auch K. Strijd, 91.

[163] CDh I,18 (II,78,4f).

aber würde den Menschen geradezu auffordern, sich am Fall anderer zu freuen – das aber kann nicht Plan Gottes gewesen sein.[164]
iii. Ohne den Menschen gibt es keine Vollendung der ganzen Schöpfung, die aber nach Gottes Plan kommen soll.[165]
Die Kapitel CDh I,16–18 streben also auf die Aussage hin, daß „plures homines electos futuros quam sint angeli mali"[166] – ‚mehr auserwählte Menschen sein werden als böse Engel sind'.
b) Das bedeutet aber, daß Anselm in den Kapiteln CDh I,16–18 nicht nur eine Wiedergabe einer augustinischen Position vollzieht, sondern „in subtiler Schlußfolgerung über Augustin hinaus"[167] strebt.
Und darin besteht der eigentliche Sinn dieses Abschnitts. Die Kapitel I,16–18 zielen darauf ab, daß *mehr* auserwählte Menschen als böse Engel sein werden, und – wie vor allem aus dem ersten und wohl gewichtigsten Grund zu ersehen ist – das ist deshalb so, weil Anselm die Erwählung der Menschen nur in direktem Zusammenhang mit der Schöpfung sehen kann.
Seit und mit der Erschaffung des Menschen ist das Ziel, auf das hin der Mensch lebt, das die Zukunft des Menschen intendiert, das Reich Gottes. Mit der Schöpfung des Menschen spricht Gott ihm seine Zukunft zu, gibt er ihm eine Verheißung, schließt er mit dem Menschen einen Bund. Erwählung ist von Anfang der Schöpfung an da!
Wenn der Mensch nur als Engelersatz geschaffen wäre, so wäre bei einem Nicht-Fallen der Engel die Konsequenz die Nichtseligkeit der Menschen gewesen. Das aber widerspricht Anselms Anthropologie und Gotteslehre. Gott hat von Anbeginn der Schöpfung einen Plan mit seinem Menschen: der Bund, der bis in Ewigkeit gelten soll. Das ist der Grundzug der anselmischen Anthropologie: Der Mensch steht im Rahmen der Heilsgeschichte,[169] so „daß die finalistische Schau des geschaffenen Seins im Denken Anselms im Vordergrund steht".[169]
Diese finalistische Schau ergibt sich nicht aus der Empirie, sondern nur aus dem Rekurs auf die Schöpfung und den Bund Gottes mit den Men-

[164] Cf. CDh I,18 (II,78,14 - 79,25).
[165] Cf. CDh I,18: „Aliam adhuc eiusdem sententiae ..." bis „... angeli mali." (II,79,26–84,1).
[166] CDh I,18 (II,83,30–84,1).
[167] H.-U. v. Balthasar, 252. Anselm spricht sich nicht gegen Augustin aus. Nach Meinung von R. Seeberg (223) und A. v. Harnack (cf. H.-P. Kopf, 36) hatte Augustin die Gleichheit der Zahl der gefallenen Engel und geretteten Menschen im Blick, jedoch heißt es in „De civitate XXII,1": „ac sic illa dilecta et superna civitas non fraudetur suorum numero civium, quia fortassis et uberiore laetetur." – auch so sollte jene geliebte und himmlische Bürgerschaft nicht die Zahl ihrer Bürger verlieren, ja vielleicht sogar mit einer noch reicheren erfreut werden. Augustin sagt vielleicht, Anselm weitet dieses ‚vielleicht' zu einem ‚bestimmt' aus.
[168] Cf. R. Heinzmann, Veritas, 790.
[169] A. Bütler, 62.

schen. Dieser Bund Gottes ist ja nach biblischer Auffassung kein gegenseitiger Vertrag, sondern ein einseitiges Treueversprechen Gottes, das er dem Menschen zugesagt hat. Eigentlich ist sogar die Seligkeit – beatitudo – der Zweck der Schöpfung: „et constet inter nos hominem esse factum ad beatitudinem"[170] – ‚und es stehe unter uns fest, daß der Mensch zur Seligkeit geschaffen ist'.
Von daher ist vielleicht sogar die bekannte Doppelung Barths auch auf Anselms Schöpfungslehre passend: „Der Bund als innerer Grund der Schöpfung"[171] – „Die Schöpfung als äußerer Grund des Bundes".[172]
Anselm denkt „ganz wesentlich von der biblischen Bundes-Theologie her",[173] von der Treue Gottes: „Hier wurzelt jene Notwendigkeit, deren Schlußglied die freiwillige Hingabe des Lebens Jesu Christi in den Tod ist: es ist der Plan des Schöpfers mit seiner Schöpfung, der nicht zunichte werden, das angefangene Werk, das kein verschandeltes Bruchstück bleiben darf."[174] Ziel ist die Gemeinschaft des Menschen mit Gott – der Bezugsrahmen der „Engelgemeinschaft" will genau diese enge Beziehung zwischen Gott und Mensch deutlich machen: So wird es sein. Wegen der Treue Gottes kommt die Verheißung für den Menschen in den Blick – durch seine Sünde steht der Mensch in Widerspruch zu seiner eigenen Bestimmung: beatitudo in der Jenseitigkeit, und Liebe zu Gott als logische Konsequenz der imago dei im Menschen[175] in der Gegenwart.

3. Warum schreibt Anselm dann diesen langen Exkurs?

In CDh I,19 wird doch auch von vornherein klar: „Constat deum proposuisse, ut de hominibus angelos qui ceciderant restauraret."[176] – ‚Es steht fest, daß Gott beschlossen hat, daß aus den Menschen die gefallenen Engel wiederhergestellt werden.'
Auch aus diesem Satz allein wird die Grundabsicht Anselms klar: Das Ziel des Menschen ist die beatitudo.
In der Tat heißt es auch am Ende von CDh I,18: „Nunc redi ad id unde digressi sumus."[177] – ‚Nun kehre zu dem zurück, von wo wir abgewichen sind.'
Der Grundgedankengang Anselms findet in der Tat nicht in CDh I,16–18 statt. Anselm selber gibt auch zu, daß verschiedene Meinun-

[170] CDh I,10 (II,67,13).
[171] K. Barth, KD III,1, 258.
[172] AaO., 103.
[173] G. Greshake, 339.
[174] R. Hermann, 377. Cf. auch H.-P. Kopf, 34.
[175] Cf. Monologion Kap. 68 u. 69.
[176] CDh I,19 (II,84,6f).
[177] CDh I,18 (II,84,3).

gen in der Frage der Zahl der erwählten Menschen bestehen können,[178] und das bedeutet wohl auch, daß, wer hier eine andere Meinung als Anselm hat, seinem weiteren Vorgehen dennoch folgen kann. Für Anselm selber ist der Exkurs aber nicht völlig gleichgültig – „Nam non frustra factum est."[179] – ‚Denn es ist nicht ohne Sinn und Zweck geschehen.' Das Ergebnis des Abschnitts liegt in der tieferen Verwurzelung des Planes Gottes mit dem Menschen in der Schöpfung. Der Bund Gottes mit dem Menschen ist vom Menschen nicht zu trennen – seit es den Menschen gibt, hat Gott die Zukunft des Menschen für den Menschen vor Augen.

Kopf ist von daher zuzustimmen: „Die Kerngedanken sind weithin biblisch, wenn auch ihr Rahmen nicht als schriftgemäß anerkannt werden kann."[180]

Die Fremdheit dieser Engelvorstellung ist einem Betrachter des 20. Jahrhunderts wohl zu Recht zu eigen. Dennoch sollte man sich davon nicht verleiten lassen, auch die wichtigen und bedenkenswerten Aussagen zu überhören. Die Zusage und Treue Gottes steht am Anfang aller Überlegungen. Sie steht vor der Sünde des Menschen.

Die Frage, die nun auftauchen muß und durch diesen Exkurs vorbereitet ist, besteht darin, daß durch die Sünde des Menschen die Geltung dieser Zusage in Frage gestellt sein könnte: Gilt Gottes Treue und Verheißung auch trotz des Menschen Sünde? Oder hebt die Sünde den Bund auf?

Die Wichtigkeit des Bundes Gottes wird hier betont: Der Mensch ist zum Bundespartner Gottes geschaffen, das ist überhaupt die Absicht bei der Erschaffung des Menschen. Nun aber hat sich der Mensch gegen diese seine Bestimmung gewandt, indem er sich gegen Gott wandte. „Constet inter nos hominem esse factum ad beatitudinem".[181] – ‚Es stehe aber unter uns fest, daß der Mensch zur Seligkeit geschaffen ist'.

III 4. Schöpfung und Schöpfer

Die Bestimmung zur Seligkeit ist der Plan Gottes mit dem Menschen, ist überhaupt das, woraufhin der Mensch erschaffen wurde; Anselm denkt heilsgeschichtlich. Der Begriff „Beatitudo" weist hin auf das Reich Gottes, vor allem auf die Gemeinschaft des Menschen mit Gott – die Relation zwischen Mensch und Gott wird dann ungestört sein. In

[178] Siehe CDh I,18 (II,82,9–16).
[179] CDh I,18 (II,84,2f).
[180] H.-P. Kopf, 37.
[181] CDh I,10 (II,67,13).

dieser Schöpfungsbestimmung des Menschen liegt eine gemeinsame Voraussetzung Anselms und Bosos. Es folgt die Besprechung der Bedeutung der Sünde, und genau die steht zwischen der Voraussetzung und der Realität: Das Tun des Menschen widerspricht dem Plan Gottes.

So, wie der Mensch sich verhält, ist er Gott nicht recht, paßt er nicht in den Bereich, für den er geschaffen wurde: „Quod autem nullus homo ad beatitudinem pervenire queat cum peccato aut solvi a peccato, nisi solvat quod rapuit peccando, sic aperte monstrasti“[182] – ‚Daß aber kein Mensch mit der Sünde zur Seligkeit kommen oder von der Sünde befreit werden kann, wenn er nicht einlöst, was er durch das Sündigen geraubt hat, hast du klar gezeigt‘. Diese Veränderung der Situation des Menschen macht Anselm in Cur Deus homo, aber auch in anderen Schriften, mit verschiedenen Ausdrücken und Formulierungen deutlich.

1. iustus – gerecht

Ursprünglich, am Anfang der Schöpfung, steht das iustus: „Rationalem naturam a deo factam esse iustam . . .“[183] – ‚Die vernünftige Natur ist von Gott gerecht geschaffen worden‘. Diese anfängliche Gerechtigkeit hat jedoch der Mensch, indem er seiner eigenen Bestimmung zuwider handelte und Gott nicht gehorchte, verlassen: „Quoniam ergo deseruit iustitiam, perdidit beatitudinem“[184] – ‚Weil er also die Gerechtigkeit verließ, hat er die Seligkeit verloren‘. Oder anders ausgedrückt: Sünde ist „absentia debitae iustitiae“[185] – ‚die Abwesenheit der gesollten Gerechtigkeit‘. Durch die Sünde ist der Mensch nicht mehr gerecht, sondern ungerecht.

2. Das Bild von der beschmutzten Perle

In CDh I,19 gebraucht Anselm zur Verdeutlichung der Folge des menschlichen Handelns das Bild von der Perle. Ursprünglich war die Perle kostbar und „quam nulla umquam pollutio tetigit“[186] – ‚die niemals eine Beschmutzung berührte‘: sie war rein.

Diese Perle wird in den Kot geworfen und ist dann natürlich verschmutzt – „pollutam“.[187] Aus der reinen ist die unreine Perle geworden. Gegen dieses Bild, das Anselm noch etwas weiterführt,[188] sind

[182] CDh I,19 (II,86,12–14).
[183] CDh II,1 (II,97,4). Cf. auch: Co I (II,140,12–14).
[184] Concordia III,13 (II,286,21).
[185] Conceptu VI (II,147,20). Cf. auch CDh I,24 (II,92,6f).
[186] CDh I,19 (II,85,7).
[187] CDh I,19 (II,85,13).
[188] S. u. S. 114f.

Bedenken erhoben worden, vor allem hinsichtlich des Sündenverständnisses: es sei zu äußerlich. Die Perle sei nur von außen von der Sünde berührt. Sie selber aber bleibe unberührt.[189] Jedoch trifft das Anselm nicht. Der Vergleichspunkt dieses Bildes liegt in der Betonung des Unterschiedes rein - unrein. Die Perle stinkt, wenn sie nicht gereinigt wird - Kot ist ja nicht irgendein Schmutz.
Im Bild von der Perle ist aber nicht die ganze Sündenlehre Anselms enthalten. Vielmehr will es vor allem die Unmöglichkeit verdeutlichen, Sünde und beatitudo zusammenzudenken.

3. imago dei

Im Menschen hat Gott sein Ebenbild geschaffen, mit dem Ziel, Gott zu lieben: „Fateor, domine, et gratias ago, quia creasti in me hanc imaginem tuam, ut tui memor te cogitem, te amem."[190] - ‚Ich bekenne, Herr, und danke, daß du in mir dein Ebenbild geschaffen hast, damit ich deiner eingedenk dich wisse und dich liebe.'
Diese Ebenbildlichkeit des Menschen entspricht dem Gerecht-sein und dem Rein-sein der Perle. Durch die Sünde wird nun dieses Ebenbild grundlegend verändert: „Sed sic est abolita attritione vitiorum, sic est offuscata fumo peccatorum, ut non possit facere ad quod facta est"[191] - ‚Aber es ist so zerstört durch die Gewalt der Fehler, so verdunkelt durch den Rauch der Sünden, daß es nicht wirken kann, wozu es geschaffen ist'.
Natürlich ist dies, vor dem Hauptstück Kap. 2-4 stehend, auf die konkrete Thematik des Proslogion bezogen. Aber es greift auch darüber hinaus, indem es auf die Folge der Sünde in bezug auf die Ebenbildlichkeit hinweist: Der Mensch hat dieses Ebenbild so weit zerstört, daß es seine eigentliche Funktion nicht mehr ausüben kann.
Die Sünde betrifft das Sein des Menschen auch in bezug auf die Noetik: Der Mensch kann Gott nicht mehr erkennen.

Diese drei Aussagereihen wollen die Veränderung ausdrücken, die den Menschen selber betrifft. Aber indem sich der Mensch verändert, ist auch Gottes Ehre angetastet. Denn es wird in CDh I,10 vorausgesetzt und in CDh I,19 ausführlich diskutiert, daß Sünde und beatitudo nicht zusammenpassen: eine nach Kot stinkende Perle paßt nicht hinein in das Schatzkästlein,[192] ein sündiger Mensch kann nicht zur beatitudo gelangen.

[189] So F. Hammer, 115.
[190] P 1 (I,100,12f). Cf. auch Monologion Kap. 67.68.
[191] P 1 (I,100,13-15).
[192] Cf. CDh I,19 (II,85,11-14).

Diese Zerstörung der Gerechtigkeit, der reinen Perle, des Ebenbildes Gottes betrifft auch Gott: „Nonne abstulit (sc. homo) deo, quidquid de humana natura facere proposuerat?"[193] – ‚Nahm er Gott nicht alles, was er mit der menschlichen Natur zu tun sich vorgenommen hatte?'
Das ist die Sünde, *das* nimmt der Mensch Gott: seinen Plan mit den Menschen.
Die Sünde ist gegen Gott gerichtet, weil der Mensch Gottes Willen nicht befolgt. Die Folge der Sünde ist die Zerstörung der Absicht Gottes mit dem Menschen, also eine Entehrung Gottes. Auch wenn hier jetzt ein relatives Recht der Rede von der Entehrung Gottes erkannt wird, gilt doch: Indem der Mensch Gott entehrt, nimmt er sich seine eigene Zukunft und kann hinfort nur ungerecht genannt werden. Das, was die eigentliche Bestimmung und Qualität des Menschen ausmacht – imago dei zu sein –, ist zerstört.
Die Zerstörung der Gottesbeziehung von seiten des Menschen aus fällt auf den Menschen zurück. Wenn der Mensch die Relation Mensch–Gott von sich aus untergräbt, nimmt er sich seine eigene, in Gottes Absicht begründete Bestimmung und Zukunft. Die Erkenntnis von BIII2 bleibt wahr: Die Entehrung Gottes ist also letztlich die Entehrung des Menschen.

III 5. Genug-tuung

1. Die Diastase zwischen der Bestimmung des Menschen und seiner Situation

Aus den bisherigen Überlegungen zur Sünde des Menschen und, daraus folgend, seiner Entehrung[194] sowie zum Bund Gottes mit den Menschen[195] ergibt sich auf der einen Seite ein Auseinanderklaffen zwischen der Bestimmung des Menschen zur Gemeinschaft mit Gott (= Reinheit) und dem Aufenthalt des Menschen in der Sünde, fern von Gott (= Unreinheit) auf der anderen Seite.
Diese Diastase ist, wie vor allem CDh I,19 betont, nicht einfach auszugleichen: so wie der Mensch ist, ist er schmutzig, voller Kot, und paßt nicht hinein in das Schatzkästlein, die Gemeinschaft mit Gott.[196]
Gott hat für den Menschen seine herrliche Gegenwart vorgesehen. Diese seine Zukunft aber scheint sich der Mensch verbaut zu haben. So, wie der Mensch jetzt ist, hat er keine Zukunft mehr. Damit hat

[193] CDh I,23 (II,91,8).
[194] S. o. S. 79–85 u. S. 98–103.
[195] S. o. S. 85–98.
[196] CDh I,19 (II,85,11–23). Zum Bild der verschmutzten Perle siehe auch oben, S. 104f.

Anselm eigentlich nur eine biblische Wahrheit ausgedrückt und ausgelegt: „nichts Unreines wird hineinkommen.“[197]

2. Die Bestimmung bleibt . . .

Mit der Situationsbeschreibung, daß der Mensch so, wie er ist, nicht dem entspricht, wie er sein soll, gibt sich Anselm jedoch nicht zufrieden. Auch wenn der Mensch im Widerspruch zum Bund Gottes steht, ist der Bund Gottes mit dem Menschen dennoch nicht aufgehoben: Gott will weiter die Zukunft des Menschen.
Anselm führt den Begriff der „satisfactio“ ein.

3. In diesen Zusammenhang gehört die Diskussion über die sogenannte Formel „satisfactio aut poena“. In CDh I,13 heißt es: „Necesse est ergo, ut aut ablatus honor solvatur aut poena sequatur.“[198] – ‚Es ist also notwendig, daß entweder geraubte Ehre eingelöst wird oder Strafe folgt.‘ Und in CDh I,15: „. . . necesse est ut omne peccatum satisfactio aut poena sequatur.“[199] – ‚es ist notwendig, daß jeder Sünde Genugtuung oder Strafe folgt.‘

a) ‚satisfactio aut poena‘ als Axiom

Die eben genannten Äußerungen Anselms sind sehr häufig als Grundlage für das Verständnis seines ganzen Werks angesehen worden; nicht zuletzt hat eine bestimmte Auffassung von satisfactio in dieser Terminologie zum Begriff der „Satisfaktionstheorie“ geführt, die Anselm in Cur Deus homo entwickelt habe.
„Der entscheidende Ausgangspunkt für die ganze Argumentation ist die Feststellung, die Sünde müsse notwendigerweise durch Strafe oder durch Genugtuung . . . ordnungsgemäß geregelt . . . werden“,[200] meint R. Schwager und führt dann weiter aus: Anselm „ist überzeugt, durch die Alternative ‚aut poena aut satisfactio‘ einen notwendigen Grund für die christliche Erlösungslehre gefunden zu haben.“[201]
Zum einen wird festgestellt, daß die Formulierung ‚aut poena aut satisfactio‘ als Formel[202] oder als Axiom[203] von Anselm gebraucht werde, und zum anderen, daß diese Formel „die unentbehrliche Grundlage der anselmischen Theorie“[204] sei.

[197] Offb. 21,27 (Übersetzung nach Luther, 1984).
[198] CDh I,13 (II,71,24f.).
[199] CDh I,15 (II,74,1f.).
[200] R. Schwager, 168f.
[201] AaO., 171.
[202] Cf. H.-P. Kopf, 22; H. Kessler, Bedeutung, 96.
[203] Cf. F. Hammer, 133 u. ö.
[204] F. Hammer, 136.

b) Wenn die Formulierung ,satisfactio aut poena' als Formel bzw. Axiom verstanden wird, stellt sich die Frage, ob sie von Anselm selbst formuliert wurde oder ob er die Formulierung übernommen habe. Das letztere ist insofern wichtig, als eine Übernahme aus einer bestimmten Tradition natürlich deren Werte und Vorstellungen mehr oder weniger mitbringt und daher auch die neue Umgebung mitprägt.
Unter der Voraussetzung, daß Anselm die Formulierung nicht selber geprägt hat, vertritt H. Cremer eine germanisch-rechtliche Herkunft: „Aut satisfactio aut poena, Buße d. i. Genugthuung oder Strafe ist die Grundregel des Strafrechts der germanischen Völker".[205] Diese Grundregel habe Anselm vom Strafrecht auf den Erlösungstod Christi übertragen, und damit auch das dem germanischen Strafrecht eigentümliche Verhältnis von poena und satisfactio: „satisfactio und poena schließen einander aus."[206]
Nach Harnack ist die Begrifflichkeit „aut poena aut satisfactio" jedoch auch schon im römischen Privatrecht vorhanden im Sinne von Schadensersatz oder Ersatzstrafe.[207] Mit der Herkunft aus dem Privatrecht wird die Sünde als Entehrung Gottes in die Kategorie der persönlichen Beleidigung eingeordnet: „. . . der mythologische Begriff Gottes als des mächtigen Privatmannes, der seiner beleidigten Ehre wegen zürnt und den Zorn nicht eher aufgiebt, als bis er irgendein mindestens gleich grosses Aequivalent erhalten hat."[208]
Sowohl Cremer als auch Harnack könnten dem Satz Kesslers zustimmen: „Die Formel ist also keine Neuschöpfung Anselms, er setzt sie vielmehr als diskussionslos anerkannt voraus."[209]

c) Bedeutung

Indem Cremer und Harnack beide die These vertreten, daß Anselm den Begriff ,poena aut satisfactio' aus rechtlichem Bereich übernommen haben, stimmen sie in der Entgegensetzung von poena und satisfactio im Hinblick auf Christus überein: „Satisfaction und Strafe schließen einander aus."[210] – „. . . da Christus nicht an unserer Statt Strafe leidet, vielmehr ein Gut aufbringt."[211]

[205] H. Cremer, Wurzeln, 12.
[206] AaO., 10. Ausführlich zu H. Cremers Position siehe H.-P. Kopf, 23–28. Cf. auch G. Greshake, Erlösung, 322. Gegen H. Cremers Position wendet sich scharf E. v. Moeller, „Die angebliche Identität der germanischen Satisfaktio und der ,germanischen Buße' besteht nicht." (633).
[207] So A. v. Harnack, Lehrbuch, 391f.
[208] A. v. Harnack, Lehrbuch, 408. Zu A. v. Harnack cf. H.-P. Kopf, 26f.
[209] H. Kessler, Bedeutung, 96.
[210] H. Cremer, Wurzeln, 10.
[211] A. v. Harnack, Lehrbuch, 402.

Dieser Auffassung stimmen viele Forscher zu[212] – und so ist der Begriff der Satisfaktionstheorie denn auch fast immer in diesem Sinn verstanden worden.
Wenn die Alternative ‚satisfactio aut poena' tatsächlich die Grundvoraussetzung und der Blickwinkel ist, von wo aus Anselm das Christusgeschehen beurteilt, dann wird logischerweise die Alternative als Voraussetzung auch im Erlösungsgeschehen selbst wiederzufinden sein.

4. Beobachtungen

a) Nun ist aber zunächst nachzuprüfen, ob Anselm überhaupt in der Weise von der Alternative ‚poena aut satisfactio' ausgeht, ob er sie übernimmt und als Grundlage versteht.
Im Wortlaut kommt die Alternative zweimal vor, allerdings in unterschiedlicher Formulierung:
1.: „... aut ablatus honor solvatur aut poena sequatur"[213] – ‚... daß entweder geraubte Ehre eingelöst wird oder Strafe folgt'.
2. „... necesse est ut omne peccatum satisfactio aut poena sequatur."[214] – ‚es ist notwendig, daß jeder Sünde Genugtuung oder Strafe folgt.'
Der Sachverhalt ist scheinbar ähnlich, nur ist in der zweiten Formulierung ‚ablatus honor solvatur' durch ‚satisfactio' ersetzt. Es stellt sich deshalb die Frage, ob die Begrifflichkeit ‚poena aut satisfactio' von Anselm überhaupt als ‚Formel' benutzt wird, wo er ein Glied ohne weiteres durch ein anderes ersetzen kann.
Auch ist zu sehen, daß die häufig benutzte Charakterisierung der Alternative ‚aut satisfactio aut poena'[215] kein Zitat aus Cur Deus homo ist, sondern die beiden oben genannten Zitate mischt: das doppelte ‚aut' entstammt CDh I,13, der Begriff ‚satisfactio' CDh I,15. M. E. ist dies schon ein Hinweis darauf, daß Anselm in beiden Fällen nicht einfach eine ‚Formel' zitiert oder benutzt.
b) Zu fragen ist aber, ob die Alternative axiomatischen Charakter hat, das heißt, ob Anselm die genannte Alternative „diskussionslos"[216] einführt.

[212] So etwa R. Schwager: „In seinem Grundsatz spielt er (sc. Anselm) nämlich die Genugtuung gegen die Strafe aus, indem er entweder das eine oder das andere fordert." (183). – C. Klaiber: „Denn von ... der stellvertretenden Übernahme und Büssung der Strafen unserer Sünden ... weiss Anselm nichts" (25). – E. v. Moeller: „Die Anselmsche Satisfaktio ist nicht Strafe." (629). Cf. auch O. Tiililä, 187f.

[213] CDh I,13 (II,71,24f).

[214] CDh I,15 (II,74,1f).

[215] Beispielsweise R. Schwager, 171. 182; L. Heinrichs, 92. 103; H. Cremer, Wurzeln, 12; F. Hammer, 132f. 136.

[216] H. Kessler, Bedeutung, 96.

Als Antwort möchte ich hier vorerst nur einen formalen Hinweis geben. Ein Axiom oder ein Grundsatz steht als Axiom oder Grundsatz logischerweise jeweils zu Anfang der Überlegungen. Auf dem Axiom/Grundsatz bauen dann die weiteren Gedanken des jeweiligen Gedankengangs auf.
Bei Anselm fällt aber auf, daß er in beiden oben genannten Fällen die sogenannten axiomatischen Sätze jeweils am Ende eines Gedankengangs nennt und auch als Schlußfolgerungen einführt: „Necesse est *ergo*“[217] – ‚Notwendig ist also‘ und „Quae duo quoniam sicut sint inconvenientia, ita sunt impossibilia . . .“[218] – ‚Da beide aber ebenso nicht übereinstimmend wie unmöglich sind . . .‘.
Schon von dieser formalen Beobachtung her ist anzufragen, ob denn die als so grundlegend für das gesamte Werk empfundene Alternative wirklich das Axiom ist, auf dem Anselms sogenannte Satisfaktionslehre beruht.
Natürlich muß eine inhaltliche Beobachtung folgen. Dabei ist jedoch die angenommene Alternative von ‚poena‘ und ‚satisfactio‘ nicht aus dem Zusammenhang zu lösen; eine isolierte Betrachtungsweise dieser Alternative verzerrt.
Mit Mönnich ist festzuhalten: „Das Merkwürdige ist, daß man . . . die Frage der Satisfaktion in den Vordergrund gestellt und Anselms Schrift ausschließlich daraufhin geprüft hat.“[219]

5. Ich möchte in diesem Abschnitt versuchen, unter dem besonderen Gesichtspunkt von satisfactio und poena Cur Deus homo I,11 bis II,2 zu befragen, um den Gedankenzusammenhang und die Gedankenfolge Anselms nachzuzeichnen.
a) CDh I,1–10 sind Voraussetzungen und für den eigentlichen Gedankengang hier nicht relevant.[220]
b) Nachdem in CDh I,11 geklärt wird, daß die Sünde in der Störung der Gottesrelation des Menschen besteht,[221] taucht die Frage auf, wie der Mensch aus dieser Situation herauskommen kann. Er bleibt in der Schuld, solange er nicht daraus befreit wird (wobei noch offen ist, ob er das selber kann oder nicht). Diese Befreiung ist aber das Thema von Cur Deus homo.

[217] CDh I,13 (II,71,24). [Hv. vom Vf.]
[218] CDh I,15 (II,73,25–74,1).
[219] „Het merkwaardige is, dat men . . . de vraag van de satisfactie voorop heeft gesteld en Anselmus' geschrift uitsluitend heeft getoetst naar deze leer.“ (C.W. Mönnich, Inhoud, 78 [Übersetzung vom Vf.]).
[220] Zu CDh I,1–10 cf. oben S. 74–78.
[221] Cf. dazu oben S. 79–85.

Und am Ende des Abschnitts taucht zum ersten Mal der Begriff ‚satisfactio' auf: „et haec est satisfactio, quam omnis peccator deo debet facere."[222] – ‚und dies ist die Genugtuung, die jeder Sünder Gott tun muß.'

Das haec steht für die Befreiung aus dem Schuldzustand, die geschehen muß: „Sic ergo debet omnis qui peccat, honorem deo quem rapuit solvere".[223] – ‚So also muß jeder, der sündigt, Gott die Ehre, die er geraubt hat, einlösen.'

Satisfactio wird also eingeführt als etwas, das nötig ist – sonst bleibt der Mensch in der Schuld – und das recht allgemein definiert wird als Befreiung des Menschen aus seiner Schuld.

c) In CDh I,12 wird die Frage gestellt und negativ beantwortet: „Utrum sola misericordia sine omni debiti solutione deceat deum peccatum dimittere"[224] – ‚Ob es Gott geziemt, die Sünde allein durch Barmherzigkeit, ohne alle Abtragung des Geschuldeten, nachzulassen'.

Die negative Beantwortung dieser Frage hat viel Kritik gefunden, weil vermutet wird, daß Anselm hier die iustitia gegen die misericordia dei ausspiele und sich von der Vorstellung des gnädigen Gottes distanziere.[225]

Diese Kritik greift aber zu kurz, auch geht es in CDh I,12 gar nicht um den Gegensatz von misericordia und iustitia, sondern um den Gegensatz von misericordia und iniustitia. Die Sünde einfach so „nachzulassen" hieße, sie nicht zu beachten. Das aber bedeute, daß der Mensch nicht aus seiner Situation befreit würde, die Situation würde nur übersehen, der Mensch bliebe ungerecht, nur würde keiner mehr etwas sagen.

Indem Anselm sich jedoch gegen ein einfaches Nachlassen wendet, – und das ist, wenn man den Gedankengang Anselms nicht weiterverfolgt, mißverständlich – spricht er sich gegen ein Verständnis der „billigen Gnade" aus, gegen eine oberflächliche Auffassung von Sünde und Gnade.

Sünde ist die Zerstörung der Zukunft des Menschen, und Gnade ist bei Anselm kein Prinzip. Anselm weiß darum, daß der Mensch Gott Mühe macht, daß auch Gottes Ehre von der Verkehrung des Menschen mitbetroffen ist. Befreiung ist keine billige Gnade. Von daher ist unter satisfactio nicht ein Erbarmen zu verstehen, welches im Gegensatz zur Ablösung der Schuld steht.

d) Nachdem in CDh I,12 ein unmöglicher Weg aufgewiesen wurde, wird in CDh I,13 wieder auf die vorhandene Situation rekurriert. Der

[222] CDh I,11 (II,69,1f).
[223] CDh I,11 (II,68,29–69,1).
[224] CDh I,12 (II,69,6f).
[225] Ausführlich zu misericordia und iustitia unten S. 164–171.

Mensch ist zur Seligkeit geschaffen, und dieses Ziel hat der Mensch Gott in seiner Sünde verbaut, indem er sich seine eigene Zukunft nahm.
Es besteht also ein unerträglicher Widerspruch zwischen dem Plan Gottes und des Menschen Verhalten bzw. zwischen dem Plan Gottes und dem Sein des Menschen.
In CDh I,12 wurde festgestellt, daß eine billige Gnade keine Lösung bietet, und genau diese Auffassung wird in CDh I,13 aufgenommen. Weil Gott sich selber treu bleibt,[226] gibt es in der Tat eine Alternative: Entweder wird der Mensch aus seiner Schuld erlöst und so seine eigene und die Ehre des Schöpfers befreit, oder der Mensch bleibt in seiner Schuld, der dann selbstverständlich die Strafe folgt.
e) In CDh I,14 taucht dann die Frage auf, ob denn die poena überhaupt eine Ehrung Gottes sein könne. Boso stellt die Frage, und die Antwort Anselms schweift etwas aus. Denn: „Deum impossibile est honorem suum perdere."[227] – ‚Es ist unmöglich, daß Gott seine Ehre verliert.' Von daher wird konsequenterweise auch die Frage, ob denn die poena eine Ehrung Gottes sein kann, zunächst einmal verneint: Nein, da Gott seine Ehre gar nicht verlieren kann, kann sie auch durch Strafe nicht wiederhergestellt werden.
Im Sinne der Wiederherstellung der Ehre ist poena also keinesfalls zu verstehen. Sondern am Schluß von CDh I,14 heißt es: „Auferendo enim peccatorem et quae illius sunt, sibi subiecta esse probat."[228] – ‚Indem er nämlich wegnimmt, zeigt er, daß der Sünder und was ihm gehört, ihm unterworfen sind.'
Das „auferre" steht für poena – und poena geschieht nicht, um irgendetwas wiederherzustellen, sondern um zu verdeutlichen, daß die Sünde, die ja bei Anselm die Kraft des Nichtenden ist, nicht die Herrschaft Gottes (identisch mit der Ehre Gottes[229]) angreifen kann. Ob der Mensch wiederhergestellt wird oder nicht, keinesfalls wird die Herrschaft Gottes in Frage gestellt. Daß der Weg der satisfactio etwas mit der Herrschaft Gottes zu tun hat, wird im Laufe der Untersuchung klar werden. Die poena als Konsequenz des Sündigens ist nur Hinweis auf die Macht Gottes: Sünde ist Angriff auf das Ebenbild Gottes und zieht von daher – quasi als ‚Tun-Ergehen-Zusammenhang' – die Strafe nach sich.
f) In CDh I,15 fragt Boso konsequenterweise weiter nach der Ehre Gottes. Wenn Ehre und Herrschaft Gottes zu identifizieren sind, dann ist doch zu fragen: „Si deus vel ad modicum patiatur honorem suum

[226] CDh I,13 (II,71,25) („Alioquin aut sibi deus ipsi iustus non erit. . .").
[227] CDh I,14 (II,72,8).
[228] CDh I,14 (II,72,21f).
[229] Cf. dazu R. Hermann, Anselms Lehre, 376–379.

violari“[230] – ‚ob Gott es zuläßt, daß seine Ehre auch nur ein bißchen verletzt wird‘. Auch diese Frage wird verneint, weil die Sünde nicht die Ehre Gottes, sondern die Ehre des Menschen betrifft:[231] „Palam igitur est quia deum, quantum in se ipso est, nullus potest honorare vel exhonorare.“[232] – ‚Also ist klar, daß keiner Gott, soweit es sich auf ihn selber bezieht, ehren oder entehren kann.‘

Kurz bevor diese Feststellung getroffen wird, taucht die Alternative ‚satisfactio aut poena‘ auf. Sie steht innerhalb des Argumentationsganges um die verletzte Ehre oder Herrschaft Gottes – und da zwei Dinge unmöglich sind, bleiben als Möglichkeiten nur poena und satisfactio. Denn:

i. Unmöglich ist, daß Gott eine Verunstaltung – „deformitas“[233] – des Alls zuläßt. Der Mensch verletzt in seiner Sünde die Ordnung und Schönheit der Welt, soweit er es überhaupt kann.[234] Und wie wir wissen, trifft er mit seinem Tun sich selber. Das ist die Voraussetzung, um zu verstehen, was Anselm hier ausschließt. Er rekurriert auf die Verneinung der Barmherzigkeit aus Kapitel CDh I,12. Dort war eine Barmherzigkeit von Anselm ausgeschlossen worden, die den Menschen in seiner Schuld beläßt, die ihn nicht gerecht macht, sondern die faktisch im Nichthinschauen Gottes bestünde. Solche Barmherzigkeit ist, wie im weiteren Verlauf zu sehen sein wird, eigentlich keine Barmherzigkeit, sondern Unbarmherzigkeit.[235] Wenn das aber Gottes Reaktion auf die Sünde wäre, dann hieße das, daß er die Sünde als Zerstörung der Ordnung und Schönheit der Schöpfung stehen ließe – damit wäre im All eine „deformitas“ da.[236]

Diese deformitas aber paßt nicht zur Herrschaft Gottes; daraus folgt:

ii. Unmöglich ist, daß Gott in seiner Leitung versagend erscheint.[237]

Hier nimmt Anselm Bezug auf die Herrschaft der Sünde. Würde Gott gar nicht auf die Sünde reagieren oder nur so reagieren, könnte seine Herrschaft in Frage gestellt werden. Das aber widerspricht dem Got-

[230] CDh I,15 (II,72,24).
[231] Cf. oben S. 112–143.
[232] CDh I,15 (II,74,4f).
[233] CDh I,15 (II,73,24).
[234] Cf. CDh I,15 (II,73,8f).
[235] Cf. dazu G. Gäde, 267ff sowie unten S. 164–175.
[236] ‚Ordo‘ und ‚pulchritudo‘ sind keine isoliert zu betrachtenden Begriffe (H. Kessler neigt dazu, ‚ordo‘ zu verselbständigen, und versteht ihn m. E. daher falsch). Unter ‚ordo‘ versteht Anselm das rechte Verhältnis zu Gott, das im Gehorsam besteht (Cf. CDh I,15–II,72,31–73,2), unter ‚pulchritudo‘ ist einerseits das Einhalten als Ergebnis dieses Gehorsams zu verstehen, andererseits kann Anselm das Ergebnis seines ganzen Werks ‚pulchritudo‘ nennen (Cf. CDh I,1–II,48,9 und unten S. 199–201). Hier ist aber wohl eher das erstere gemeint.
[237] Cf. CDh I,15 (II,73,10–74,2).

tesverständnis: Voraussetzung alles Nachdenkens ist die Herrschaft Gottes.[238]
Diese Herrschaft kann der Mensch nicht zerstören, kann ihr auch nicht entfliehen, sondern bleibt bei satisfactio und poena unter ihr.[239] Eine Zwischenstufe zwischen ‚satisfactio' und ‚poena' ist von Anselm ausgeschlossen – und so beschäftigt sich ein großer folgender Teil mit dem Verhältnis von Strafe und Genugtuung. Gottes Ehre ist zwar nicht betroffen, wohl aber des Menschen Ehre, Partner Gottes sein zu dürfen. *Bleibt* der Mensch ein Verlorener oder nicht?
g) In den Kapiteln CDh I,16–18[240] beschäftigt sich Anselm mit der Frage nach dem Verhältnis von Schöpfung und Bund:[241] Von Anfang an hatte Gott das Ziel, mit Menschen Gemeinschaft zu haben – das war und ist sein Bund, seine Verheißung. Der Exkurs ist für Boso und damit für das Verständnis „non frustra"[242] geschehen.
h) Aus der offenen Frage nach der Zukunft des Menschen abgesehen von Gottes Heilsplan folgt jetzt das Bedenken unter Berücksichtigung des Wissens um Gottes Ziel mit dem Menschen. „Quod homo non possit salvari sine peccati satisfactione"[243] – ‚Daß der Mensch nicht gerettet werden kann ohne Genugtuung für die Sünde', so lautet die Überschrift über Kapitel CDh I,19. Eigentlich nimmt dieses 19. Kapitel nur zwei Voraussetzungen aus Kapitel I,10 auf: „et constet inter nos hominem esse factum ad beatitudinem, quae in hac vita haberi non potest, nec ad illam posse pervenire quemquam nisi dimissis peccatis"[244] – ‚und es stehe unter uns fest, daß der Mensch für die Seligkeit geschaffen wurde, die in diesem Leben nicht gehabt werden kann, und daß niemand dahin gelange ohne Nachlaß der Sünden'.
Nur ist der Begriff „dimissis peccatis" aus CDh I,10 in CDh I,19 ersetzt durch „peccati satisfactione". Das hat seinen Grund in der Ablehnung des Nachlassens ‚sola misericordia'[245] in CDh I,12, in dem Sich-Nicht-zufriedengeben mit dem Stehenlassen der Sünde, ohne sie vom Menschen wegzunehmen.
Die Vorausetzung aus CDh I,10, daß die Sünde nachgelassen werden muß, bleibt bestehen, die Frage ist nur: Was für ein Nachlaß ist es?
In CDh I,19 wird diese Frage eindeutig beantwortet: Es muß ein Nachlassen sein, welches den Menschen mit Gott gemeinschaftsfähig

[238] Eben das erste Gebot.
[239] Siehe CDh I,15 (II,73,14–19).
[240] CDh I, 16–18 (II,74,8–84,3).
[241] S. o. S. 98–106.
[242] CDh I,18 (II,84,3).
[243] CDh I,19 (II,84,5).
[244] CDh I,10 (II,67,13–15).
[245] Cf. dazu sehr gut und ausführlich G. Gäde, 267ff.

macht,[246] welches ihn von seiner Schuld reinigt. Anselm gebraucht hier das Bild der Perle, die durch Kot verschmutzt ist und deshalb ohne Reinigung[247] nicht ins Schatzkästlein aufgenommen werden kann, sonst würden das Schatzkästlein und die anderen dort befindlichen Perlen mitverschmutzt werden.

CDh I,19 möchte also konkretisieren: es muß ein Nachlassen sein, welches den Menschen von seiner Schuld reinigt und so mit Gott gemeinschaftsfähig macht. Das nennt Anselm satisfactio: Das Ziel Gottes mit dem Menschen ist die Aufnahme in die beatitudo; allerdings steht der Mensch dazu im Widerspruch: „Tene igitur certissime quia sine satisfactione, id est sine debiti solutione spontanea . . ."[248] – ‚Halte also für ganz gewiß, daß ohne Genugtuung, das ist ohne freiwillige Abtragung der Schuld, . . .'[249] der Mensch nicht wiederhergestellt würde.

i) In CDh I,20 bis CDh I,24 geht es um die Frage nach der Größe der Reinigung und damit zusammenhängend auch um die Größe der Sünde.

Zunächst wird in CDh I,20 geklärt: „Quod secundum mensuram peccati oporteat esse satisfactionem"[250] – ‚Daß die Genugtuung nach dem Maß der Sünde geschehen muß'.

Die Forderung ist, wenn man von der Sünde als Verunstaltung und Verunreinigung herkommt, verständlich – eine vollständige Reinigung, die keine Schmutzreste hinterläßt, hängt vom Maß der Verschmutzung ab.

Das ist die Grundvoraussetzung, um ein Verständnis von satisfactio zu erreichen, welches eine Veränderung der menschlichen Situation bewirkt.

[246] Cf. CDh I,19 (II,84,9–13). Anselm nimmt hier die Begrifflichkeit aus CDh I,16–18 auf.

[247] Cf. dazu oben S. 79–85 gegen ein schematisches und oberflächliches Verständnis der Sünde bei Anselm in diesem Bild.

[248] CDh I,19 (II,85,28–31).

[249] Im Anschluß daran erwägt Boso, ob nicht doch ‚Vergebung' möglich wäre – schließlich bitte man im Vaterunser doch um Vergebung der Schuld. Darauf antwortet Anselm: „Qui non solvit, frustra dicit: ‚dimitte'." (CDh I,19–II,86,6) – Wer nicht abträgt, spricht vergebens: vergib. Anselm antwortet hier kurz und mißverständlich, jedoch macht sein letzter Satz klar, warum er hier abblockt: „Cum enim cognosces cur Christus est mortuus, forsitan per te videbis quod quaeris." (CDh I,19–II,86,10f.) – Denn wenn du erkennen wirst, warum Christus gestorben ist, wirst du vielleicht von selbst einsehen, was du fragst. Das deutet schon auf Anselms Ziel hin: Ein anderes Verständnis von Vergebung ist nötig, eins, das Veränderung mit sich bringt. Dieses Verständnis der Vergebung wird jedoch erst aus dem Verständnis des Todes Christi klar. Anselm denkt hier schon klar von der Axiomatik der Christologie für die Gotteserkenntnis her.

[250] CDh I,20 (II,86,17).

Es muß also im Folgenden die Größe der Sünde beschrieben werden, um zu einem ausreichenden Verständnis des Sündennachlasses zu kommen. Auffällig ist in der Anordnung der anselmischen Argumentation, daß jetzt erst im eigentlichen Sinne die Hamartiologie folgt. Anselms Verständnis von Sünde wird erst anhand der Heilsgeschichte und der Beziehung von Bund und Schöpfung entwickelt, ist also als aposteriorische Hamartiologie zu bezeichnen.

Die Überschrift von CDh I,11 „Quid sit peccare et pro peccato satisfacere"[251] – ‚Was sündigen und für die Sünde genugtun ist', findet eigentlich erst in CDh I,20ff ihre genaue Antwort.

Nachdem die Voraussetzung der Adäquatheit von Sünde und Reinigung festgestellt ist, ist schon abzusehen: „nec homo eam (sc. satisfactionem) per se facere possit."[252] – ‚daß der Mensch sie (sc. die Genugtuung) nicht aus sich leisten kann.'

Denn, so macht Kapitel I,20 klar, alles, was der Mensch versucht, um mit seinem Wirken aus dem Stand der Ungerechtigkeit in den der Gerechtigkeit zu gelangen, ist sowieso schon das, was Gott erwartet: Der Mensch kann sich mit seinen Werken vor Gott kein Verdienst erwerben, um gerecht zu werden.

In Kapitel CDh I,21 wird in einem neuen, quasi parallelen Beweisverfahren versucht, weiterzukommen.

Angenommen, so Anselm, der Mensch könne gute Werke tun: würden sie zur Reinigung des Menschen ausreichen?

Die Antwort ist negativ, weil, wie ja in CDh I,20 festgestellt, das Maß von Sünde und Reinigung sich entsprechen muß, da es ja sonst keine ganze, totale Reinigung wäre – das aber ist nötig, um gerecht zu werden.

Die Sünde besteht, das wurde schon in CDh I,11ff genannt, in der Entehrung Gottes, d. h. im Nichtgehorsam gegenüber Gott, in der Mißachtung des 1. Gebots.[253] Sünde ist das Handeln des Menschen gegen Gottes Willen. Weil es aber ein Tun gegen den Willen Gottes ist, reicht kein Handeln des Menschen aus, um es auszugleichen. Das Maß ist nicht menschenmöglich![254]

Das Ergebnis ist also nach CDh I,20 und I,21 identisch und gleichsam doppelt abgesichert: Der Mensch kann sich selber nicht reinigen.

[251] CDh I,11 (II,68,2).

[252] CDh I,20 (II,86,17f).

[253] Oder, wie G. Gäde sagt: „. . . in der Vergötterung kreatürlicher Wirklichkeit" (91).

[254] G. Gäde sieht auch hier die Grundfigur des „aliquid quo nihil maius cogitari possit" als Grundlage der Argumentation erscheinen. Sicherlich steht sie im anselmischen Gottesbegriff dahinter und klingt vielleicht hier oder dort an, etwa: „Non habeo aliquid maius. . ." (CDh I,21–II,89,20). Jedoch ist m. E. diese richtige Feststellung überstrapaziert, wollte man sie zur Grundlage des gesamten Gedankenganges Anselms machen.

Kap. CDh I,22 nimmt Bezug auf die Erbsünde. Seit der Sünde Adams ist das menschliche Geschlecht mit diesem Makel versehen: Jeder Mensch „ex vulnere primi peccati concipitur et nascitur in peccato."[255] – ‚wird aus der Wunde der ersten Sünde empfangen und in Sünde geboren.'[256]
Dies ist eine Befleckung der menschlichen Natur, die auch gereinigt werden muß. Aber die Erbsünde macht deutlich, daß sich der Mensch in einem Teufelskreis befindet – er vermag nicht, der Sünde zu entrinnen. Kap. CDh I,23 weist hin auf den heilsgeschichtlichen Ort der Sünde: „Nonne abstulit (sc. homo) deo, quidquid de humana natura facere proposuerat?"[257] – ‚Raubte er Gott nicht alles, was er sich mit der menschlichen Natur zu tun vorgenommen hatte?'
Der Mensch nahm Gott die Zukunft des Menschen, und zwar nicht nur die des einzelnen. Hier nimmt Anselm die soziale Komponente der Sünde mit auf: Nicht nur sich selbst hat der Sünder zu rechtfertigen, sondern erst dann ist das Ziel erreicht, wenn die Zahl der Gerechten dem Bundesplan Gottes entspricht: Reinigung des Menschen ist keine individualistische Tat! „Sed hoc facere nullatenus potest peccator homo, quia peccator peccatorem iustificare nequit."[268] – ‚Das aber kann niemals der sündige Mensch tun, weil kein Sünder einen Sünder rechtfertigen kann.'
So steht am Ende dieses Abschnitts wieder die Feststellung, daß der Mensch sich selbst nicht retten kann.
Boso beginnt schon zu verzweifeln und sieht sowohl die Barmherzigkeit Gottes wie auch jegliche Hoffnung des Menschen schwinden – doch Anselm ist in CDh I,24 noch einer Steigerung fähig:
Denn selbst das in den letzten vier Kapiteln immer wieder auftauchende Ergebnis: Der Mensch kann sich selber nicht reinigen, kann sich nicht mit Gott gemeinschaftsfähig machen, zeigt die Schuld des Menschen; auch das ‚Nicht-Können' ist eine Konsequenz des Sündenfalls. Boso gibt zu: „Nam iniustus est, quia non reddit, et iniustus est, quia reddere nequit."[259] – ‚Denn ungerecht ist er, weil er nicht zurückgibt, und ungerecht, weil er nicht zurückgeben kann.'

[255] CDh I,22 (II,90,23f).
[256] Auffällig ist in der gesamten Aufreihung von CDh I,20 bis I,23, daß Augustin zustimmend vor allem in CDh I,22 (concipitur . . . in peccato – II,90,24) aufgenommen wird. Zugleich aber ist Anselms Sündenverständnis weiter, ohne weniger tief zu sein, relationaler in der Zerstörung des Verhältnisses Mensch–Gott zu sehen und nicht so substanzhaft wie bei Augustin.
[257] CDh I,23 (II,91,8).
[258] CDh I,23 (II,91,24–26).
[259] CDh I,24 (II,93,5f).

Als conclusio bleibt stehen: „Qui ergo non solvit deo quod debet, non poterit esse beatus."[260] – ‚Wer also Gott nicht abträgt, was er schuldet, wird nicht selig sein können.'
Angesichts dieses trostlosen Zustandes kann Boso nur einsehen: „Et grave nimis est, et ita esse necesse est."[261] – ‚Es ist allzuhart und es ist notwendig, daß es so ist.'
Anselm kommt dann auf die Bemerkung Bosos am Ende von CDh I,23 zurück, daß die Barmherzigkeit Gottes und die Hoffnung des Menschen zugrunde gingen, wenn der Mensch nicht selig würde,[262] wenn Gottes Plan mit dem Menschen nicht erfüllt würde. Anselm nimmt den Begriff der Barmherzigkeit auf und erwägt, ob denn das, was Boso darunter versteht, mit Gott zu vereinbaren sei – das Ergebnis ist negativ: „Sed derisio est, ut talis misericordia deo attribuatur."[263] – ‚Es ist aber ein Hohn, Gott eine solche Barmherzigkeit zuzuschreiben.'
Denn solche Barmherzigkeit stünde gegen die Gerechtigkeit Gottes, die der Sünde die Strafe folgen läßt. Weil aber die Eigenschaften Gottes nach Anselm wirkliche Wesenszüge Gottes sind und nicht ihm (bloß) zugeschriebene, kann es zwischen den Eigenschaften Gottes keinen Widerspruch geben.
Jede Eigenschaft ist identisch mit Gott selber,[264] und von daher kann Gottes Barmherzigkeit Gottes Gerechtigkeit nicht widersprechen.
Eine ‚billige Gnade' widerspricht dem Wesen Gottes!
Boso antwortet darauf: „Aliam misericordiam dei video esse quaerendam quam istam."[265] – ‚Ich sehe, daß eine andere Barmherzigkeit Gottes als diese gesucht werden muß.'[266] Boso beurteilt aber den Weg der Gerechtigkeit und der Barmherzigkeit als sich ausschließende Strekken: „Si rationem sequitur deus iustitiae, non est qua evadat miser homuncio, et misericordia dei perire videtur."[267] – ‚Wenn Gott der Begründung der Gerechtigkeit folgt, so ist kein Weg, auf dem das arme

[260] CDh I,24 (II,93,11).
[261] CDh I,24 (II,93,3).
[262] CDh I,23 (II,91,27–29).
[263] CDh I,24 (II,93,20).
[264] Cf. Monol. XVII (I,45,1–22); Prosl. XII (I,110,4–8).
[265] CDh I,24 (II,93,29).
[266] Auf dieser Stelle beruht im Zentralen die Arbeit von G. Gäde. Boso und die Juden und Moslems, für die Boso spricht, hätten ein falsches Vorverständnis von Barmherzigkeit, weil sie Barmherzigkeit mit ihren Vorstellungen füllen. Anselm aber verstehe misericordia als eine Aufnahme des Zentralsatzes des zweiten Kapitels des Proslogion: aliquid quo nihil maius cogitari potest (P 2 [I,101,5]). Diese Beobachtung hat darin ihren Reiz, daß sie die Wendestelle des Boso aufnimmt und betont – und mit Konsequenzen aus dem Proslogion hier die Grundentscheidung fallen soll. Jedoch ist m. E. damit die Frage nach der Barmherzigkeit vom gesamten Gedankengang isoliert worden.
[267] CDh I,24 (II,94,8f).

Menschlein entweichen kann, und die Barmherzigkeit Gottes scheint unterzugehen.'

Daraufhin unterscheidet Anselm eine angemessene Barmherzigkeit von einer unangemessenen. Wenn Gott barmherzig ist – ob er das ist, steht noch dahin – , dann kann die Barmherzigkeit nicht im Widerspruch stehen zum Wesen Gottes.

Diese Barmherzigkeit schließt satisfactio ein, allerdings, wie vorhin erwähnt, keine menschliche.

Am Ende des Gedankengangs CDh I,20–24 besteht das wichtigste Ergebnis darin, daß dem Menschen die Fähigkeit abzusprechen ist, sich selbst zu erretten. Das geschieht mit mehreren Begründungen:

- der Mensch kann sich selber nicht erretten, weil er Gott nichts gibt. (I,20)
- selbst wenn der Mensch von sich aus gute Werke tut, so reichen sie nicht hin bis zu Gott (CDh I,21)
- weil der Mensch nie einem anderen Sünde abgelten kann (I,22)
- weil der Mensch den Heilsplan Gottes stört, indem er sich seine eigene Zukunft verbaut (I,23)
- weil auch sein Stehen in der Sünde es unmöglich macht, daß der Mensch sich selber befreit.

Diese Gründe machen das Dilemma erneut klar. Entweder wird der Mensch gerettet oder er bleibt in Gottes Schuld. Der Mensch kann sich nicht retten – der Widerspruch des Menschen zum Plan Gottes ist deutlich.

j) Das erste Buch schließt ab mit dem 25. Kapitel, das mit der Beschreibung des eben genannten Problems einsetzt.[268] Im wesentlichen dient dieses Kapitel der Bündelung der bisherigen Ergebnisse und dem Ausblick auf das noch Bevorstehende.

Als Zusammenfassung des bisher Erarbeiteten heißt es: „ut . . . peccatorem hominem hoc debere deo pro peccato quod et reddere nequit, et nisi reddiderit salvari non valet"[269] – ‚wie . . . der Mensch als Sünder Gott für die Sünde das geben soll, was er nicht zurückgeben kann, und wie er, wenn er es nicht einlöst, nicht gerettet werden kann'.

Was jetzt noch bevorsteht, ist 1. die Erkenntnis, das Verstehen all dessen, was man von Christus glaubt, 2. wie dies zum Heil des Menschen dient und 3. wie Gott dies aus Barmherzigkeit tut, obwohl doch gerade sie verloren zu gehen droht.[270]

Die Überschrift über CDh I,25 „Quod ex necessitate per Christum salvetur homo"[271] – ‚Daß der Mensch notwendigerweise durch Christus

[268] Siehe CDh I,25 (II,94,26–18).
[269] CDh I,25 (II,96,8f).
[270] Cf. CDh I,25 (II,96,9–15).
[271] CDh I,25 (II,94,25).

gerettet wird', ist nicht so sehr als das Ergebnis des bisherigen Weges zu sehen, sondern eher schon in Zusammenhang mit dem, was noch bevorsteht. Die Überschrift über CDh I,25 ist schon die Überschrift über Buch II.

k) Ein kurzer Vorblick auf den Anfang des zweiten Buches ist nötig, um ein deutlicheres Verständnis von Anselms Auffassung von ‚poena' und ‚satisfactio' zu erhalten.

i. Kap. CDh II,1 nimmt die Kapitel I,16–19 auf: „Hominem factum esse iustum ut beatus esset."[272] – ‚Daß der Mensch gerecht erschaffen wurde, um selig zu sein.' Von Anfang der Schöpfung an steht Gottes Bund mit den Menschen fest: Er will Gemeinschaft mit ihnen. Die Schöpfung zeigt den Menschen als gerechtes, Gott rechtes Geschöpf. In diesem Zustand ist der Mensch gemeinschaftsfähig. Auch im zweiten Buch setzt Anselm ein mit dem Bund Gottes, der vor aller menschlichen Sünde steht.

ii. Kap. CDh II,2 beschreibt, daß die ursprüngliche Unsterblichkeit des Menschen durch die Sünde, die den Tod als Folge oder Sold mit sich bringe, nicht mehr sei.

iii. Kap. CDh II,3 zieht aus Kap. CDh II,2 Konsequenzen: „Nihil iustius aut convenientius intelligitur quam ut, sicut homo, si perseverasset in iustitia, totus, id est anima et corpore, aeterne beatus esset, ita si perseverat in iniustitia, totus similiter aeterne miser sit."[273] – ‚Es kann nichts als gerechter oder angemessener eingesehen werden, als daß, wie der Mensch, wenn er in der Gerechtigkeit verharrt hätte, ganz, das heißt mit Seele und Leib, ewig selig sein würde, wie wenn er in der Ungerechtigkeit verharrt, in ähnlicher Weise ganz ewig unselig ist.' Der Zustand der Gerechtigkeit verheißt dem Menschen ‚tota beatitudo', der Zustand der Ungerechtigkeit das Gegenteil.

iv. Kap. CDh II,4 kommt zurück auf Gottes Bund mit dem Menschen und stellt gegen die Sündhaftigkeit und ewige Verlorenheit des Menschen die Gültigkeit des Bundes Gottes, seine Treue. „Quod de humana natura perficiet deus quod incepit."[274] – ‚Daß Gott das, was er mit der menschlichen Natur angefangen hat, vollendet.'

Diese Aussage Anselms ist die Antwort auf Bosos Verzagen, daß die Barmherzigkeit Gottes und die Hoffnung des Menschen zunichte zu gehen drohen[275] – jetzt ist dieser Satz, dieses „Dennoch" der Treue Gottes die einzige Hoffnung des Menschen, und wohl auch schon ein Voranzeiger auf die „aliam misericordiam dei."[276]

[272] CDh II,1 (II,97,3).
[273] CDh II,3 (II,98,23–25).
[274] CDh II,4 (II,99,2).
[275] S. o. S. 71–74.
[276] CDh I,24 (II,93,29).

6. „poena“

Um zu verstehen, was Anselm mit der Alternative ‚satisfactio aut poena‘ meint, ist es nötig, die Begriffe poena und satisfactio zu erläutern.

Zunächst taucht der Begriff des Strafens in CDh I,12 auf – dort heißt es, daß Gott nicht ‚sola misericordia‘ vergeben könne, weil sonst die Sünde nicht bestraft und also ungeordnet gelassen werde.[277] Die Sünde ungeordnet zu lassen, hieße aber, der Ungerechtigkeit mehr Freiheit als der Gerechtigkeit zuzubilligen – und das sei nicht denkbar.[278]

Der Sünde muß also Strafe folgen. Am Ende von CDh I,13 taucht dann zum ersten Mal die Alternative auf: „aut ablatus honor solvatur aut poena sequatur“[279] – ‚daß die geraubte Ehre eingelöst wird oder Strafe folgt‘, die dann sinngemäß in CDh I,15 wiederholt wird: „satisfactio aut poena“[280] – ‚Genugtuung oder Strafe‘.

Zumeist ist in der Diskussion der juristische Charakter[281] oder die Grundsätzlichkeit[282] betont worden – aber nur selten ist gefragt worden, worin bei Anselm denn eigentlich die Strafe besteht.

a) Die Situation des Sünders ist, wie wir vor allem aus Kap. CDh I,19 gehört haben, der Widerspruch zum Ziel Gottes. So, wie der Sünder ist, kann er die Seligkeit, die ewige Gemeinschaft mit Gott nicht erlangen. Das ist zunächst das, was für den Menschen die Folge seiner Sünde, seines Widerspruchs zu Gott ist: „Die Strafe . . . besteht im Verlust der ewigen Seligkeit.“[283]

Dies ist für den Menschen ganz sicher Strafe dafür, der Gemeinschaft mit Gott nicht mehr fähig zu sein.[284] Die Strafe ist hier ganz im Schema des Tun-Ergehen-Zusammenhangs zu sehen – der Verlust der Seligkeit folgt ganz automatisch, ja ist in der Sünde implizit schon vorhanden: Die Entehrung des Menschen ist seine Verunreinigung. Die Strafe besteht darin, daß der Mensch nur noch als iniustus gesehen werden kann.

b) Aber Anselm wird noch konkreter – und diese Konkretion hat dann auch Konsequenzen für die Sicht des Weges Jesu.

[277] Siehe CDh I,12 (II,69,11-13).

[278] Siehe CDh I,12 (II,69,27.30).

[279] CDh I,13 (II,71,24f).

[280] CDh I,15 (II,74,1f).

[281] Cf. dazu A. v. Harnack (s. A V).

[282] H. Kessler, Bedeutung, 96 u. öfter.

[283] G. Gäde, 94. So auch EKZ 1834, 13: „Die Strafe ist dem Anselm in und mit der Sünde selbst als Abfall von Gott gesetzt; denn sie ist ihm wesentlich der Verlust der Seligkeit“.

[284] G. Gäde, 97: „Verlust der Gemeinschaft mit Gott“.

In CDh II,2 heißt es über den Menschen: „Quod non moreretur, si non peccasset."[285] – ‚Daß er nicht sterben würde, wenn er nicht gesündigt hätte.'
Für den Menschen, der als Gerechter erschaffen wurde, war der Tod eigentlich keine Möglichkeit, sondern die Unsterblichkeit war vorgesehen.
Doch das gilt nur für den Menschen, wenn er nicht gesündigt hätte – weil er aber gesündigt hat, kommt dieses Nichtsterben für ihn nicht mehr in Frage, sondern der Tod ist die Folge der Sünde.
Deutlicher heißt es in CDh I,22: „. . .ut peccaret, unde iuste incurrit poenam mortalitatis"[286] – ‚so daß er sündigte, wodurch er sich gerechterweise die Strafe der Sterblichkeit zuzog'.
Hier wird eindeutig die Sterblichkeit und damit der Tod als Konsequenz der Sünde, als Strafe bezeichnet.
Die Strafe ist bei Anselm beim Namen genannt: der Tod.[287] Leider ist diese Erkenntnis m. E. bisher zu wenig beachtet worden – erst wenn diese Folgerung klar ist, kann man Anselms Alternative verstehen: poena aut satisfactio – Tod oder Seligkeit.

7. „satisfactio"

Dieser Begriff hat dem anselmischen Ansatz seinen Namen gegeben: Satisfaktionstheorie. Allerdings ist es nötig, zunächst Anselm selber sagen zu lassen, was ‚satisfactio' bei ihm heißt.
a) Sehr häufig wurde ein Verständnis von satisfactio schon dadurch festgelegt, daß man um die Herkunft dieses Begriffs wußte – und damit war dann auch Anselms Verwendung festgeschrieben. So wurden die Thesen aufgestellt, Anselm habe den Begriff aus römischem[288] oder germanischem[289] Recht entlehnt, oder aus der altkirchlichen Bußpraxis,[290] sogar genauer aus der Regel Benedikts[291] entnommen.[292]
Eine genaue Entscheidung zu treffen, ist m. E. nicht möglich, da die jeweiligen Anhaltspunkte sehr vage sind.
Aber selbst bei einer Entscheidung für eine bestimmte Herkunft bleibt die methodische Voraussetzung Mönnichs maßgeblich. Zwar bezieht

285 CDh II,2 (II,98,7). Cf. auch Mon. LXIX (I,79,10–80,6).
286 CDh I,22 (II,90,21). Cf. auch CDh II,10 (II,106,10) und CDh II,11 (II,109,8f).
287 Anselm bezieht sich hier exegetisch klar auf Röm 6,23: „Der Tod ist der Sünde Sold."
288 Etwa A. Deneffe, Wort, 172f.
289 H. Cremer, Der germanische Satisfaktionsbegriff; ders., Wurzeln.
290 F. Loofs, 407–417.
291 G. Mansini, 121.
292 G. Gäde gibt einen kurzen Überblick, sagt dann, daß die „Klärung dieser Frage . . . nicht entscheidend" (99) sei, entscheidet sich dann aber doch für eine germanische Herkunft.

er selber Stellung: „Gewiß stammen Begriffe wie debitum, satisfactio, meritum aus der Sphäre der kirchlichen Bußpraxis; die älteren dogmenhistorischen Untersuchungen haben das ausreichend deutlich gemacht",[293] doch fährt er sogleich fort: „Aber Anselm handhabt sie mit einer neuen Interpretation".[294] Das ist überhaupt die einzige Möglichkeit, Anselms Verwendung dieses Begriffs zu verstehen.[295]
b) Der Sache, aber nicht dem Begriff nach, taucht die ‚satisfactio' zum ersten Mal am Ende von CDh I,10 auf: „Necessaria est igitur homini peccatorum remissio, ut ad beatitudinem perveniat."[296] – ‚Notwendig ist dem Menschen also die Nachlassung der Sünden, um zur Seligkeit zu gelangen.'
Die Rede ist hier vom Nachlaß der Sünden – das ist die Grundbestimmung dessen, was Anselm mit ‚satisfactio' meint. In CDh I,11 wird aufgezeigt, daß des Menschen Sünde in der Zerstörung der Relation Mensch–Gott besteht (Ehre Gottes!). Diese zerstörte Relation wiederherzustellen, ist satisfactio: „Sic ergo debet omnis qui peccat, honorem deo quem rapuit solvere; et haec est satisfactio, quam omnis peccator deo debet facere."[297] – ‚So also muß jeder, der sündigt, Gott die Ehre, die er geraubt hat, einlösen; und das ist die Genugtuung, die jeder Sünder Gott tun muß.'
In CDh I,12 wird geklärt, daß der Nachlaß der Sünden, der ja mit satisfactio gemeint ist, nicht sola misericordia geschehen kann.[298] Die Folge ist, daß am Ende von Kap. I,13 die Alternative steht: Entweder geschieht trotzdem, nur anders als auf dem Weg der ‚billigen Gnade', ein Nachlaß der Sünden, oder dem Sünder ist das Todesurteil gesprochen. In CDh I,14 und 15 wird, wie oben gezeigt,[299] geklärt, daß nicht Gottes, sondern des Menschen Ehre durch die Sünde angetastet ist, und demzufolge ist der geforderte Nachlaß der Sünden des Menschen wegen nötig.
Es geht also um die Zukunft des Menschen – dazu ist der Sündennachlaß nötig. Aber der Mensch vermag selber nicht diese satisfactio zu

[293] C. W. Mönnich, Inhoud, 101: „Stellig stammen begrippen als debitum, satisfactio, meritum uit de sfeer van de kerkelijke boetepraktijk; de oudere dogmenhistorische onderzoekingen hebben dat voldoende duidelijk gemaakd" (Übersetzung vom Vf.).
[294] Ebd.: „Maar Anselmus hanteert ze met een nieuwe interpretatie" (Übersetzung vom Vf.). Cf. auch J. McIntyre, St. Anselm, 86.
[295] Cf. auch R. Schwager, 168: „. . .muß zunächst gefragt werden, . . . was seine Formulierung ‚die Sünde ordnungsgemäß regeln' und sein Begriff ‚Satisfaktion' . . . letztlich meinen".
[296] CDh I,10 (II,67,18f).
[297] CDh I,11 (II,68,29–69,2).
[298] S. o. S. 85–98.
[299] S. o. S. 98–106.

leisten; er kann seine Sünde nicht ausgleichen. Er kann nicht das schaffen, was nötig ist für sein Heil.[300]
'Satisfactio' ist so gesehen ein anderes Wort für die Reinigung des Menschen, für dessen Gerecht-machung, Rechtfertigung, für das Ziel des Bundes Gottes. „Daraus ergibt sich, daß Gott in sich nicht der Genugtuung bedarf und daß nicht sein Zorn besänftigt, sondern die rechte Ordnung zwischen dem sündigenden Geschöpf und dem Schöpfer wiederhergestellt werden muß.“[301]
Es geht also bei Anselm nicht darum, daß Gott etwas gegeben oder bezahlt wird, damit seine Ehre wiederhergestellt werde; da aber Gottes Ehre nicht einmal verletzt werden kann, sondern der Mensch in der Nichtehrung Gottes, im Verstoßen gegen das 1. Gebot sich selber entehrt, zerstört er seine eigene Zukunft, die Gemeinschaft mit Gott. Diese will und soll wiederhergestellt werden, das meint ‚satisfactio‘. Die Genugtuung „ist das Befreitwerden von der Sünde“[302] – zu verstehen also nicht als juristischer, sondern als theologischer Begriff.[303]
Richtig sagt Gäde: „Anselm meint mit diesem Begriff die Abtragung der Schuld“[304] – für den Menschen ist „‚satisfactio‘ als Freiheitsmoment“[305] zu verstehen.
Gottes Ziel mit dem Menschen ist die beatitudo, die ewige Gemeinschaft mit ihm. Dem widerspricht die Befindlichkeit des Menschen. Aber weil Gott seinen Bund nicht gekündigt hat und die Marschrichtung aus CDh II,4 (Das Dennoch Gottes) bekannt ist, ist auch nach CDh I,25 („Quod ex necessitate per Christum salvetur homo“[306] – ‚Daß der Mensch notwendigerweise durch Christus gerettet wird‘) deutlich: „Die ‚Satisfaction‘ ist so der Weg, auf dem Gott seine Schöpfung majestätisch zu dem ihr unverrückbar gesetzten Ziele führt.“[307]

[300] Das ist die Hauptintention der Kapitel I,20–24.
[301] R. Schwager, 169.
[302] R. Hermann, Anselms Lehre, 380.
[303] Nach H. Dombois, 353, der vom juristischen Begriff der satisfactio bei Anselm ausgeht, ist „der Begriff der Genugtuung also unangemessen“. Hinsichtlich der juristischen Seite stimme ich Dombois zu.
[304] G. Gäde, 100. Er fügt allerdings hinzu: „Durch den Sünder“ – dies ist jedoch m. E. nach der anselmischen Vorgehensweise nicht nötig und im Blick auf CDh I,25 und II eher hinderlich!
[305] G. Greshake, Erlösung, 336. H. Kessler, Bedeutung, sieht das auch: Anselm „kann sogar sagen, daß durch die satisfactio der Mensch gerettet bzw. ins Heil gebracht werde“, macht aber sogleich einen Rückzieher: „Aber damit sagt er doch zu viel.“ (113).
[306] CDh I,25 (II,94,25).
[307] R. Hermann, Christi Verdienst, 456.

8. Die Gegensätzlichkeit von poena und satisfactio

Die in Cur Deus homo explizit zweimal vorkommende Gegensätzlichkeit von ‚poena' und ‚satisfactio' bzw. ‚ablatus honor solvatur' am Ende von CDh I,13[308] und I,15[309] hat seit langer Zeit zur Vermutung geführt, Anselm baue gerade auf dem Gegensatz von poena und satisfactio seine Theorie auf. Satisfactio dei sei also keine poena und von daher meine Anselm auch, daß Christus nicht die Strafe tragen könne: „Die Anselmsche Satisfaktio ist nicht Strafe."[310] – „In seinem Grundsatz spielt er (sc. Anselm) nämlich die Genugtuung gegen die Strafe aus, indem er entweder das eine oder das andere fordert."[311]
Immerhin wird von einigen Autoren bemerkt, daß es nicht um ein gegenseitiges Ausspielen geht. Hammer stellt die „Unmöglichkeit der poena wegen der Bestimmung des Menschen zur beatitudo"[312] fest, und Seeberg meint: „Aber die Formel satisfactio aut poena spricht nur eine abstrakte Wahrheit aus. In dem Zusammenhang der Gedanken Anselms kann nur die satisfactio in Betracht kommen."[313]
Anselm will nicht eine einfache Alternative[314] aufstellen – und doch hat die Gegensätzlichkeit von poena und satisfactio ihren Sinn:
Es hängt nämlich von der Sichtweise ab: „Diesen Beweis nimmt er [sc. Anselm] einerseits aus dem Verhältniß der Sünde zu Gott (Schuld), andererseits aus dem Verhältniß Gottes zur Sünde (Strafe)."[315]
Je nach der Sichtweise – vom Menschen aus oder von Christi Tod her – bekommt die Wendung neuen Sinn.

a) *poena* aut satisfactio

Wie oben gezeigt versteht Anselm unter poena insbesondere den Tod. Das ist die Folge für den Menschen, wenn er unrein, ungerecht, unfrei bleibt: „Quamdiu autem non solvit quod rapuit, manet in culpa."[316] – ‚Solange er aber nicht abträgt, was er geraubt hat, bleibt er in der Schuld.'
Kap. CDh I,19 faßt denn auch die bisherigen Überlegungen zusammen: Ohne Genugtuung folgt der Sünde Strafe.

[308] CDh I,13 (II,71,24f).
[309] CDh I,15 (II,74,1f).
[310] E. v. Moeller, 629.
[311] R. Schwager, 183. Cf. auch die gute Übersicht über die Diskussion der Gegensätzlichkeit bei H.-P. Kopf, 22–33.
[312] F. Hammer, 121.
[313] R. Seeberg, 226.
[314] Auch B. Lohse, Methode, 328, bemerkt, daß die „Alternative ‚satisfactio aut poena' im Grunde so gar nicht besteht".
[315] EKZ 1834, 11.
[316] CDh I,11 (II,68,21f).

Sieht es zunächst noch so aus, als könne der Mensch theoretisch die satisfactio leisten, hämmert Anselm seinem Gesprächspartner Boso geradezu ein: „nec homo eam per se facere possit."[317] – ‚daß der Mensch sie nicht von sich aus tun kann.'
Boso mag das kaum noch hören, in den Kapiteln I,20–24 werden immer neue Gründe für das Nicht-Vermögen des Menschen zur satisfactio genannt. So bezeichnet die Gegensätzlichkeit von poena und satisfactio noch einmal die Schwere der Sünde: Hoffnungslos ist die Lage, nur die Strafe, der ewige Tod bleibt dem Menschen.
Als Konsequenz des Gegensatzes folgt aus der Sicht der poena: es gibt keine satisfactio! Der Mensch kann sie nicht leisten! Und da es keinen Mittelweg gibt – einen Teil der Strafe, einen Teil der satisfactio – bleibt nur poena übrig.

b) *satisfactio* aut poena

Aber es gibt noch eine zweite Sichtweise – von Christi Tod her. Darum geht es in der positiven Bestimmung der satisfactio, das sagt schon Kap. I,25.
Ich nehme jetzt einige Ergebnisse aus Buch II vorweg, so wie auch I,25 das tut, um diese Sichtweise der Alternative zu klären.
Von dem freiwilligen Tod Christi her gewinnt der Gegensatz einen neuen Sinn: Christus hat die dem Menschen unmögliche satisfactio geleistet.[318]
Und weil satisfactio geleistet wurde, entfällt die poena.
Nur mit unterschiedlichen Subjekten kann also ‚satisfactio aut poena' gelten: satisfactio Christi aut poena hominis.
Die Alternative betont also die Aufhebung der Strafe für den Menschen, des Todes, und eröffnet ihm die ewige Seligkeit, die Gemeinschaft mit Gott. Der Mensch ist jetzt rein. Satisfactio heißt also: Christus hat *genug*, *satis* getan.
„Das *satis ist*, so könnte man sagen, *ein Element des gratis*".[319]

[317] CDh I,20 (II,86,17f).
[318] Daß der Tod Christi durchaus als poena zu verstehen ist, möchte ich weiter unter erläutern.
[319] R. Hermann, Anselms Lehre, 390 (Hv. v. Hermann).

1. Menschheit und Gottheit Christi

a) Bevor die einzelnen anselmischen Aussagen zur Christologie erörtert werden, soll gleichsam als Vorspann noch ein Wort zur Vorgehensweise Anselms gesagt werden – als Wiederaufnahme und als Konkretisierung der in BII[1] beschriebenen Methode.
In Kapitel I,25 sagt Boso als vorweggenommene Themaangabe für die kommende Darstellung des Christusgeschehens: „ita me volo perducas illuc, ut rationabili necessitate intelligam esse oportere omnia illa, quae nobis fides catholica de Christo credere praecipit, si salvari volumus"[2] – ‚so will ich, daß du mich dorthin führst, daß ich mit begründeter Notwendigkeit einsehe, daß alles das nötig ist, was uns der allgemeine Glaube über Christus zu glauben lehrt, wenn wir gerettet werden wollen'.
Die Frageintention ist das intelligere des schon Geglaubten, nicht aber ein Begründen des Nicht-Geglaubten. Das Ziel ist Einsicht, nicht Apologie oder Überzeugung des Nicht-Glaubenden.
Das Wissen um Christus und sein Werk, alles, was der allgemeine Glaube über Christus zu glauben lehrt, ist da, wenn es auch methodisch im Hintergrund bleibt. Vor diesem Hintergrund, aposteriorisch also, fragt Anselm nach der begründeten Notwendigkeit dieses Geschehens.
Damit wird für das nach diesem Kapitel I,25 folgende zweite Buch „Cur Deus homo" die Intention und Zielrichtung angegeben.
„Remoto Christo"[3] auch hier, aber das heißt: weil die Absicht ist, tiefer zu verstehen, reichen Aussagen über Christus, die nicht in Zusammenhang gebracht werden mit dem Ganzen des katholischen Glaubens, nicht hin; sonst besteht die Gefahr, daß die richtigen Aussagen über und von Christus nicht verstanden, sondern vielleicht nur hingenommen werden.
Absicht ist aber, einen Zusammenhang zwischen dem Willen Gottes[4] und dem Christusgeschehen zu finden – daraus folgt eine begründete Notwendigkeit.
b) Aus den ersten Kapiteln des zweiten Buches wird das Dilemma ersichtlich, in dem sich der Mensch aufgrund seiner Verstrickung in die

[1] S. o. S. 51–74.
[2] CDh I,25 (II,96,9–11).
[3] CDh Praefatio (II,42,12).
[4] Cf. CDh I,8: „Sufficere nobis debet ad rationem voluntas dei cum aliquid facit" (II,59,10).

Sünde befindet. Gott hat schon vor der Schöpfung einen Plan mit dem Menschen, nämlich ihn zur Gemeinschaft mit sich zu führen: der Bund Gottes mit den Menschen ist der innere Grund der Schöpfung.[5] Diesem Plan Gottes mit dem Menschen steht die Situation des Menschen aufgrund seines Bundesbruches, indem der Mensch Gott nicht gehorsam war, entgegen: so wie der Mensch sich durch seine Sünde verunreinigt hat, kann er nicht zur beatitudo gelangen. Damit stellt sich aber die Frage, ob Gottes Plan, Gottes Bund scheitert, wenn der Mensch den Bund bricht, ob also Gottes Ziel mit dem Menschen in Folge der menschlichen Sünde nicht erreicht wird. Aufgrund der bisherigen Gedankenführung ist das durchaus zu erwarten. Aber in CDh II,4 stellt Anselm die These auf, daß Gott mit der menschlichen Natur vollenden wird, was er begonnen hat.[6] Gottes Treue ist nicht begrenzt durch das Nein des Menschen. „Sind wir untreu, so ist er doch treu"[7] – so argumentiert Anselm hier. Es ist nicht möglich, sich einfach mit der mißlichen Situation abzufinden – das widerspricht dem Wissen um die Treue Gottes, um die gubernatio dei.[8]
c) Daß es notwendig ist, daß Gott so handelt, will Anselm nur in bestimmtem Sinne verstanden wissen – „Quod quamvis hoc necesse sit fieri, tamen non hoc faciet cogente necessitate"[9] – ‚Daß er das, obwohl es notwendigerweise geschieht, dennoch nicht mit zwingender Notwendigkeit macht'. Das gesamte Kapitel II,5 ist geprägt von der Frage der Notwendigkeit, von Gottes Treue und von der Diskussion um den Begriff der necessitas. Da Anselm aber in CDh II,17, dort allerdings mit anderem thematischem Bezug, erneut auf den Begriff der necessitas und seine Bedeutung für das Gesamtwerk eingeht, erörtere ich im folgenden Kapitel BIV 2 den Begriff und die Bedeutung der necessitas in Cur Deus homo.

[5] In CDh II,1 sagt Anselm auch deutlich: „Rationalem naturam a deo factam esse iustam, ut illo fruendo beata esset, dubitari non debet." CDh II,1 (II,97,4f). Diese für Anselms Anthropologie grundlegende Auffassung klingt auch schon in Monologion Kap. 68 durch. Cf. dazu auch in dieser Arbeit die Kommentierung der Kapitel I,16–18 in BIV 4. Zum Begriff „Bund als innerer Grund der Schöpfung" cf. Barth, KD III,1, 258–377.

[6] „Quod de humana natura perficiet deus quod incepit." CDh II,4 (II,99,2).

[7] 2. Tim 2,13.

[8] An dieser Stelle wird auch noch einmal schön deutlich, wie in CDh I,10 angesprochene Voraussetzungen wirklich eingesetzt werden. Denn Anselm erklärt nicht genau, warum es mit Gott unvereinbar ist, das Menschengeschlecht so zugrunde gehen zu lassen. In CDh I,4 taucht der Gedanke am Ende auch schon auf, und Boso akzeptiert ihn auch. Aber was in CDh I,4 eben noch nicht ausreicht, ist der dort nicht angegebene Zusammenhang von Inkarnation und Treue Gottes.

[9] CDh II,5 (II,99,15f).

d) Nachdem Anselm
- in den Kapiteln I,13–15 zeigt, daß der Mensch gesündigt hat und satisfactio leisten muß, um von der Sünde loszukommen;
- in den Kapiteln I,16–19 belegt, daß in der Seligkeit Gottes Ziel mit dem Menschen besteht;
- in den Kapiteln I,20–25 nachweist, daß der Mensch sich selber nicht von der Schuld, die ihn verschmutzt hat, reinigen kann;
- in den Kapiteln II,1–4(5) aber aufzeigt, daß Gottes Treue dennoch bestehen bleibt, auch bei der Untreue des Menschen,
ist nun im folgenden zu klären, wie die satisfactio aussehen muß, d. h. was zu tun ist, um den Menschen zu entschulden, und wer es tun kann bzw. muß. „Die Grundforderung, die Anselm für die Erlösung der Menschheit als Voraussetzung angibt, ist die, daß Gott etwas gegeben werden müßte, was alles Geschaffene übersteigt.“[10] „Hoc autem fieri nequit, nisi sit qui solvat deo pro peccato hominis aliquid maius quam omne quod praeter deum est.“[11] - ‚Das aber kann nicht geschehen, wenn nicht irgend jemand da ist, der Gott für die Sünde des Menschen etwas Größeres als alles, was außerhalb Gottes ist, einlöst.‘

i. Ist Gott Empfänger einer Leistung?

Oben wurde dargelegt, daß Anselm unter der Entehrung Gottes nicht versteht, daß Gott seine Ehre verliert, sondern daß die Entehrung Gottes durch den Menschen den Menschen selber trifft, weil er seine Gottesrelation und damit letztlich sich selber zerstört. Hier ist auch das „Gott etwas geben“, das „solvere“ in dieser Hinsicht zu verstehen. Denn wenn Gott seine Ehre gar nicht verlieren, ja, wenn sie nicht einmal verletzt werden kann, dann ist solvere nicht so gemeint, als wäre bei Gott eine Art Minus-Konto, das durch Bezahlung aufgefüllt werden könnte. „Solvere“ kann Gott selber also nicht betreffen.
Doch insofern Gottes Ehre tangiert wurde, als ihm alles, was er mit der Schöpfung vorhatte, genommen wurde,[12] indem also die Zerstörung der Schöpfungszukunft Gottes Ziel antastet, ist das „solvere“ auch auf Gott selber bezogen. „Solvere“ heißt, der Schöpfung eine neue Zukunft zu geben, den Menschen in den Stand der Gerechtigkeit zu versetzen, um damit den Plan Gottes, den Menschen zur Gemeinschaft mit ihm zu führen, wieder zu ermöglichen.
Nur insofern ist die Terminologie: „Gott etwas geben“ zu verstehen, denn wenn Gottes Ehre gar nicht verletzt worden ist, braucht auch

[10] G. Gäde, 214.
[11] CDh II,6 (II,101,3f).
[12] Cf. CDh I,23 (II,91,8).

nichts zur Herstellung derselben getan zu werden.[13] Ein Empfänger einer Leistung ist Gott also allenfalls indirekt.

ii. „aliquid maius"

Daß bei der satisfactio Gott „aliquid maius quam omne quod praeter deum est"[14] – ‚etwas Größeres als alles, was außerhalb Gottes ist, gegeben werden muß', macht klar, daß der Mensch dieses nicht leisten kann. Anselm greift hier zurück auf einen Gedankengang aus dem 21. Kapitel des ersten Buches, wo die Schwere der Sünde behandelt wird. Weil die Sünde gegen den Willen Gottes gerichtet ist, ist sie etwas sehr Schweres und mit keinem Schaden vergleichbar.[15] Boso kann schließlich nur sagen: „Fateri me necesse est quia pro conservanda tota creatura nihil deberem facere contra voluntatem dei."[16] – ‚Ich muß eingestehen, daß ich zur Erhaltung der ganzen Schöpfung nichts gegen den Willen Gottes tun dürfte.' Die Sünde ist gewichtiger als die ganze Schöpfung, weil sie gegen den Willen Gottes gerichtet ist, sie bleibt also nicht schöpfungsimmanent, sondern zielt gegen den Schöpfer. Die gesamte Schöpfung ist all das, was außerhalb Gottes ist. Wenn Anselm also sagt, daß etwas Größeres gegeben werden muß als alles, was außerhalb Gottes ist, dann bezieht er sich auf diese Stelle in CDh I,21. Hinzu kommt auch noch der Anfang des Kapitels I,20: nach dem Maß der Sünde muß sich die Genugtuung richten.[17]

Diese beiden Gedankengänge faßt Anselm in diesem einen Satz zusammen: „aliquid maius quam omne quod praeter deum est." Denn weil die Sünde größer ist als alles Geschaffene und die Genugtuung sich nach dem Maß der Sünde richten muß – nur so kann der Mensch gereinigt werden –, darum hat sich der Vorgang der satisfactio hieran zu orientieren.

Gädes Wort „Grundforderung",[18] mit dem er diesen Satz kennzeichnet, ist zwar in gewisser Hinsicht richtig, weil es Grundpositionen Anselms aus dem ersten Buch zusammenfaßt, trifft aber dann nicht, wenn hier diese Aussage zum ersten Mal gesichtet wird. Anselm faßt vielmehr in diesem Satz das Unvermögen des Menschen zusammen.[19]

[13] Cf. dazu G. Gäde, 214–221. Er bringt seinem Ansatz gemäß das „aliquid maius" aus dem o. a. Zitat mit dem Gottesbegriff aus dem Proslogion in Verbindung.

[14] CDh II,6 (II,101,4).

[15] Siehe CDh I,21: „Cum considero actionem ipsam, levissimum quiddam video esse; sed cum intueor quid sit contra voluntatem dei, gravissimum quiddam et nulli damno comparabile intelligo." (II,89,4–6).

[16] CDh I,21 (II,89,12f).

[17] Cf. CDh I,20 (II,86,17).

[18] G. Gäde, 214.

[19] Auch G. Gädes Versuch, das „aliquid maius" in CDh II,6 auf Anselms Gottesbegriff aus dem Proslogion, „aliquid quo maius nihil cogitari possit", zurückzuführen, über-

e) Da der Mensch aber ebensowenig wie alle andere Kreatur den Menschen nicht zu erlösen vermag, bleibt nur Gott übrig: „Non ergo potest hanc satisfactionem facere nisi deus.“[20] – ‚Also kann diese Genugtuung niemand tun außer Gott.‘ „Sed ne facere illam (sc. satisfactionem) debet nisi homo.“[21] – ‚Aber es darf sie (sc. die Genugtuung) niemand tun außer dem Menschen.‘
Daß nur der Mensch die Genugtuung leisten kann, wird bei Anselm nicht weiter begründet, es wird anscheinend vorausgesetzt. Aber aus dem Gesamtzusammenhang ist klar, daß der Mensch, der die Entehrung Gottes und damit seine eigene Verunehrung begangen hat, bei der Reinigung nicht aus dem Spiel bleiben darf: Denn der Mensch soll wiederhergestellt werden. Diese Restitution des Menschen geschieht in seiner und durch seine Gottesrelation, deren Zerstörung ja die Sünde ist.
Diese Relation hat als Bezugsgrößen Mensch und Gott, und eine Relation besteht nur bei Vorhandensein beider Bezugsgrößen.[22] Aber auch bei dieser Erklärung bleibt festzustellen, daß Anselm die „Forderung“, daß Genugtuung nur vom Menschen geleistet werden kann, nicht begründet, vielmehr gehört sie zu den in CDh I,10 genannten Voraussetzungen: „. . .et alia quorum fides ad salutem aeternam necessaria est“[23] – ‚und anderes, dessen Glaube zu ewigem Heil nötig ist‘.

f) Wahrer Gott und wahrer Mensch

Gott allein *kann*, aber nur der Mensch *darf* Genugtuung leisten – so lautet das Ergebnis. Daraus folgt nach Anselm: „necesse est ut eam (sc. satisfactionem) faciat deus-homo“[24] – ‚es ist nötig, daß sie (sc. die Genugtuung) ein Gott-Mensch tue‘. In Kapitel II,7 erörtert Anselm,

zeugt nicht. Er verkennt, daß Anselm in seiner Argumentation viel stärker „innerwerklich“ vorgeht – auch berücksichtigt G. Gäde in seiner langen Analyse dieses Stücks (214–221) weder CDh I,21 noch I,20. Dennoch macht G. Gäde mancherlei treffende Beobachtungen (etwa: „Demgegenüber kommt Anselm zu der für den Menschen im Grunde befreienden Erkenntnis, daß Gottes Liebe zum Menschen . . . nicht an etwas Geschaffenem ihr Maß haben kann.“[219]). Aber G. Gäde unterliegt hier m. E. der Grundschwäche seiner Arbeit, Anselms Cur Deus homo monokausal lesen zu wollen.

20 CDh II,6 (II,101,12).

21 CDh II,6 (II,101,14).

22 K. Barth weist in seiner Auslegung des Heidelberger Katechismus hin auf einen biblischen Zusammenhang: „Der Heidelberger folgt hier vielmehr schlicht dem Weg von Anselm und dem des Hebräerbriefs: ‚Darum mußte er in allen Dingen seinen Brüdern gleich werden‘ (2,17) und ‚einen solchen Hohenpriester mußten wir haben‘“ (42). „Eine andere Kreatur kann darum nicht ‚bezahlen‘, weil der Mensch der Täter des Frevels war. Er ist gefragt und darum muß er auch einstehen für seine Tat“ (44).

23 CDh I,10 (II,67,16).

24 CDh II,6 (II,101,18f).

„quomodo esse possit deus-homo“[25] – ‚wie ein Gott-Mensch sein könne‘.[26] Thema ist also das Verhältnis von Gott und Mensch in Jesus Christus. Das erläutert Anselm in CDh II,7 in Bezugnahme auf das Konzil zu Chalcedon, auf dem beschlossen wurde: „. . .in zwei Naturen unvermischt, unverwandelt, ungetrennt, ungesondert erkennbar, wobei jedoch die Unterschiedenheit der Naturen um der Einung willen keineswegs aufgehoben wird . . .“.[27] Diesen Beschluß kommentiert Anselm, indem er vor allem dem Nein zur Vermischung bzw. Verwandlung Augenmerk schenkt: „Non igitur potest fieri homo-deus quem quaerimus, ex divina et humana natura, aut conversione alterius in alteram, aut corruptiva commixtione utriusque in tertiam, quia haec fieri nequeunt“.[28] – ‚Es kam also der Gott-Mensch, den wir suchen, nicht aus göttlicher und menschlicher Natur entstehen durch Verwandlung der einen in die andere oder durch zerstörerische Vermischung beider in eine dritte, weil das nicht geschehen kann‘.
Die zweite Aussagereihe, die sich gegen eine Trennung der Naturen ausspricht, nimmt Anselm in doppelter Weise auf: Zum einen in seiner Betonung der einen Person: „Quoniam ergo servata integritate utriusque naturae necesse est inveniri deum-hominem, non minus est necesse has duas naturas integras conveniri in unam personam . . ., quoniam aliter fieri nequit, ut idem ipse sit perfectus deus et perfectus homo.“[29] – ‚Weil es also nötig ist, daß durch Beibehaltung der Unversehrtheit beider Naturen der Gott-Mensch gefunden werde, ist es nicht weniger nötig, daß diese beiden unversehrten Naturen in einer Person zusammenkommen . . ., weil es anders nicht geschehen kann, daß ein und derselbe vollkommener Gott und vollkommener Mensch ist.‘ Zum anderen durch seine Wortwahl „Deus-homo“ – ‚Gott-Mensch‘; das läßt eine Trennung nicht zu. Anselm will das Chalcedon-Bekenntnis nicht neu entwickeln, sondern kommentiert es zustimmend.[30]

[25] CDh II,7 (II,101,24).

[26] Natürlich auch hier unter der Voraussetzung, daß Anselm den geglaubten Gott-Menschen Jesus Christus auch dem Denken näher bringen will.

[27] Zitiert nach HDG 1, S. 265.

[28] CDh II,7 (II,102,7–9).

[29] CDh II,7 (II,102,17–21).

[30] A. v. Harnack kritisiert jedoch Anselms Vorgehen, weil er die „Zweinaturenlehre mit den chalcedonensischen Formeln auf die Genugtuung“ (H.-P. Kopf, 49. Siehe A. v. Harnack, Lehrbuch, 406) zurückführe. Dieser Vorwurf trifft m. E. Anselm gar nicht; weil Anselm eher zwischen der Zweinaturenlehre und der Erlösung des Menschen Berührungspunkte sieht, die aufzuweisen er für nötig hält. Ferner stellt Harnack bei Anselm nestorianische Tendenzen fest, weil Anselm die Person Christi zerreiße, da bei Christus die Gottheit nur den Zweck habe, dem Leben Christi einen unendlichen Wert zu geben. (Cf. A. v. Harnack, Lehrbuch, 406f) Diese Fehleinschätzung Anselms hat

g) Kap. II,8 stellt die Frage, „unde et quomodo assumet deus humanam naturam."[31] - ‚woher und wie Gott die menschliche Natur annimmt.' Die Antwort lautet: aus Adam, d. h. aus der verderbten Natur. Daß damit die Frage nach der Sündhaftigkeit bzw. Sündlosigkeit Christi gestellt ist, liegt auf der Hand; jedoch scheint Anselm das zunächst nicht zu thematisieren, weil er jetzt fragt, wie Gott die menschliche Natur angenommen habe - durch Vater und Mutter, oder durch einen Mann ohne Frau oder durch eine Frau ohne Mann.[32] Diese fremd anmutende und eher spekulativ scheinende Frage hat jedoch zu tun mit der Frage nach der Sündlosigkeit Christi. Denn die Jungfrauengeburt hat nach Anselm gegen Augustin[33] zunächst einmal nichts zu tun mit der Frage nach der Sündlosigkeit Christi, weil die Sündlosigkeit viel enger mit der voluntas zusammenhängt.
Zur Jungfrauengeburt kommt Anselm auch, indem er aufzeigt, daß eine Jungfrauengeburt „mundius et honestius"[34] - ‚reiner und ehrbarer' sei. Gott kann auch dies. Das ist der feste Grund, auf dem weitere „picturae" gemalt werden können, die die Angemessenheit zeigen, aber nicht begründen.
Insgesamt erscheint der Positionsteil Anselms reichlich konstruiert - er ist aber auch nicht so wichtig. Folgenreicher ist die Abkehr von der problematischen augustinischen concupiscentia-Lehre.
Die eigentliche Darlegung, wie nämlich die Frage nach der Sündlosigkeit Christi zu beantworten sei, folgt ab Kap. II,10.[35]

2. Freiwilligkeit Christi

a) Sündlosigkeit Christi

Auf die aus II,8 noch offene Frage nach der Sündlosigkeit Christi trotz der Herkunft aus dem verderbten Menschengeschlecht antwortet Anselm: „. . .in quo peccatum esse non poterit, quia deus erit."[36] - ‚. . .in dem Sünde nicht wird sein können, weil er ja Gott sein wird.' Diese

m. E. darin ihren Grund, daß A. v. Harnack in Cur Deus homo Gott als Objekt der satisfactio ansieht; eine Folge des Verständnisses der Ehre Gottes: Nach A. v. Harnack verliert Gott seine Ehre.

[31] CDh II,8 (II,102,26f).

[32] Siehe CDh II,8 (II,102,23-104,28).

[33] „. . .rein von Sünden wird nach dieser Vorstellung nur der geboren, ‚den die Jungfrau ohne die Einigung mit einem Mann nicht in der Begierde des Fleisches, sondern in dem Gehorsam des Geistes empfing'" (zitiert nach HDG I,457; Augustin, De pecc. I,29,57).

[34] CDh II,8 (II,103,28f). Der Komparativ ist hier entscheidend.

[35] CDh II,9 bringt neben einer Aufnahme des Briefes „Epistola de incarnatione verbi" (II,1-35) (Vereinigung des Sohnes Gottes und des Menschen zu einer Person) noch einmal die Betonung der Einheit von Gott und Mensch in Christus: „unitas personae dei et hominis" (II,105,6).

[36] CDh II,10 (II,106,16).

Antwort ergibt sich konsequent aus Anselms Sündenverständnis. Denn wenn Sünde als Ungehorsam gegen Gott verstanden wird, also als relationale Größe, dann kann in der engsten Relation, Mensch und Gott in einer Person, keine Relationsstörung auftreten, also keine Sünde. Diese Antwort möchte Boso doch noch genauer untersuchen. Dazu führt er gleichsam als Exkurs die Person Christi ein, die ja vom Beweisgang ausgeschlossen wurde,[37] um an ihr zu überprüfen, ob die Aussage denn stimmig sei, daß Christus nicht hätte sündigen können.[38]
Und zwar stellt Boso die Frage, ob das nicht eine Schwäche Christi sei, nicht sündigen zu können, und inwiefern Anselms procedere zwar logisch eindrücklich und theoretisch klar sei, von der Praxis aber nicht doch überholt werde.
Hätte Christus nicht einfach lügen[39] können? Er hätte doch nur mal ein Wort weglassen können – dann wäre es zwar falsch gewesen, aber rein theoretisch sei das doch möglich. Anselm antwortet, daß der Begriff der potestas alleine zur Beschreibung nicht ausreicht, hinzu kommen muß die voluntas.
Ohne voluntas kann die potestas zu einer gezwungenen necessitas werden – das aber ist bei Christus unmöglich, daß er zu etwas gezwungen werden kann.[40]
Zu fragen ist also nach der voluntas: Wenn Christus hätte lügen wollen, hätte er lügen können. Aber ebenso gilt: Wenn Christus nicht hätte lügen wollen, hätte er auch nicht lügen können. Auf die Sündhaftigkeit Christi bezogen heißt das, daß es keine Schwäche, sondern eine Stärke Christi war, nicht sündigen zu können, denn: „Omnis potestas sequitur voluntatem“[41] – ‚Jedes Können folgt dem Willen‘.

b) Die Feststellung der Sündlosigkeit Christi hat Folgen für das Verständnis seines Todes. In II,2 hatte Anselm gezeigt, daß die Strafe, die der Mensch als Folge der Sünde zu erleiden hat, der Tod ist: „Der Tod ist der Sünde Sold.“[42]

[37] „remoto Christo“ CDh Praefatio (II,42,12).

[38] Indem Boso hier die Person Christi einführt, wird noch einmal das methodische Vorgehen sichtbar: Die Person Christi ist ständig im Hintergrund mitgedacht, und alles, was erörtert wird, muß auf sie „passen“ – ansonsten ist der Gedankengang falsch. Inhaltlich wird Christus also trotz „remoto Christo“ vorausgesetzt.

[39] Anselm wählt den Ausdruck ‚lügen‘ wohl als indirekte Aufnahme des Werkes „De veritate“, das jetzt zu untersuchen den Platz sprengen würde.

[40] Siehe CDh II,10: „Si enim non subintelligitur voluntas, non est potestas sed necessitas. Nam cum dico quia nolens possum trahi aut vinci, non est haec mea potestas, sed necessitas et potestas alterius. Quippe non est aliud: possum trahi vel vinci, quam: alius me trahere vel vincere potest.“ (II,107,2–6).

[41] CDh II,10 (II,107,1).

[42] Röm 6,23.

Das aber kann auf Christus insofern nicht passen, weil er ohne Sünde ist: „Dicamus igitur quia mori non debebit, quoniam non erit peccator."[43] - ‚Sagen wir also, daß er nicht wird sterben müssen, weil er ja kein Sünder sein wird.'
Jedoch ist natürlich nur der Tod als Strafe ausgeschlossen, insofern er Strafe wäre für die Sünde Jesu Christi: Sein Tod kann auf gar keinen Fall Folge seiner Sünde sein: „Weil Jesus ohne Sünde war und mit seiner ganzen Existenz gegen die Sünde anlebte, war er auch nicht dem Tod verfallen. Sein Tod war nicht gefordert."[44]

c) Daraus folgend stellt sich die Frage, ob er überhaupt sterben kann, da er doch den Tod nicht als Ergebnis seiner Sünde erfahren kann. Jedoch gilt ja der aus dem vorhergehenden Kapitel bekannte Grundsatz: „Omnis potestas sequitur voluntatem"[45] - ‚Jedes Können folgt dem Willen', so daß auch für das Sterben-Können zu sagen ist: „Si ergo volet permittere, poterit animam ponere".[46] - ‚Wenn er also will, wird er sein Leben hingeben können.' Da es aber bezüglich seines Könnens gleichgültig ist, ob der Tod mit oder ohne Einwirkung anderer geschieht,[47] gilt auch: „Si igitur voluerit permittere, poterit occidi, et si noluerit, non poterit."[48] - ‚Wenn er es also zulassen will, wird er getötet werden können, und wenn er es nicht will, wird er es nicht können.'
Der Tod Jesu ist das Ergebnis (auch!) seines freien Willens.
Anselm beginnt die Beschreibung des Werkes Christi mit dem Verweis auf das freiwillige Handeln Jesu.[49] Der Begriff der „Freiwilligkeit" steht bei Anselm in einem größeren Zusammenhang, er meint mehr als nur: es nicht tun müssen.
Das wird vor allem deutlich in seiner Schrift „De libertate arbitrii".[50]

[43] CDh II,10 (II,108,26).
[44] G. Gäde, 236.
[45] CDh II,10 (II,107,1).
[46] CDh II,11 (II,110,1).
[47] Siehe CDh II,11: Sive autem animam suam ponat nullo alio faciente, sive alius hoc faciat, ut eam ponat ipso permittente, quantum ad potestatem nihil differt (II,110,4f).
[48] CDh II,11 (II,110,7).
[49] Cf. H.-P. Kopf, 48: „Bei Christi Werk legt Anselm den Ton zunächst auf die Freiwilligkeit."
[50] I,201-226. Zu de lib. arb. cf. etwa: E. Gilson, Geist, 321-343; H.-U. v. Balthasar, Herrlichkeit; H. Verweyen, „Über die Freiheit des Willens", in: Anselm von Canterbury, Wahrheit und Freiheit, 21-25.

Exkurs:
De libertate arbitrii

Kapitel I hat die Überschrift: „Quod potestas peccandi non pertineat ad libertatem arbitrii“[51] – ‚Das Vermögen zu sündigen gehört nicht zur Freiheit des Willens‘.[52] Das hat seinen Grund in Anselms Definition der Freiheit.

Strukturell betrachtet ist Freiheit „hier wesentlich ‚Freiheit zu‘ und nicht ‚Freiheit von‘“,[53] inhaltlich ist Freiheit nur zu verstehen von Gottes Freiheit her.

Denn wenn das Sündigen-Können ein Teil der Freiheit des Willens ist, dann müßte etwa Gott, der ja nicht sündigen kann,[54] die Freiheit des Willens abgesprochen werden.

Die Aufgabe, die sich jetzt stellt, ist: Was ist dann unter der libertas arbitrii zu verstehen? Am Ende seiner Untersuchung hat Anselm eine Definition erstellt: „Quod ‚potestas servandi rectitudinem voluntatis propter ipsam rectitudinem‘ sit perfecta definitio libertatis arbitrii.“[55] – ‚Daß die Fähigkeit, die Rechtheit des Willens wegen der Rechtheit zu bewahren, die vollständige Definition des freien Willens ist.‘

Diese Definition gebraucht den Ausdruck ‚Rechtheit des Willens‘, der innerhalb der Schrift erläutert wird: „Servare igitur rectitudinem voluntatis propter ipsam rectitudinem est unicuique eam servanti velle, quod deus vult illum velle.“[56] – ‚Die Rechtheit des Willens wegen ihrer Rechtheit zu bewahren ist also für jeden, der sie bewahrt: Wollen, was Gott ihn wollen will.‘

Rechtheit des Willens um seiner selbst willen heißt Zustimmung zu Gottes Vorhaben mit ihm, zum Plan Gottes. Und diese Rechtheit des Willens nennt Anselm: Freiheit des Willens. Nach Verweyen heißt das, „den göttlichen Willen als den Kern ihrer (sc. der Menschen) eigenen Autonomie“[57] zu erkennen.

Von dieser Beschreibung her fällt auch Licht auf Anselms Verständnis der Freiwilligkeit Christi. Er ist nicht gezwungen, sein Leben hinzugeben für die Vielen. Und dennoch tut er es, weil Gott es so will.

Freiwilligkeit und Gehorsam stehen sich gegenüber – beide scheinen sich auszuschließen. Heinrichs meint nun wegen der Betonung der Freiwilligkeit: „Wir geben nun gerne zu, daß der hl. Anselm den Ge-

[51] De lib I (I,207,3).

[52] Ich übersetze arbitrium mit Wille, obwohl es genauer Willensentscheidung heißen müßte. (Cf. auch H. Verweyen in: Anselm, Wahrheit und Freiheit, 211).

[53] H.-U. v Wiese I, 167.

[54] Auch hier schimmert wieder die relationale Hamartiologie durch.

[55] De lib XIII (I,225,2f).

[56] De lib VIII (I,220,21f).

[57] H. Verweyen, Anselm, 212.

horsamscharakter des Leidenstodes Christi mit allen Mitteln ablehnt."[58] Das widerspricht aber schon dem anselmischen Text, vor allem Kapitel CDh I,8 und I,9, wo Anselm auf beide Aspekte so hinweist, daß Boso aufschreit: „In his omnibus plus videtur Christus oboedientia cogente quam spontanea voluntate disponente mortem sustinuisse."[59] – ‚In alledem scheint nur Christus eher aus gezwungenem Gehorsam als aus freiem Willen den Tod auf sich genommen zu haben.'

Aber auch die Vermutung von Wiese, Anselm wolle seine Sicht der Freiwilligkeit Christi nur bibelfest machen: „Seine Freiwilligkeitsbehauptung des Todes Jesu muß er vereinbaren mit den Aussagen der Schrift über den Willen des Vaters und dem Gehorsam ihm gegenüber"[60] trifft nicht.

Es geht nicht darum, das eine mit dem andern zu vereinbaren, zu harmonisieren, in Übereinstimmung zu bringen, sondern recht verstanden ist zwischen Freiwilligkeit und Gehorsam keine Spannung.

Denn Anselm sagt unter Voraussetzung der Ergebnisse aus der Schrift „De libertate arbitrii": „Non ergo coegit deus Christum mori, in quo nullum fuit peccatum; sed ipse sponte sustinuit mortem, ... propter oboedientiam servandi iustitiam, in qua tam fortiter perseveravit, ut inde mortem incurreret."[61] – ‚Also hat Gott Christus, in dem keine Sünde gewesen ist, nicht gezwungen zu sterben; sondern er selbst hat freiwillig den Tod auf sich genommen, ... wegen des Gehorsams, die Gerechtigkeit zu wahren, in der er so tapfer ausgeharrt hat, daß er dadurch in den Tod ging.'

Freiwilligkeit und Gehorsam schließen sich, wenn sie in ihrem eigentlichen und das heißt: von Gott her gedachten Sinn benutzt werden, keinesfalls aus, sondern ergänzen, ja interpretieren sich gegenseitig, so daß sie jeweils erst dann richtig verstanden werden: Freiwilligkeit ist nur dann vollkommen, wenn sie Gehorsam gegenüber Gottes Willen ist, und der Gehorsam gegen Gottes Willen ist nur dann gut, wenn er freiwillig geschieht.

Bei Jesus ist beides da: „Freiheit ist Einfügung, ist Gehorsam gegen Gott."[62] „Die Unterordnung des Menschen Jesus unter den Willen Gottes ist ein Akt der Freiheit."[63]

[58] L. Heinrichs, 130.
[59] CDh I,8 (II,61,1f.).
[60] H.-U. v. Wiese I, 169.
[61] CDh I,9 (II,62,5-7).
[62] H.-U. v. Wiese I,171.
[63] Ebd. Cf. auch G. Gäde, 240; R. Hermann, Anselms Lehre, 392.

Die Betonung der Freiwilligkeit des Tuns Jesu in Anselms Cur Deus homo[64] ist also nicht nur Aufweis des Nicht-Gezwungenseins des Todes Jesu, sondern weist auch darauf hin, daß Jesu Freiwilligkeit nicht ohne den Zusammenhang mit dem Gehorsam gegenüber dem Willen Gottes[65] zu verstehen ist.[66]

3. Der Tod Jesu

a) „Der Tod Jesu ist das eigentliche Thema in Cur Deus homo. Er ist Torheit und Ärgernis."[67] Die ganze bisherige Darlegung läuft auf den Tod Jesu zu, und so ist es nicht verwunderlich, daß Anselm in Kap. II,14 beginnt, die Bedeutung des Todes Christi zu reflektieren.

Aus BIV 1.1 ist ersichtlich, daß der Mensch wegen der Schwere der Sünde nicht von sich aus in den Stand der Gerechtigkeit gelangen kann – er ist dazu unfähig: die Genugtuung muß sich, um den Menschen zu reinigen, nach dem Maß der Sünde richten; die Sünde ist größer als alles Geschaffene. Dieser Gedankengang wird in Kap. II,14 wieder aufgenommen. Anselm fragt Boso: „Quid si iterum tibi diceretur: aut eum (sc. Jesum Christum) occides, aut omnia peccata mundi venient super te?"[68] – ‚Was, wenn dir wiederum gesagt würde: Entweder du tötest ihn (sc. Jesus Christus) oder alle Sünden der Welt kommen auf dich?'

Boso kann auf die Frage nach diesem Vergleich nur die Unvergleichlichkeit betonen: Sogar eine Verletzung der Person Jesu Christi wäre schlimmer als alle anderen Sünden der Welt. Warum? „Quoniam peccatum quod in persona eius fit, incomparabiliter superat omnia illa, quae extra personam illius cogitari possunt."[69] – ‚Weil eine Sünde, die gegen seine Person begangen wird, unvergleichlich alle anderen Sünden, die außerhalb seiner Person gedacht werden können, überwiegt.'

Die anderen Sünden, die der Mensch begangen hat, die der Mensch aus Ungehorsam gegen Gottes Willen tat, waren schon gewichtiger als

[64] H.-U. v. Balthasar kann sogar sagen: „sponte ist das Schlüsselwort der anselmischen Erlösungslehre" (248).

[65] Indem bei Jesus diese beiden Größen in Harmonie zueinander gesehen werden, die beim Menschen infolge seiner Sünde eben nicht da sind, ist auch dies ein Hinweis auf Anselms anthropologischen Einstieg: Jesus Christus ist der wahre Mensch.

[66] Die Kapitel II,12 „Quod quamvis incommodorum nostrorum particeps sit, miser tamen non sit" (II,112,6) – ‚Daß er, obwohl er unserer Beschwerden teilhaftig, dennoch nicht unglücklich ist' und II,13 „Quod cum aliis infirmitibus nostris ignorantiam non habeat" (II,112,15) – ‚Daß er mit unseren anderen Schwächen die Unwissenheit nicht besitzt' – weisen – unter Voraussetzung der Freiwilligkeit des Leidens und Todes Jesu – dennoch hin auf den wahren Gott in der Person Jesu Christi.

[67] H.-U. v. Wiese I,167.

[68] CDh II,14 (II,114,1f).

[69] CDh II,14 (II,114,11f).

die ganze Schöpfung, trafen in ihrer Wirkung aber nur den Menschen und nicht Gott.

Erst hier kommt die Verletzung Gottes als möglicher Gedanke zum Ausdruck. Aber dieser Gedankengang steht nicht in Widerspruch zur These Anselms, daß Gott seine Ehre nicht verlieren kann. Vielmehr steht dieser Satz schon in Zusammenhang mit der Geschichte Jesu: Gott selber kommt zu den Menschen, macht sich schwach und verletzbar, setzt sich selber - sponte - der Sünde aus, um sie zu besiegen. Weil aber Jesus Christus Gott in Person ist, ist die Verletzung und Tötung seiner Person a priori unvergleichlich gegenüber jeglicher anderen Sünde des Menschen. „Videmus ergo quia violationi vitae corporalis huius hominis nulla immensitas vel multitudo peccatorum extra personam dei comparari valet."[70] - ‚Wir sehen also, daß mit der Verletzung des leiblichen Lebens dieses Menschen keine Unermeßlichkeit oder Menge der Sünden außerhalb der Person Gottes verglichen werden kann.'

Nötig zur Reinigung des Menschen ist etwas, was die Größe der menschlichen Schuld übersteigt: Die satisfactio muß den Tod des Menschen besiegen können. Das kann, wie Anselm feststellt, der Tod Jesu: „Quomodo mors eius praevaleat numero et magnitudini peccatorum omnium."[71] - ‚Wie sein Tod die Zahl und Größe aller Sünden überwiegt.'

Der Tod Jesu ist aber nur in Verbindung mit seinem Leben zu sehen, es ist nur sein und nicht irgendein Sterben, das den Tod für die Menschen besiegt,[72] für alle Menschen.[73]

b) Anselm „will die sühnende Kraft des Todes, seit Paulus zumindest ein Kernfaktum des christlichen Glaubens, erklären."[74]

[70] CDh II,14 (II,114,17-19).

[71] CDh II,14 (II,113,20).

[72] Cf. CDh II,14 : „A: Vides igitur quomodo vita haec vincat omnia peccata, si pro illis detur. B: Aperte. A: Si ergo dare vitam est mortem accipere: sicut datio huius vitae praevalet omnibus hominum peccatis, ita et acceptio mortis" (II,114,32-115,3).

[73] Es stellt sich logischerweise die Frage, ob das auch für die Menschen gilt, die die Person Christi getötet haben, die das Leben Gottes angetastet haben; *die* Sünde war ausgeschlossen worden (CDh II,14 [II,115,4]). Anselms Antwort lautet mit Hinweis auf 1 Kor 2,8: „Hanc quaestionem solvit apostolus qui dixit, quia ‚si cognovissent, numquam dominum gloriae crucifixissent'." (CDh II,15 [II,115,12f.]). ‚Diese Frage löst der Apostel, der sagte: wenn sie ihn gekannt hätten, hätten sie niemals den Herrn der Herrlichkeit gekreuzigt.' Nur eine wissentlich begangene Sünde ist gemeint bei der Unvergleichlichkeit des Antastens der Person Gottes. Damit ist auch Anselms Position zur jüdischen Schuld am Tod Jesu aufgezeigt. Cf. dazu R. Allers, Anselm von Canterbury, 633.

[74] H.-U. v. Wiese I,172.

Ein Hauptkritikpunkt an Anselms Interpretation des Todes Jesu wird aber darin gesehen, daß er die „Vielzahl der neutestamentlichen Aussagen“[75] über die Bedeutung des Todes Jesu außer acht gelassen habe, weil alles unter dem „Oberbegriff der Genugtuung (satisfactio)“[76] gesehen werde, wobei „Anselm die neutestamentlichen Deutungen des Todes Jesu in den Hintergrund gedrängt und zum Teil, wie z. B. die Deutung als Loskauf und als Strafleiden sogar ausdrücklich abgelehnt“[77] habe.

Diese Sicht Anselms wird aber seinem Anliegen und auch seiner Durchführung nicht gerecht. Denn wie oben[78] gezeigt ist Anselms Intention nicht, den Tod Christi als solchen zu interpretieren. Vielmehr geht es Anselm um die Zusammenschau von Gotteslehre und Christologie, oder genauer gesagt: Wie paßt die Niedrigkeit und Elendigkeit des Todes Christi zur Allmacht und Größe Gottes? Anselm möchte – und das ist sein Ziel – im Tod und Sterben Jesu den Willen Gottes erkennen.

Auf dem Weg dazu ist es natürlich auch nötig, die Bedeutung des Todes Jesu zu bedenken. Aber das geschieht nicht in einer starren Weise. Vielmehr kann Anselm, da er ja im Tod Jesu den Willen Gottes erkennen will, verschiedene Interpretationen und Verständnisse des Todes Jesu aufnehmen und nebeneinander stehen lassen.

i. Strafe – Strafleiden – Rechtfertigung

Mit juridischen Termini weist vor allem Paulus[79] auf die forensische Bedeutung von Jesu Tod hin, wobei seine Verurteilung den Freispruch für die Menschen bewirkt.[80]

Gott hat in Christus „das Gericht vollzogen, dem die Sünder verfallen sind“.[81]

Anselm hat nach weit verbreiteter Auffassung diesen Gedankengang nicht nachvollziehen können, weil er den axiomatischen Grundsatz ‚aut satisfactio – aut poena‘ habe: entweder finde Strafe statt oder Genugtuung; und wenn satisfactio – dann gebe es keine Strafe.

Oben[82] habe ich deutlich zu machen versucht, daß Anselm keineswegs so axiomatisch über satisfactio und poena denkt, sondern viel eher dahingehend, daß der Gegensatz von satisfactio und poena auf jeweils

[75] E. Schlink, 348.
[76] Ebd.
[77] Ebd.
[78] S. 43–50.
[79] Cf. etwa Gal 3,10–14; Röm 7,1–6; 2 Kor 5,21.
[80] Cf. dazu W. Schrage, Das Verständnis des Todes Jesu.
[81] E. Schlink, 343.
[82] Siehe S. 125f.

verschiedenen Ebenen zu sehen ist: Da der Mensch keine satisfactio leisten kann, folgt unerbittlich die poena, weil aber Christus die satisfactio leistet, gibt es für den Menschen keine poena.
So gesehen ist der Gedanke der poena, die auf Christus fällt, nicht völlig ausgeschlossen, abgesehen davon, daß Christus selber als Konsequenz seines sündfreien Lebens keine Strafe zu erwarten hat – Christus kann auf gar keinen Fall poena in diesem Sinne bekommen. Daß Anselm aber grundsätzlich nicht den Strafcharakter im Tod Jesu ausschließt, wird deutlich in der Sicht des Todes. Der Tod des Menschen ist die Strafe, die der Sünde folgt: Der Tod ist der Sünde Sold.[83] Weil aber der Tod nicht zur reinen, sondern zur verdorbenen Natur des Menschen gehört,[84] und weil Jesus reiner, weil sündloser Mensch war, ist sein Tod nicht gefordert. Denn der Tod ist die Strafe der Sünde. Wenn nun Jesus Christus aber dennoch den Tod auf sich nimmt, der ja erst als Folge der Sünde in die Welt gekommen ist, nimmt er das auf sich, was des Menschen Strafe ist. Jesus Christus trägt des Menschen Strafe: den Tod.
Der oben genannte Grundsatz ‚satisfactio aut poena' zeigt dann die Konsequenzen auf: Weil Jesu Tod als poena zugleich satisfactio ist, gibt es für den Menschen keine poena mehr. Der Tod Jesu steht also keineswegs in Widerspruch zur Strafe – vielmehr gilt der Sache nach bei Anselm die Jesaja-Weissagung: „Die Strafe liegt auf ihm."[85]

ii. satisfactio – satispassio

Mit Hinweis auf die Alternative von poena und satisfactio, aber auch mit der Feststellung, daß vom Leiden Christi in Anselms Cur Deus homo nicht die Rede sei,[86] wird Anselm unterstellt, er vertrete eine theologia gloriae unter Mißachtung des Kreuzes, ohne Hinweis auf die Qual Christi, die er beim Sterben empfunden habe.
Allerdings ist es kein Grundzug der anselmischen Christologie, die Leiden Christi nicht zu bedenken. In der „Meditatio redemptionis humanae"[87] finden sich starke Bezugnahmen auf Christi Leiden:
„Sed o tu, domine, tu qui, ut ego viverem, mortem suscepisti, quomodo laetabor de libertate mea, quae non est nisi de vinculis tuis? Qualiter gratulabor de salute mea, cum non sit nisi de doloribus tuis? Quomodo gaudebo de vita mea, quae non est nisi de morte tua? An gaudebo de iis quae passus es, et de crudelitate illorum qui ea tibi

[83] Röm 6,23.
[84] Cf. CDh II,2 (II,98,6–11).
[85] Jes. 53,5.
[86] So etwa H.-P. Kopf, 33.
[87] III,84–91.

fecerunt. . .?"[88] – ‚Aber du, Herr, der du den Tod ertragen hast, damit ich lebe, wie kann ich mich über meine Freiheit freuen, die ja allein aus deinen Fesseln kommt? Wie soll ich mir Glück wünschen zu meinem Heil, was nur in deinen Schmerzen begründet ist? Wie soll ich mich freuen über mein Leben, das nur aus deinem Tod stammt? Soll ich mich etwa freuen über das, was du erlitten hast, und über die Grausamkeit derer, die dir dies angetan haben?'

Das Leiden Christi wird von Anselm durchaus wahrgenommen, ja, in dieser Meditation sogar thematisiert. In Cur Deus homo fehlt aber ein Hinweis darauf, was m. E. wie folgt zu begründen ist:

– In der Anfangsfrage wird deutlich, daß der Ausgangspunkt für „Cur Deus homo" die Vereinbarkeit von Gotteslehre und Christologie gerade in bezug auf Niedrigkeit und Tod Jesu ist. Im I. Buch wird gezeigt: Der Tod ist die Kulmination der Niedrigkeit. Die Vorstellung des Leidens fehlt also vom Wortlaut her, wird aber implizit mit eingeschlossen in Anselms Vorstellung von der Niedrigkeit.

– Die fehlende Bezugnahme auf das Leiden Christi hat einen Grund auch in der präzisen Fragestellung[89] der anselmischen Arbeit: der Zusammenschau von Christologie und Gotteslehre. Das Warum wird betont, nicht das Wie. Das Leiden Christi wird aber jeweils mitgedacht. Der Blick ist aber nicht wie beim Begriff der passio auf das Geschehen als solches gerichtet. Vielmehr fragt Anselm im Angesicht des Widerspruchs zwischen Sünde und Bund nach einer Möglichkeit, wie der Mensch „sündlos" werden kann. Das kann nur durch „satisfactio" geschehen – indem genügend geschieht zur Reinigung des Menschen: der Blick richtet sich nicht auf das Geschehen, sondern auf die Wirkung.

Der Begriff der passio steht nicht im Widerspruch zu Anselm – und es könnte sogar in Hinsicht auf Christi Tod von einer satisfactio als satispassio[90] gesprochen werden.

iii. Erlösung – Loskauf

Ein weiteres im Neuen Testament verwandtes Interpretament des Todes Jesu ist der „Loskauf" bzw. die „Erlösung". Zwei Eigenarten dieser Vorstellung sind im Neuen Testament hervorzuheben: Es wird nie ein Empfänger des Lösegeldes genannt[91] und die Lösegeld-Vorstellung hat „nicht nur sühnenden, sondern auch befreienden Charakter."[92]

[88] Med red (III,89,137–143).
[89] So auch H.-U. v. Wiese I,167.
[90] So auch H.-U. v. Wiese I,172.
[91] Cf. dazu etwa E. Schlink, 344f: „daß . . . nirgends gesagt ist, wem Christi Leben als Lösegeld ausgezahlt worden ist."
[92] W. Mundle, 261.

Anselm hat diese Deutung nun keineswegs ausdrücklich abgelehnt,[93] sondern vielmehr aufgenommen. In I,6 sagt Boso im Hinblick auf die Aussagen der infideles: „Hoc est quod valde mirantur, quia liberationem hanc redemptionem vocamus."[94] - ‚Das ist es, das sie so sehr wundert, daß wir diese Befreiung Erlösung nennen.'
Hier taucht der Begriff der Erlösung auf, und Boso zeigt im Folgenden (I,7) auf, daß Erlösung nicht so verstanden werden dürfe, als werde dem Teufel Lösegeld bezahlt. Das war in der voranselmischen Zeit ein Hauptzug der Erlösungslehre gewesen[95] - aber damit räumt Cur Deus homo auf: „Quod nullam diabolus habebat iustitiam adversus hominem"[96] - ‚Daß der Teufel kein Recht gegen den Menschen hatte', das ist die Voraussetzung. Zwar wird zugegeben, daß sich der Mensch unter der Herrschaft des Bösen befinde, und in der Konsequenz der Sünde des Menschen sei das auch folgerichtig - aber daraus darf nach Anselm kein Dualismus erwachsen: „neuter (sc. weder Mensch noch Teufel) extra potestatem dei consistat"[97] - ‚keiner von beiden steht außerhalb des Machtbereichs Gottes'.
Deshalb ist eine solche Loskauf-Vorstellung abzulehnen, die den Teufel zum Adressaten macht; das räumte ihm ein Recht ein, was ihm gar nicht zusteht.[98]
Damit ist aber nicht der Begriff der Erlösung als solcher diskreditiert, vielmehr könnte man sogar einen Großteil von Cur Deus homo mit der Absicht abgefaßt wissen, die Vorstellung der Erlösung aufrechtzuerhalten bei Ablehnung irgendeines berechtigten Anspruchs des Teufels wegen der Gefahr des Dualismus.
Anselm argumentiert nicht mit der Erlösungsvorstellung, aber auffälligerweise taucht das Wort „redemptio", das er in CDh I,6 behandelte, zum ersten Mal wieder auf in CDh II,16, und dort kann das ganze Werk Christi „redemptio" genannt werden.[99]
Aber aus den vorherigen Überlegungen ist klar, daß Anselm damit nicht alles gesagt hat, was seiner Ansicht nach zum Werk Christi zu sagen ist; dennoch ist die Vorstellung der Erlösung/des Loskaufs auch bei Anselm ein legitimes Element der Interpretation des Todes Jesu.
Auffällig ist auch, daß er beide im Neuen Testament bestehenden Eigenarten mitbedenkt: Er wendet sich dagegen, daß der Teufel Emp-

[93] Cf. E. Schlink, 348.
[94] CDh I,6 (II,53,5f.).
[95] Was in vielen einzelnen Theorien Ausdruck fand. Cf. den guten Überblick bei B. Funke, 4-80.
[96] CDh I,7 (II,55,11).
[97] CDh I,7 (II,56,5f).
[98] Cf. CDh I,7 (II,55,10-59,5).
[99] Cf. Med.3: „Confide, ego te redemi" (III,90,164) und „quia me redemisti" (III,91,193).

fänger des Lösegeldes ist, und sagt auch nicht explizit, daß Gott es ist – die neutestamentliche „Schwebe" bleibt bestehen. Und er bringt auch die Vorstellung von Erlösung und Befreiung zusammen. Deutlich wird das schon in CDh I,6, wo die Begriffe „liberatio" und „redemptio" zusammengesehen werden;[100] aber auch die Schrift „De libertate arbitrii"[101] zeigt es deutlich: Die Erlösung durch Christus ist die Befreiung des Sünders aus der Knechtschaft der Sünde, der freie Wille, der in dieser Knechtschaft gefangen war, wird zum Freisein befreit.[102]

iv. Versöhnung

Auch der Begriff der „reconciliatio" wird von Anselm zur Bezeichnung von Christi Werk verwandt. So heißt es in CDh I,22: „Audi adhuc aliud, cur non minus sit difficile hominem reconciliari deo."[103] – ‚Höre noch etwas anderes, warum es nicht weniger schwierig ist, daß der Mensch mit Gott versöhnt wird.'

Diese Vorstellung ergibt sich aus der in den vorherigen Kapiteln beschriebenen Situation des Menschen. Der Mensch hat, indem er sündigte, Gott entehrt, d. h. Gott nicht mehr als den anerkannt, der er ist, er hat gegen das erste Gebot verstoßen. Die Stoßrichtung gegen Gott richtete sich jedoch gegen den Menschen mit der Konsequenz: „tota humana natura corrupta".[104]

In dieser Verfaßtheit ist es dem Menschen nicht möglich, das Reich Gottes zu ererben, Gemeinschaft mit Gott zu haben. Er muß erst gereinigt, versöhnt werden mit Gott[105] – das will das genannte Zitat belegen. In CDh II,16 nimmt Anselm den Begriff wieder auf und sagt über Christus: „Postquam constat hominem illum deum et peccatorum esse reconciliatorem"[106] – ‚Nachdem feststeht, daß jener Mensch Gott und der Versöhner der Sünder ist'.

Christus kann von Anselm als reconciliator gesehen werden – auch die Vorstellung der Versöhnung kann bei Anselm das gesamte Werk Christi von einem bestimmten Gesichtspunkt her beschreiben.[107]

v. Diese verschiedenen Interpretationen des Todes Jesu können nebeneinander stehen bleiben, weiß Anselm doch, daß „maiores atque plures quam meum aut mortale ingenium comprehendere valeat huius

[100] Siehe CDh I,6 (II,53,5).
[101] I,201–226.
[102] Siehe De lib X (I,222,2–23) und zur Freiheit unten S. 150–155.
[103] CDh I,22 (II,90,5f).
[104] CDh I,23 (II,91,21). Cf. dazu oben 81ff.
[105] Nicht: Gott muß versöhnt werden!
[106] CDh II,16 (II,117,1f.).
[107] Cf. auch Med. red. (III,87,82f.): „nec sine debita satisfactione reconciliari poterat".

rei sint rationes."[108] – ‚größere und mehr Gründe in dieser Sache vorhanden sind, als mein oder ein sterblicher Geist verstehen kann.'
Alle Aussagen – und das Neue Testament hat ja noch mehr – wollen dennoch etwas Gemeinsames aussagen:
– Der Mensch bedarf der Reinigung, der Erlösung, der Versöhnung mit Gott. Keinesfalls geht es Anselm darum, daß Gott in sich irgendetwas bedürfe, um mit dem Menschen versöhnt zu werden. Gottes Ehre ist ja gar nicht angetastet worden, Gott ist nicht Objekt der Wirkung des Todes Jesu.
Vielmehr will Anselm deutlich machen, wie sehr der in der Knechtschaft der Sünde befindliche Mensch der Reinigung, Erlösung, Versöhnung bedarf, um gerecht zu werden. Der Mensch ist nicht Subjekt, sondern Objekt der Versöhnung. Gott ist nicht Objekt, sondern Subjekt der Versöhnung. – Weil der Mensch dies aber nicht aus sich heraus vermag, tritt Jesus Christus an die Stelle des Menschen und tritt für ihn die Strafe an, bringt ihm Erlösung, Rechtfertigung und Versöhnung: Jesus Christus ist der Stellvertreter der Menschen.
– Der Begriff der satisfactio hat in bezug auf alle Aussagen sein Recht. „Das Satis beherrscht das Feld."[109]
Christus hat in seinem Tod alles das wirklich vollbracht, so daß es für den Menschen jetzt wirklich gilt. Weil satisfactio geschehen ist, gibt es für den Menschen keine poena mehr: Der Tod ist in Christi Tod für den Menschen nicht mehr da, das Leben in der Gemeinschaft mit Gott, die beatitudo, ist und bleibt die Zukunft des Menschen.
Die Betonung liegt auf dem „satis" – und mit Hermann gilt: „Das satis ist, so könnte man sagen, ein Element des gratis."[110]

IV 2. Die Bedeutung der Satisfactio für den Menschen: Freiheit

In Kapitel II,19 werden Folgerungen für den Menschen aus dem Christusgeschehen gezogen: „Intueamur nunc, prout possumus, quanta inde ratione sequatur humana salvatio."[111] – ‚Betrachten wir nun, soweit wir es können, wie daraus die menschliche Rettung erfolgt.'
Diese Absicht ist eigentlich schon in den vorherigen Aussagen absehbar, sie verwundert nicht. Recht betrachtet ist dies nun auch kein neuer Gedankengang, gleichsam eine neue Stufe in der Argumentation, sondern Anselms Argumentation ist eigentlich abgeschlossen, zu

[108] CDh II,19 (II,131,14f).
[109] R. Hermann, Anselms Lehre, 389.
[110] AaO., 390.
[111] CDh II,19 (II,129,29f).

fragen ist jetzt nur noch, was aus diesem Geschehen für den Menschen folgt. Es geht nicht um einen neuen Schritt, sondern um „rationis contextionem“[112] – ‚den Zusammenhang der Begründung‘. Daß das geschehen muß, ist klar aus der Gedankenführung Anselms: Christus ist als wahrer Gott und Mensch zugleich erschienen, damit der Mensch befreit, gereinigt und aus seiner Schuld erlöst werde.
Das Kapitel II,19, das sich mit dieser Frage beschäftigt, ist häufig heftigster Kritik ausgesetzt gewesen. Diese Kritik richtet sich vor allem gegen den Begriff und die Vorstellung des „meritum“.

1. Das Vorkommen des Begriffs meritum in Cur Deus homo

Der Begriff „meritum“ taucht nur an zwei Stellen innerhalb von Cur Deus homo auf: In II,16 und in II,19.
a) In Kapitel II,16 fällt meritum in einem Satz zweimal auf: „Tanto ergo mirabilius deus illum restituit quam instituit, quanto hoc de peccatore contra meritum, illud non de peccatore nec contra meritum fecit.“[113] – ‚Um so wunderbarer also hat Gott ihn wiederhergestellt als hergestellt, als er jenes an einem Sünder, gegen sein Verdienst, dieses nicht an einem Sünder und nicht gegen sein Verdienst tat.‘
Der Mensch ist ohne all sein Verdienst in einen besseren Stand versetzt worden als vorher, nichts hat er dazu getan. Christus dagegen hat sich für die Menschen dahingegeben, um seinetwillen wird den Menschen die restitutio geschenkt. Der Begriff ‚meritum‘ hat hier einen polemischen Sinn: Der Mensch hat nichts dazugetan, alles hat Christus, hat Gott für ihn getan.
b) Die zweite Erwähnung des Begriffes ‚meritum‘ ist in dem oben schon genannten Kapitel II,19: „Frustra quippe imitatores eius erunt, si meriti eius participes non erunt.“[114] ‚Vergeblich werden sie nämlich seine Nachahmer sein, wenn sie nicht Teilhaber seines Verdienstes werden.‘
Das ist die einzige Erwähnung des Begriffes ‚meritum‘ im Zusammenhang des 19. Kapitels des zweiten Buches ‚Cur Deus homo‘. In diesem Kapitel möchte Anselm zeigen, daß Christi Person und Werk nur dann richtig gesehen werden, wenn sie in ihrer Absicht, und das heißt auf den Menschen hin, erkannt werden. Das Werk Christi ist kein bloßes Geschehen zwischen Vater und Sohn, das den Menschen nichts anginge, sondern erst dann wird die Bedeutung des Werkes Christi recht erkannt, wenn der Mensch als Adressat des Handelns Gottes miteinbe-

[112] CDh II,19 (II,130,2).
[113] CDh II,16 (II,117,11–13).
[114] CDh II,19 (II,130,31f).

zogen wird. Darum folgt hier das 19. Kapitel. Schwierig zu verstehen bleibt Anselms Begrifflichkeit und Vorstellung hier gleichwohl. Anselm spricht von Belohnung, die Christus von Gott zuteil wird für sein Gott nicht geschuldetes Handeln und von der Übertragung dieser Belohnung auf den Menschen. Wenn auch diese Vorstellung von Anselm kaum zu übernehmen ist, so darf seine Absicht, mit der er hier konsequent Christus und den Sünder zusammendenkt, nicht verkannt werden. In der oben zitierten Stelle will Anselm keinesfalls darüber reflektieren, was ‚meritum Christi' bedeutet, sondern der Vorbildcharakter des Sterbens Christi[115] ist auf die beschränkt, die Anteil haben an dem, was Christus selber getan hat, für die das Heilswerk Christi gilt. Der Begriff des Verdienstes wird hier eher nebenbei eingefügt und hat keine selbständige Bedeutung, hat nicht die Aufgabe, einen neuen Beweisgang zu eröffnen oder zu tragen. Dennoch wurde und wird eine heftige Diskussion geführt über die Bedeutung dieses Begriffes in diesem Kapitel.

E. Schlink etwa spricht von „Konsequenzen, die aus Anselms Lehre vom Verdienst des Todes Christi für die Ablaßpraxis der römischen Kirche gezogen worden sind".[116]

H. Kessler interpretiert die oben zitierte Stelle aus II,19 dahin, daß erst die Teilhabe am Verdienst Christi die Menschen dazu befähige, sein Beispiel nachzuahmen und sich in einem gerechten Leben die Seligkeit zu verdienen.[117] Auf der anderen Seite ist Hermann zu nennen, der sich der Aufgabe einer Neuinterpretation der Schlußkapitel von Cur Deus homo stellt und meint: „Man verbaut sich u. E. das Verständnis für die Tragweite der leitenden Begriffe, wenn man Anselms Deutung von Christi Leistung und Werk am Maßstab eines üblichen Verdienstbegriffes mißt und sie dann kritisieren zu sollen glaubt."[118]

Mönnichs Forderung nach einer neuen Interpretation des Begriffs ‚meritum'[119] ist von der Diskussion über diesen Begriff her berechtigt, weil Mißverständnisse und Ungereimtheiten das Gespräch beherrschen. Zugleich aber ist sie auch in Frage zu stellen, weil damit einem Begriff, der nur zweimal in Anselms Werk auftaucht,[120] vielleicht zuviel Ehre erwiesen wird.

[115] Nach J. Leipoldt, 305 ist diese Aussage eher als eine Nebenaussage zu verstehen: „. . . und, nebenbei, den Menschen ein Beispiel heiligen Lebens gegeben . . ."

[116] E. Schlink, 352.

[117] Cf. H. Kessler, Bedeutung, 114.

[118] R. Hermann, Christi Verdienst, 468f.

[119] C. W. Mönnich, Inhoud, 107: „. . . het begrip meritum, dat . . . een nieuwe interpretatie nodig heeft."

[120] Überhaupt in Anselms Werken lt. Registerband nur 9 mal; vgl. VI,232f.

2. Die Bedeutung von ‚meritum' in Cur Deus homo

Aufgrund der Diskussionslage ist es aber m. E. nötig, sich über die Bedeutung des Begriffs ‚meritum' bei Anselm kurz einen Überblick zu verschaffen. Wie oben gezeigt, hat er in Cur Deus homo eigentlich keine selbständige oder tragende Rolle, vielmehr taucht er das erste Mal[121] in polemischer Weise auf, und die zweite Verwendung in Kapitel II,19[122] setzt die erste voraus.

Es kann dem Menschen gerade kein Verdienst zugeschrieben werden hinsichtlich des Erwerbs der Reinigung, Gerechtigkeit, neuen Lebens. Das erste, was hinsichtlich des Begriffs ‚meritum' festzuhalten ist, bleibt eine Ablehnung: Der Mensch kann sich seine Seligkeit nicht verdienen.

Die Seligkeit wird dem Menschen aber doch zuteil, weil sich Christus als wahrer Gott und wahrer Mensch hingegeben hat, weil er gehorsam gewesen ist bis zum Tode am Kreuz. Das kann Anselm mit dem Begriff ‚meritum Christi' beschreiben.

Nach der Darstellung der Handelns Christi bleibt in Kapitel II,19 die Frage übrig, wie denn der Mensch dieses Sieges über den Tod teilhaftig wird. Und die Antwort, die Anselm gibt, ist deutlich: Selbst die Teilhabe am Sieg Christi wird von Christus selber geschenkt. Hier einen theologischen Unterschied oder sogar einen Widerspruch zur Auffassung von satisfactio bei Anselm festzustellen,[123] hieße, nicht wahrzunehmen, in welch einen Zusammenhang Anselm den meritum-Begriff stellt. Vielmehr muß die Zusammengehörigkeit von satisfactio und meritum erkannt werden. Zu Recht stellt von Wiese fest: „Da aber satisfactio und meritum nicht auseinanderzuzerren sind, ist bei der Übertragung des Verdienstes, um dessentwillen die satisfactio ja vor allem geschah, auch implizit eine direkte satisfactio vicaria vertreten."[124] Anselm nimmt den Begriff des ‚meritum' hier auf, um die Betonung auf das Geschenk zu legen, das dem Menschen zuteil wird, darauf, daß nicht einmal die Zueignung des Heils Verdienst des Menschen ist. Die oben zitierte Bemerkung Schlinks über den Zusammenhang von Anselms meritum-Begriff und dem katholischen Bußwesen[125] ist zumindest von der Intention Anselms her abzulehnen, vielmehr

[121] Siehe Anm. 113.

[122] Siehe Anm. 114.

[123] So etwa A. v. Harnack: „Diese Wendung (sc. Anrechnung des Verdienstes Christi) macht der Frömmigkeit Anselm's alle Ehre; aber sie zerstört seine Genugthuungslehre; denn wenn Christi Leiden ein Verdienst begründet, so enthält es nicht den strengen Ersatz; enthält es aber die Genugthuung, so begründet es kein Verdienst." (Lehrbuch, 404).

[124] H.-U. v. Wiese II,44. Vgl. auch G. Gäde, 259: „Denn das ‚meritum' Christi kann nach Anselm von Gott als ‚satisfactio' für die Menschen angenommen werden."

[125] Cf. Anm. 116.

kann Gäde zugestimmt werden: „Der begriffliche Unterschied zwischen ‚satisfactio' und ‚meritum' ist bei Anselm ein relationaler und kein inhaltlicher."[126] Der Unterschied ist deshalb relational, weil es in Kapitel II,16 und II,19 vor allem darum geht, auf wessen Schultern die satisfactio basiert und wie sie dem Menschen zuteil wird.
Hermanns oben genannte Forderung,[127] nicht den üblichen Verdienstbegriff in Anselm hineinzutragen, muß hier erneut zustimmend aufgegriffen werden. ‚Meritum' ist als Zusammenfassung des gesamten Gedankengangs zu sehen, ‚meritum' ist gleichsam das Ergebnis des Gehorsams Christi.
Am Ende des Gedankengangs über die Zueignung des Geschenkes Christi an die Menschen, gleich anschließend an das umstrittene Zitat aus II,19 mit dem Begriff ‚meritum', wird dieser Weg der Barmherzigkeit Christi noch einmal beim Namen genannt: „. . . quos aspicit tot et tantis debitis obligatos egestate tabescere in profundo miseriarum, ut eis dimittatur quod pro peccatis debent, et detur quo propter peccata carent . . ."[128] – ‚die [sc. die Menschen] er [sc. Christus], in viele und so große Schulden verstrickt, vor Bedürftigkeit in der Tiefe des Elends vergehen sieht, auf daß ihnen nachgelassen werde, was sie wegen der Sünden schulden, und gegeben werde, was sie wegen der Sünden entbehren'.
Damit wird noch einmal die Situation des Menschen angedeutet, der sich selber nicht helfen kann. Aber diese Situation ist ja nicht mehr alles, vorweggenommen ist ja die Befreiungstat Christi.
Am Ende dieses Gedankengangs kann Boso nur jubeln und sich freuen, und damit ist die Absicht Anselms klar: Der Begriff des ‚meritum' soll hinführen zum Lobe Gottes – ohne jedes Verdienst des Menschen wird ihm dennoch Heil zuteil.
Die These Hermanns, daß es hierbei in erster Linie „um einen Ausblick über den Bereich der Versöhnung hinaus auf den Weiteraufbau des Kreises der Seinen zum himmlischen Reich"[129] gehe, ist m. E. insofern richtig, als damit der heilsgeschichtliche Grundriß der Anselmischen Lehre, der ja vor allem auch in den Kapiteln I,16–18[130] deutlich genannt ist, zum Ausdruck kommt. Zugleich aber halte ich es für fragwürdig, so zwischen Versöhnung und Reich Gottes zu trennen: Die Versöhnung des Menschen mit Gott im Hier und Heute hat nach Anselm Konsequenzen für das Reich Gottes – es besteht ein enger Zusammenhang zwischen beiden Ebenen.

[126] G. Gäde, 260.
[127] Cf. Anm. 118.
[128] CDh II,19 (II,130,33–131,2).
[129] R. Hermann, Christi Verdienst, 459.
[130] Cf. oben S. 98–103.

Der Begriff des meritum zeigt noch einmal auf: Der Sieg Christi hat Bedeutung und Folge für den Menschen.

3. Satisfactio als liberatio – die Folge für den Menschen: libertas

In diesem Abschnitt soll versucht werden, unter den Leitbegriffen Befreiung und Freiheit das Erlösungsgeschehen noch einmal zu reflektieren; dabei soll es zunächst um die Sicht der Freiheit in bezug auf den Menschen gehen.

a) ‚liberatio'

Die Vorstellung der Befreiung des Menschen wird in Cur Deus homo gleichsam eher beiläufig eingeführt, der Begriff wird nicht diskutiert, wohl aber als bekannt und wichtig vorausgesetzt. So heißt es am Ende von Kapitel I,4 in der Beschreibung vom Gegensatz des Bundes Gottes und der Situation des Menschengeschlechts: „... nisi genus hominum ab ipso creatore suo liberaretur"[131] – ‚wenn nicht das menschliche Geschlecht von seinem Schöpfer selber befreit würde'. Wenn Befreiung nötig ist, ist Gefangenschaft da. Aber aus dieser kann den Menschen nicht ein Mensch, sondern nur Gott selber herausholen. Boso versteht nicht, wieso nur Gott selber den Menschen aus dieser Gefangenschaft herausholen kann, und sagt deshalb in Kapitel I,5: „Haec ipsa liberatio si per aliam quam per dei personam ... esse facta quolibet modo diceretur, mens hoc humana multo tolerabilius acciperet[132] – ‚Wenn irgendwie gesagt werden könnte, daß diese Befreiung durch eine andere als durch Gottes Person ... geschehen sei, könnte der menschliche Verstand das als viel tragbarer annehmen'. Um die Klärung dieser Frage geht es im Gesamtduktus von Cur Deus homo: Wie paßt die Menschwerdung Gottes zu Gott?[133] Anselm antwortet unter Hinweis darauf, daß der Mensch vom ewigen Tod erlöst werden müsse, setzt also Erlösung und Befreiung hier gleich. Das aber versteht Boso nicht, bzw. er greift in I,6 Einwände der infideles auf: „Hoc est quod valde mirantur, quia liberationem hanc redemptionem vocamus."[134] – ‚Das ist es, was sie so sehr wundert, daß wir diese Befreiung Erlösung nennen.'

Anselm antwortet auf diesen Einwand nicht direkt, er räumt ihn nicht gleich beiseite. Auffällig ist auch, daß der Begriff der liberatio im weiteren Verlauf von Cur Deus homo nicht mehr auftaucht. Das heißt nicht, daß die Vorstellung damit aufgegeben wäre, vielmehr ist das ganze Werk auch unter dem Aspekt dieses Einwandes zu sehen. Die

[131] CDh I,4 (II,52,10f).
[132] CDh I,5 (II,52,14–16).
[133] Vgl. dazu oben S. 43–50.
[134] CDh I,6 (II,53,5f).

Vorstellung der Erlösung wird im folgenden von Anselm mehrfach aufgenommen, die Art der Gefangenschaft ist das Verharren in der Sünde, ist die Knechtschaft, in der der Mensch sich befindet: Die Gefangenschaft ist die Gottesferne.
Auch wenn der Begriff der Befreiung nicht mehr auftaucht, so geht es in Cur Deus homo doch darum, daß der Mensch befreit wird.
In der „Meditatio redemptionis humanae“[135] taucht der Begriff liberatio bzw. libertas mehrfach auf: Zunächst in den Anfangssätzen, gleichsam als Überschrift oder Motto der Meditation heißt es: „Anima Christiana, anima de gravi morte resuscitata, anima de misera servitute sanguine dei redempta et liberata: excita mentem tuam, memento resuscitationis tuae, recogita redemptionem et liberationem tuam.“[136] – ‚Christliche Seele, aus dem schweren Tod auferweckte Seele, aus elender Knechtschaft durch das Blut Gottes erlöste und befreite Seele: Erwecke deinen Verstand, gedenke deiner Auferweckung, erwäge deine Erlösung und Befreiung.‘
Das Nachsinnen über die Befreiung durch das Sterben Christi ist gleichsam das, was Anselm mit der Meditation bezweckt.
In der Mitte dieser Schrift kann Anselm dann im Blick auf das Christusgeschehen sagen: „Ecce, anima Christiana, haec est virtus salvationis tuae, haec est causa libertatis tuae, hoc est pretium redemptionis tuae.“[137]
Das Sterben und Auferwecktwerden Christi wirkt dem Menschen Befreiung, er ist dann nicht mehr gefangen in der Knechtschaft der Sünde, sondern das Ergebnis ist: libertas, Freiheit.
Was aber versteht Anselm unter dieser Freiheit?

b) Anselms Verständnis von libertas

Anselms Verständnis von libertas wird vor allem deutlich in der Schrift „De libertate arbitrii“.[138]
Zunächst wird im ersten Kapitel dieser Schrift grundsätzlich bestimmt, was unter libertas arbitrii und was nicht darunter zu verstehen ist. Zum Verständnis der Freiheit auch abgesehen vom Bezug auf den Willen sagt Anselm: „Denique nec libertas nec pars libertatis est potestas peccandi.“[139] – ‚Überhaupt ist das Vermögen zu sündigen weder Freiheit noch ein Teil der Freiheit.‘

[135] Me 3 (III,84–91). Cf. auch oben S. 127–145.
[136] Me 3 (III,84,3–5).
[137] Me 3 (III,88,129f) Ähnlich auch Me 3 (III,88,131 und 89,137f).
[138] De lib (I,201–226).
[139] De lib 1 (I,208,11).

Das liegt daran, daß nach Anselms Auffassung „omnis libertas est potestas“[140] – ‚alle Freiheit Vermögen ist‘. Freiheit kann nach Anselm also nicht nur formal bestimmt werden, sondern hat immer auch eine von ihr unlösbare inhaltliche Seite. Sündigen gehört deshalb nicht zur Freiheit des Menschen, weil sündigen Ohnmacht ist. Freiheit dagegen wird positiv bestimmt als Vermögen, die Rechtheit des Willens um ihrer selbst willen zu bewahren. So heißt es in bezug auf die Willensfreiheit: „Quod ‚potestas servandi rectitudinem voluntatis propter ipsam rectitudinem‘ sit perfecta definitio libertatis arbitrii.“[141] – ‚Die vollständige Definition der Freiheit des Willens lautet: das Vermögen, die Rechtheit des Willens um ihrer selbst willen zu bewahren.‘
Durch die Sünde hat der Mensch zwar nicht die Freiheit des Willens als solche verloren, denn diese Freiheit ist gleichsam als bleibendes Band, als imago dei im Menschen erhalten, wohl aber hat der Mensch durch die Sünde die Fähigkeit verloren, sich der Freiheit des Willens zu bedienen: Er hat mit der Sünde die Rechtheit des Willens aufgegeben.[142] Das Vermögen, diese Rechtheit des Willens um ihrer selbst willen zu bewahren, beschreibt Anselm in Kapitel 8: „Servare igitur rectitudinem voluntatis propter ipsam rectitudinem est unicuique eam servanti velle, quod deus vult illum velle.“[143] – ‚Die Rechtheit des Willens um ihrer selbst zu bewahren, bedeutet also für jeden, der sie bewahrt: wollen, was Gott ihn wollen will.‘
Der Gedankengang ist also klar: Freiheit des Willens heißt: wollen, was Gott den Willen wollen will. Und allgemein auf die Freiheit bezogen heißt das: Freiheit heißt Übereinstimmung mit Gottes Willen, mit Gottes Zielen.
Die Übereinstimmung dieser Gedanken mit Cur Deus homo ist offensichtlich. Dort heißt es in Kapitel I,11: „Omnis voluntas rationalis creaturae subiecta debet esse voluntati dei . . . Hoc est debitum . . . et quod omnis qui non solvit peccat.“[144] – ‚Aller Wille der vernünftigen Kreatur muß dem Willen Gottes unterworfen sein . . . Das ist das Gesollte . . . und jeder, der das nicht einlöst, sündigt.‘
Sündigen heißt also, daß der Mensch sich selber den Inhalt seiner Freiheit nimmt.[145] Übrig bleibt „die ihres Aktes beraubte Freiheit des Sünders.“[146]

[140] De lib 3 (I,212,19).
[141] De lib 13 (I,225,2f).
[142] „. . . quia deserere voluntatis rectitudinem est peccare. . .“ De lib 3 (I,212,3).
[143] De lib 8 (I,220,21f).
[144] CDh I,11 (II,68,12–15).
[145] Auch hier ist also klar, daß die Sünde Entehrung des Menschen ist.
[146] H.-U. v. Balthasar, 255. Daß der Mensch diesen freien Willen behält, ist durchaus keine Stellungnahme zugunsten des Pelagianismus. Für den Menschen macht es keinen Unterschied, ob er einen Berg nicht sieht, weil er nicht da ist, weil es dunkel ist

Aus dieser Knechtschaft kann der Mensch nur durch Gott befreit werden, das ist die gemeinsame Aussage von Cur Deus homo und De libertate arbitrii.[147]

c) libertas in heilsgeschichtlicher Sicht

i. Bestimmung des Menschen zur Freiheit

Aus dem Zusammenhang von Schöpfung und Bund, der vor allem in den Kapiteln I,16–19 erkennbar wird,[148] ist die Bestimmung des Menschen abzulesen: Der Mensch ist geschaffen mit dem Ziel, zur Seligkeit, zur Gemeinschaft mit Gott zu gelangen. Diese enge Gemeinschaft mit Gott, die, wie Anselm ausdrücklich sagt, „in hac vita haberi non potest“[149] – ‚in diesem Leben nicht erreicht werden kann‘, ist nur möglich dem Menschen ohne Sünde, das heißt dem reinen Menschen. Ohne Sünde ist der Mensch dann, wenn er frei ist. Man könnte also mit Anselm auch sagen, daß des Menschen Bestimmung ist, frei zu sein zur Gemeinschaft mit Gott. Denn zur beatitudo gehört, das zu wollen, was Gott will, im Einklang mit dem Willen Gottes zu leben, eben: ohne Sünde zu sein. Seligkeit ist Folge dieser Freiheit des Menschen. Mit Olson ist zu sagen: „Man was made for freedom“.[150]

ii. Die Sünde des Menschen mit der Folge der Knechtschaft unter der Sünde

Dieser seiner Bestimmung lebt der sündige Mensch zuwider, er existiert in Widerspruch zum Vorhaben Gottes mit ihm. Der Mensch hat den Bund Gottes, soweit es in seiner Macht steht, zerbrochen, indem er sich selbst an die Stelle Gottes gesetzt hat, indem er meinte, seine Freiheit bestünde nicht darin, dem Willen Gottes entsprechend zu leben, sondern darin, sein eigenes Leben zu führen – auch in Widerspruch zu Gottes Willen.

Das Ergebnis dieses menschlichen Versuches, sich selber zu bestimmen, ist aber nicht die Freiheit, sondern die Knechtschaft unter der Sünde. Indem der Mensch sich gegen den Willen Gottes gestellt hat, hat er sich der Sünde unterstellt, ist er Knecht der Sünde geworden. Damit aber hat er sich selber seiner Freiheit beraubt, d. h. er hat sich

oder weil der Mensch keine Augen hat (das Beispiel entstammt De lib 3 [I,213,6–15]). Der Mensch hat den freien Willen, das aber hilft ihm, weil der pervertiert ist, überhaupt nichts. In Gottes Augen ist der freie Wille aber identisch mit dem Menschen als Ebenbild Gottes; das weist hin auf eine Weiterentwicklung der Gedanken Augustins, ohne dessen Grundlage zu verlassen.

[147] CDh I,5 (II,52,13). De lib 10 (I,222,10–13).

[148] Cf. dazu oben S. 98–103.

[149] CDh I,10 (II,67,14).

[150] G. W. Olson, 57.

selber die Möglichkeit genommen, sich seiner Freiheit, die ja darin besteht, Gott zu gehorchen, zu bedienen. Und das macht deutlich, daß der Mensch sich aus dieser Knechtschaft der Sünde nicht selber befreien kann. So schreibt Anselm in De libertate arbitrii: „Sic ergo fit ‚spiritus vadens et non rediens' (Ps. 77,39), quoniam ‚qui facit peccatum, servus est peccati' (Joh. 8,34). Quippe sicut nulla voluntas, antequam haberet rectitudinem, potuit eam deo non dante capere: ita cum deserit acceptam, non potest eam nisi deo reddente recipere. Et maius miraculum existimo cum deus voluntati desertam reddit rectitudinem, quam cum mortuo vitam reddit amissam."[151] – ‚So also geschieht es, daß der Geist geht und nicht zurückkehrt, weil der, der sündigt, Knecht der Sünde ist. Wie nämlich kein Wille, bevor er die Rechtheit hätte, sie erlangen konnte, wenn Gott sie nicht verlieh, so kann er sie auch nicht, wenn er sie einmal aufgegeben hat, wiedererlangen, außer Gott gibt sie ihm zurück. Und ich glaube, daß es ein größeres Wunder ist, wenn Gott dem Willen die aufgegebene Rechtheit wiedergibt, als wenn er einem Toten das verlorene Leben wiedergibt.'
Der Mensch bleibt unfrei – gefangen, wenn nicht Gott selber ihn aus der Knechtschaft befreit.

iii. Die Befreiung aus der Knechtschaft durch Jesus Christus
Cur Deus homo will zeigen, daß Gott den Menschen aus dieser selbstgewählten und selbstverschuldeten Knechtschaft befreien will und befreit hat. Die ‚Meditatio redemptionis humanae' nennt das Handeln Gottes in Christus liberatio,[152] Cur Deus homo spricht eher von redemptio oder satisfactio. Immer aber geht es darum, daß der Mensch befreit, erlöst, gereinigt wird. Der Mensch kann das selber nicht tun, aber Jesus Christus, der wahrer Gott und wahrer Mensch ist, hat das in seinem Tod getan: Sein Tod hat die Herrschaft der Sünde über den Menschen weggenommen, den Menschen aus der Knechtschaft der Sünde befreit. Die „Befreiung" ist der eine Teil der Bedeutung des Werkes Christi. Aber hinzu kommt noch ein zweiter Blickwinkel:

iv. Befreiung zur Freiheit

Paulus macht im 5. Kapitel des Galaterbriefes eine doppelte Aussage zur Freiheit: „Zur Freiheit hat euch Christus befreit". Eben in Punkt 3 angesprochen wurde die Bedeutung der Befreiung, der „Freiheit von". Hinzu kommt bei Paulus und auch bei Anselm unablösbar der Gedanke der „Freiheit zu". Oben[153] war gesagt worden, worin bei Anselm positiv die Bestimmung der Freiheit besteht: Freiheit befähigt den

[151] De lib 10 (I,222,9–14). Cf. auch ebd. (I,222,19–22).
[152] Cf. Anm. 137.
[153] Cf. oben S. 153.

Menschen zur Gemeinschaft mit Gott, Freiheit besagt, daß der Mensch im Einklang mit dem Willen Gottes leben kann, daß er Gott gehorchen kann. „Befreiend von der Verstrickung in die Sünde führt Gott im Gott-Menschen die Menschheit in ihre wahre Freiheit."[154]
Hans Urs von Balthasar kann zusammenfassend zu Cur Deus homo sagen: „Cur Deus homo entmythisiert die Erlösungslehre und gründet alles in der ungezwungenen Freiheit des Erlösertodes und die dadurch erfolgte Befreiung der gebundenen Freiheit des Menschen."[155]
Natürlich können die Aspekte der „Freiheit von" und der „Freiheit zu" nicht voneinander losgelöst betrachtet werden – sie sind nicht zu trennen. Dennoch sind und bleiben beide Sichtweisen wichtig.
Das Handeln Christi kann nicht für sich alleine betrachtet werden: Christus ist nie ohne die Seinen. Das weiß Anselm, und darum kann es etwa auch unter dem Aspekt der Befreiung und der Freiheit des Menschen gelesen werden. Der umstrittene Begriff des meritum Christi ist nur dann bei Anselm richtig verstanden, wenn er in Einklang mit diesen Beobachtungen steht: Christi Verdienst ist die Befreiung des Menschen zur Freiheit.

IV 3. Necessitas und Freiheit Gottes

1. Freiheit des Menschen kommt her von der Freiheit Gottes (De lib); dem scheint jedoch der Begriff der necessitas Gottes entgegenzustehen.

Die Freiheit des Menschen ist das Ziel des Handelns Gottes. Die Freiheit des Menschen kann aber nicht gesehen werden ohne die Freiheit Gottes; so wie im letzten Abschnitt gezeigt wurde, daß Christus nie ohne die Seinen sein will, so ist vom Menschen auszusagen, daß Menschenerkenntnis und Gotteserkenntnis nicht voneinander zu trennen sind: der Mensch wird erst dann richtig verstanden, wenn er von Gott her gesehen wird. Das ist bei Anselm begründet in seiner Schöpfungstheologie: alles kommt von dem Einen her und ist auf den Einen hin geschaffen. Das gilt auch von des Menschen Freiheit. In ‚De libertate arbitrii' ist für Anselm der Begriff der Freiheit erst dann recht verstanden, wenn für Gott und Mensch der gleiche Begriff von Freiheit gilt: „Libertatem arbitrii non puto esse potentiam peccandi et non peccandi. Quippe si haec eius esset definitio: nec deus nec angeli qui peccare nequeunt liberum haberent arbitrium; quod nefas est dicere."[156] –

[154] H.-U. v. Wiese II, 47.
[155] H.-U. v. Balthasar, 241.
[156] De lib 1 (I,207,11–13).

‚Ich glaube nicht, daß die Freiheit des Willens darin besteht, sündigen oder nicht sündigen zu können. Wäre das nämlich die Definition: dann hätten weder Gott noch Engel, die ja nicht sündigen können, einen freien Willen; was zu sagen Frevel wäre.‘
Wenn es menschliche Freiheit gibt, muß es also auch göttliche Freiheit geben. Jedoch scheint dem entgegenzustehen der Gebrauch des Begriffs necessitas in Cur Deus homo. So heißt es etwa über diesen Begriff bei Anselm: „Übt nun die Nothwendigkeit der Vernunft eine solche Zwangsherrschaft über die Freiheit der Liebe im Werk der Erlösung aus . . .“[157] Diese Beobachtung der Evangelischen Kirchenzeitung ist nicht singulär. So wird Anselms Position des öfteren umrissen mit Aussagen wie: Anselm versucht nachzuweisen, warum Gott Mensch werden mußte; warum er nicht anders konnte, als er es getan hat. „Die Frage nach der Notwendigkeit und dem Muß beherrscht seinen (sc. Anselms) Gedankengang.“[158] Kessler versteht sogar unter der Notwendigkeit bei Anselm, „daß Gott nur so verfahren kann, wie die Denknotwendigkeiten eines bestimmten Vorstellungshorizontes es ihm erlauben“.[159] „Eine wirklich souveräne Freiheit Gottes hätte Anselm nicht die Aussagen über Gott erlaubt, die er brauchte.“[160]
Auf der anderen Seite stehen Aussagen wie etwa von Hannah, der am Ende seiner Untersuchung feststellt: „The two terms, necessity and voluntarism, are thus not contradictory.“[161]
Der Bedeutung der Notwendigkeit ist von „Abaelard an bis heute . . . stets das regste Interesse geschenkt worden“.[162]

2. ratio – necessitas – convenientia

Zum ersten Mal taucht der Begriff der Notwendigkeit schon in Kapitel I,1 auf. „qua scilicet ratione vel necessitate deus homo factus sit“[163] – ‚aus welchem Grund oder welcher Notwendigkeit Gott Mensch geworden sei‘. Auffällig ist, daß die Begriffe ratio und necessitas nebeneinander stehen können, ja, daß sie sich gegenseitig interpretieren können. Die Beobachtung des „sich gegenseitig Bedingens“ ist keineswegs singulär, häufig stehen die beiden Begriffe so eng zusammen, weil ein jeder ohne den anderen mißverständlich wäre. In Kap. I,1 heißt es etwas weiter unten: „qua necessitate scilicet et ratione deus . . . humi-

[157] EKZ 1844, 786. Cf. auch 785.
[158] H. Kessler, Bedeutung, 139. O. Weber, Dogmatik II, 240, stimmt dieser Betrachtungsweise Anselms grundsätzlich zu, wenn er bemerkt: „Die hohe Scholastik konnte ihm gerade hierin nicht folgen.“
[159] Ebd., 145.
[160] Ebd., 148.
[161] J. D. Hannah, 340.
[162] L. Heinrichs, 23.
[163] CDh I,1 (II,48,2f).

litatem et infirmitatem humanae naturae ... assumpserit."[164] – ,mit welcher Notwendigkeit und aus welchem Grunde Gott nämlich ... die Niedrigkeit und Schwachheit der menschlichen Natur ... angenommen habe.' Wie oben in BI2 aufgezeigt, ist das die Grundfrage von Cur Deus homo. Und in dieser Grundfrage taucht eben der Begriff necessitas auf. Das macht auch die zentrale Bedeutung des Begriffs bei Anselm deutlich.

In Kapitel I,4 wird der Begriff „necessitas" weiter präzisiert. Die üblichen Antworten auf die Fragen und Einwände, die Gläubige wie Ungläubige hegen, erscheinen nur wie Bilder, aber „sine necessitate".[154] Was fehlt, ist die Notwendigkeit, ist soliditas, ein fester Grund, auf dem die Bilder dann bleiben dürfen. „Monstranda ergo prius est veritatis soliditas rationabilis, id est necessitas quae probet deum ad ea quae praedicamus debuisse aut potuisse humiliari".[166] – ,Zu zeigen ist also zunächst ein vernünftiges Fundament der Wahrheit, das ist die Notwendigkeit, die bestätigt, daß Gott zu dem, was wir verkündigen, sich erniedrigen mußte oder konnte'.

Notwendigkeit heißt also bei Anselm: ein festes Fundament haben. Dem Begriff der necessitas steht bei Anselm der Begriff der convenientia gegenüber, wobei beide Begriffe sich nicht ausschliessen, sondern vielmehr ergänzen. Konvenienzgründe sind nicht von vornherein verboten, sondern sogar geboten, wenn ein notwendiger Grund gleichsam als Fundament da ist: „deinde ut ipsum quasi corpus veritatis plus niteat, istae convenientiae quasi picturae corporis sunt exponendae."[167] – ,darauf sind, damit gleichsam der Leib der Wahrheit mehr erstrahle, jene Konvenienzen[168] wie Bilder des Leibes darzustellen.'

Aber als Begründung, als Fundament reicht so eine Konvenienz nicht aus, auch viele Konvenienzen nicht. Worin inhaltlich die Notwendigkeit bestehen muß, wird in der methodischen Vorbesinnung zunächst in CDh I,8 deutlich: „Sufficere nobis debet ad rationem voluntas dei cum aliquid facit, licet non videamus cur velit. Voluntas namque dei numquam est irrationabilis."[169] – ,Es muß uns zur Begründung der Wille Gottes genügen, wenn er etwas tut, auch wenn wir nicht ein-

[164] CDh I,1 (II,48,22-24).
[165] CDh I,4 (II,51,14).
[166] CDh I,4 (II,52,3-5).
[167] CDh I,4 (II,52,5f).
[168] Der Begriff convenientia erscheint mir nur sehr schwer im Deutschen wiederzugeben zu sein. Angemessenheit würde zwar passen, es fehlt dann aber die Bedeutungsrichtung „Harmonie, Übereinstimmung". Die Übersetzung „Billigkeit", die F. S. Schmitt zuweilen verwendet, erscheint mir unangemessen – sie umfaßt ein zu großes Bedeutungsspektrum.
[169] CDh I,8 (II,59,11f).

sehen, warum er es will. Denn der Wille Gottes ist niemals unvernünftig.'
Der Wille Gottes ist das Fundament, auf dem alle Konvenienzgründe aufbauen können, der Wille Gottes ist necessitas. Im Zusammenhang von Cur Deus homo heißt das, in der Menschwerdung Gottes in Jesus Christus und im Sterben dieses Jesus Christus den Willen Gottes zu erkennen: Darin besteht die Notwendigkeit nach Anselm. Und notwendige Gründe, „rationes necessariae" sind solche, die deutlich machen können, wie und inwiefern im Christusgeschehen der Wille Gottes erkannt wird.

3. Der Unterschied zwischen necessitas praecedens und necessitas sequens (II,5 u. II,17).

An zwei Stellen innerhalb von Cur Deus homo kommt Anselm sehr ausführlich auf die necessitas zu sprechen: Kap. II,5 und Kap. II,17.

a) necessitas in II,5

Hier kommt Anselm auf den Begriff der Notwendigkeit zu sprechen im Blick auf die Heilsgeschichte bzw. im Blick auf den Bund, den Gott von Anbeginn der Schöpfung an mit den Menschen geschlossen hat. In Kap. II,4 heißt es in Hinsicht auf diesen Bund Gottes: „Quod de humana natura perficiet deus quod incepit."[170] – ‚Daß Gott mit der menschlichen Natur vollenden wird, was er angefangen hat.'
Diese Tätigkeit Gottes kann auch als notwendig bezeichnet werden, jedoch ist dann zu sagen, daß es nicht „cogente necessitate"[171] – ‚aus zwingender Notwendigkeit' geschieht. Vielmehr ist es nach Anselm nötig, eine Unterscheidung einzuführen, die die gezwungene Notwendigkeit von der ungeschuldeten abhebt. Gott kann keine necessitas zugeschrieben werden, der er unterworfen wäre. Den Menschen zu seinem Ziel führen – das kann Gott nicht aufgezwungen werden. „Quare multo magis, si deus facit bonum homini quod incepit, . . . totum gratiae debemus imputare, quia hoc propter nos, non propter se nullius egens incepit."[172] – ‚Deshalb um so mehr, wenn Gott dem Menschen das Gute, das er begonnen hat, erweist, . . . müssen wir es ganz der Gnade zuschreiben, weil er es ja wegen uns und nicht seinetwegen, der nichts bedarf, angefangen hat.' Nicht Notwendigkeit, sondern Gnade ist der Antrieb Gottes. Die necessitas kann daher nur „improprie dicitur necessitas"[173] – ‚uneigentlich Notwendigkeit genannt werden'. Den-

[170] CDh II,4 (II,99,2).
[171] CDh II,5 (II,99,15f).
[172] CDh II,5 (II,100,16–18).
[173] CDh II,5 (II,100,25f).

noch mag Anselm den Begriff der necessitas nicht fallen lassen, begründet aber hier sein Vorgehen nicht.
Notwendigkeit ist - so ist aus II,5 klar zu erkennen - nicht etwas, was der Freiheit Gottes entgegengesetzt ist. Notwendigkeit in bezug auf Gottes Heilsplan heißt: Es ist notwendig, daß Gott das tut, aber nicht, weil Gott es nötig hätte, sondern der Mensch. Und das ist wiederum begründet im Plan Gottes, der immutabilis ist: Gottes Treue zum Menschen kann nicht wanken. „Dicamus tamen quia necesse est, ut bonitas dei propter immutabilitatem suam perficiat de homine quod incepit, quamvis totum sit gratia bonum quod facit."[174] - ‚Sagen wir dennoch, daß es notwendig ist, daß die Güte Gottes wegen seiner Beständigkeit am Menschen das vollende, was er begonnen hat, obwohl all das Gute, das er tut, Gnade ist.' Der Begriff der Gnade interpretiert hier den Begriff der Notwendigkeit. Und so paradox es auf den ersten Eindruck klingen mag: Für Anselm ist Notwendigkeit Gnade.

b) necessitas in II,17

Der Zusammenhang, in dem Anselm auf den Begriff der necessitas in II,17 zu sprechen kommt, klingt zunächst recht konstruiert: Maria, die Mutter Jesu, wird von Anselm als rein schon vor der Geburt Jesu beschrieben, wobei sie die Reinheit nicht aus sich selbst habe, sondern Marias Reinheit stamme von Jesus selber her.
Das löst bei Boso eine Nachfrage aus. Auf der einen Seite, so Boso, ist gesagt, daß Christus nicht mit Notwendigkeit sterben sollte, sondern freiwillig, auf der anderen Seite ist Maria schon vor der Geburt Jesu rein, obwohl doch erst durch Jesu Tod die Reinigung der Menschen erfolgt. Also, so schließt Boso messerscharf, war Jesu Tod doch notwendig, wenn Maria rein war schon vor der Geburt Jesu.
Die eigentlich dahinter stehende Frage ist natürlich nicht allein eine logische Spitzfindigkeit, sondern es geht vielmehr ganz zentral um die Frage: „Quare verum erat, antequam moreretur, quia moriturus erat?"[175] - ‚Warum war wahr, bevor er starb, daß er sterben sollte?' Die eigentliche Frage ist: Mußte Jesus sterben oder nicht? Die Antwort Anselms, die in II,5 angedeutet wurde, erfährt hier endgültige Klarheit. „Quod in deo non sit necessitas vel impossibilitas; et quod sit necessitas cogens et necessitas non cogens."[176] - ‚Daß es in Gott weder Notwendigkeit noch Unmöglichkeit gibt; und daß es eine zwingende und eine nicht zwingende Notwendigkeit gibt.' Es ist also unabdingbar zum Verständnis, daß es verschiedene Arten von Notwendigkeit gibt. Am Anfang des Kapitels II,17 greift Anselm zurück auf Kapitel II,5:

[174] CDh II,5 (II,100,26-28).
[175] CDh II,16 (II,122,8).
[176] CDh II,17 (II,122,23f).

„Iam diximus quia deus improprie dicitur aliquid non posse aut necessitate facere. Omnis quippe necessitas et impossibilitas eius subiacet voluntati; illius autem voluntas nulli subditur necessitati aut impossibilitati.“[177] – ‚Wir sagten schon, daß von Gott in uneigentlicher Weise gesagt wird, daß er etwas nicht könne oder mit Notwendigkeit tue. Denn jede Notwendigkeit oder Unmöglichkeit unterliegt seinem Willen; sein Wille aber ist keiner Notwendigkeit oder Unmöglichkeit untertan.‘ Es ist schon berechtigt, hier mit Gäde einen deutlichen Zusammenhang zu sehen zum Gottesbegriff Anselms aus dem Proslogion: „aliquid quo nihil maius cogitari possit“.[178] Gott bleibt Gott, das ist und bleibt vorausgesetzt. Und Gottes Wille ist unmöglich irgendeinem anderen unterlegen. Und dennoch kann Anselm von Notwendigkeit auch in bezug auf Gott sprechen. Er unterscheidet zwischen einer „necessitas praecedens“[179] und einer „necessitas sequens“.[180] Die necessitas praecedens, die vorausgehende Notwendigkeit ist die Ursache einer Sache, d. h. durch die etwas geschaffen wird, weshalb Anselm sie auch „efficiens necessitas“[181] nennen kann. Das ist die auch im allgemeinen Sprachgebrauch übliche Verwendung des Begriffs Notwendigkeit. Darüber hinaus gibt es aber auch die Notwendigkeit, die selber durch eine Sache verursacht wird, die einer bestimmten Sache notwendig folgt.[182] Von dieser Notwendigkeit heißt es etwa: „. . . sequens (sc. necessitas) vero et quae nihil efficit sed fit, est cum dico te ex necessitate loqui, quia loqueris.“[183] – ‚eine nachfolgende aber und eine, die nichts bewirkt, sondern geschieht, ist, wenn ich sage, daß du aus Notwendigkeit sprichst, weil du sprichst‘. Weil etwas ist, ist es, und zwar notwendigerweise; sonst wäre es ja nicht. Man könnte von faktischer Notwendigkeit oder von der Notwendigkeit des Faktischen reden.

Und diese nachfolgende Notwendigkeit, die nicht im Gegensatz zur Freiheit oder zum Willen Gottes steht, sieht Anselm bei Christus: „Hac sequenti et nihil efficienti necessitate . . . necesse fuit ut sic esset.“[184] – ‚Durch diese nachfolgende und nichts bewirkende Notwendigkeit . . . war es notwendig, daß es so war.‘ Weil Christus Mensch geworden ist, ist es notwendig, daß er Mensch geworden ist. Weil Christus gelitten hat, hat er notwendig gelitten. Diese Antwort stellt Boso zufrieden:

[177] CDh II,17 (II,122,25–27).
[178] P 2 (I,101,5).
[179] CDh II,17 (II,125,8).
[180] CDh II,17 (II,125,9).
[181] CDh II,17 (II,125,9).
[182] Im wesentlichen folgt Anselm hier, wie er selber auch sagt, Aristoteles. Cf. De interpretatione 9. Bei Boethius: In librum Aristotelii de interpretatione Commentaria minora, 293–392, bes. 341–383.
[183] CDh II,17 (II,125,10f).
[184] CDh II,17 (II,125,23–25).

„Satisfecisti mihi illum non posse probari ulla necessitate mortem subisse"[185] – ,Du hast mir genuggetan dahingehend, daß es nicht bewiesen werden kann, daß jener aus irgendeiner Notwendigkeit den Tod erlitt'.
Diese faktische necessitas ist alleine jedoch noch nicht ausreichend, um die ganze Fülle des lukanischen ,δεί / ἔδει'[186] zu erfassen.

4. necessitas als Ausdruck der Bundestreue Gottes

Was also bedeutet bei Anselm die Rede von der necessitas, warum spricht er von Notwendigkeit, obwohl er sie nur improprie gebraucht?

a) necessitas als Wille Gottes

Es wurde schon festgestellt, daß die Notwendigkeit, wenn Anselm sie auf Gott bezieht, nicht in Konkurrenz zum Willen Gottes treten kann, weil dem Willen Gottes schlechthin nichts überlegen sein kann.[187] Vielmehr muß die necessitas sequens als eine Notwendigkeit verstanden werden, die dem Willen Gottes folgt, ja, ihm konform ist. Strijd, der in seinem Anselm-Buch zum Begriff der Notwendigkeit bei Anselm eine ganz vorzügliche Untersuchung liefert, sieht eine Identität zwischen der Notwendigkeit und dem Willen Gottes: „De ,necessitas' is de ,immutabilitas voluntatis dei'",[188] ja, er geht sogar so weit, darin das einzige zu sehen, was Anselm in II,5 und II,17 wolle;[189] allerdings geht Strijd damit doch zu weit bzw. zu kurz. Grundsätzlich hat Strijd aber schon das Richtige gesehen: In der Notwendigkeit sieht Anselm den Willen Gottes ausgedrückt. Und material heißt das: „Als diese ,necessitas sequens' versteht Anselm nun den Tod Jesu. Er folgt notwendig aus dem Willen Gottes, die Menschheit zu erlösen."[190] Weil die necessitas der Ausdruck des Willens Gottes ist, verweist die necessitas zurück auf Gottes Willen. Gott hatte in der Schöpfung dem Menschen das Reich Gottes verheißen, die Gemeinschaft mit ihm. Dieser Wille und Plan Gottes sind nun nicht hinfällig geworden, vielmehr gilt das „Urbeseligungsdekret"[191] trotz des Menschen Sünde weiter. Die Notwendigkeit des Todes Jesu ist also der Wille Gottes, den Menschen zum Ziel zu führen, das Gott ihm zugedacht hatte.

[185] CDh II,17 (II,126,3f).
[186] Apg. 1,21; Lk 24,26.
[187] Das erste Gebot ist das theologische Axiom!
[188] K. Strijd, 128
[189] K. Strijd, 130: „Eigenlijk wil Anselmus in II 5 en II 17 maar één ding: Hij wil een identificatie doen plaats vinden van de uitdrukkingen: God moet = God wil en: God kan niet = God wil niet."
[190] G. Gäde, 243.
[191] Wie L. Heinrichs den ursprünglichen Plan Gottes nennt (44 u. ö.).

b) necessitas als Treue Gottes

Dieser Wille Gottes war selber nicht notwendig. Vielmehr war Gott frei, trotz der Sünde des Menschen dem Menschen die Treue zu halten. „Notwendigkeit in dieser Bedeutung ist nichts anderes als das Umgekehrte davon [sc. der Notwendigkeit], nämlich Freiheit, Gnade."[192] Indem die necessitas sequens auf den Willen Gottes hinweist, der nicht gezwungen werden kann, etwas zu tun, es vielmehr freiwillig tut, ist necessitas Hinweis auf die Freiheit Gottes. „Doch dieses ‚müssen' (Anselm selbst meidet hier dieses Wort) besagt lediglich, daß Gott in Freiheit seinem eigenen Heilswillen treu blieb, um das Begonnene durch Christus als den Erlöser zu vollenden."[193] Zwar ist m. E. das Wort ‚lediglich' eine unnötige und auch falsche Abschwächung, aber es ist wahr, daß necessitas hinweist auf die Treue Gottes. Gott bleibt seinem mit dem Menschen geschlossenen Bund treu, Gott ist frei dazu, ihm trotz der Sünde des Menschen treu zu sein. Eigentlich ist erst hier die Dimension der Freiheit Gottes zu sehen, eigentlich erst hier zu erkennen, was Gott kann. Notwendigkeit ist hier „nicht Ohnmacht, sondern Macht."[194]

Von Anbeginn der Schöpfung an besteht dieser Plan Gottes, und des Menschen Untreue kann Gottes Treue nicht beeinträchtigen; der necessitas-Begriff will gleichsam Kommentar sein zum biblischen Wort: „Sind wir untreu, so bleibt er doch treu".[195]

Christus ist nach Anselm Zeugnis und Inbegriff der freien Gnade Gottes, die Gott dem Menschen aus Freiheit zuwendet.[196]

c) Not-Wendigkeit

In der ‚Meditatio redemptionis humanae' heißt es: „Non egebat deus ut tam laboriosa pateretur, sed indigebat homo ut ita reconciliaretur."[197] – ‚Gott hatte es nicht nötig, solche Mühsal zu erleiden, aber der Mensch hatte es nötig, um so wiederversöhnt zu werden.' Zwar taucht hier der Begriff „necessitas" nicht auf, dennoch ist die Sache gleich. Für Gott selber war es nicht notwendig, daß er seinem Bund treu blieb, für den Menschen aber war das die einzige Möglichkeit, sein Ziel, die von Gott verheißene Seligkeit, doch zu bekommen. Für den

[192] M. B. Pranger, 46: „. . . necessitas in deze betekenis is niets anders dan het omgekeerde ervan, namelijk vrijheid, genade." (Übersetzung vom Vf.).

[193] R. Haubst, Sinn, 60.

[194] H.-U. v. Wiese I,174.

[195] 2 Tim 2,13 „Si non credimus, ille fidelis manet".

[196] Das Wort von Hans-Urs von Balthasars: „. . . sponte ist das Schlüsselwort der anselmischen Erlösungslehre . . ." (248), das wir schon einmal im Zusammenhang mit der Freiwilligkeit des Todes Christi zitierten, hat auch hier in der Rede von der Freiheit Gottes, seinem Bund treu sein, seinen Ort.

[197] Med red. (III,86,65f.).

Menschen gab es keine andere Möglichkeit, gerettet, gereinigt zu werden. „Die einzige Not-Wendigkeit bestand nämlich in dessen (sc. des Menschen) Not-Lage und in der Tatsache, daß nur Gott ihn befreien konnte.“[198] Es war also des Menschen Notwendigkeit, die Gott dazu veranlaßt hat, diesen Weg zu gehen. Haubst verweist auch noch auf die Überschrift von I,25, die seiner Ansicht nach doppeldeutig ist: „Quod ex necessitate per Christum salvetur homo“[199] – ‚daß der Mensch ex necessitate durch Christus gerettet wird‘. Denn das „ex necessitate“ kann seiner Ansicht nach heißen: a) er kann *nur* durch Christus, notwendig durch Christus gerettet werden, und b): „Der Inhalt legt aber in zweiter Linie auch diese Übersetzung des ex necessitate nahe: ‚Nur durch Christus kann der Mensch *aus seiner Notlage* befreit werden.‘“[200]

d) Die Notwendigkeit des Faktischen

Die Bestimmung der „necessitas sequens“ als notwendiges Sein dessen, was ist, die ich oben mit dem Begriff „Notwendigkeit des Faktischen“ zu charakterisieren versucht habe, hat m. E. noch eine Bedeutungsvariante für Anselms Verwendung von necessitas. Am Anfang dieses Abschnitts ist der enge Zusammenhang von ratio und necessitas aufgewiesen worden. Und wenn Anselm die Notwendigkeit der Erlösung notwendig deshalb nennt, weil sie ist, heißt das für die ratio: Der Grund, der gesucht wird, liegt nicht jenseits des Geschehens, nicht jenseits des Ereignisses, ist nicht zu finden in einer höheren Begründung. Die Frage „Warum“ ist nicht außerhalb, sondern im Christusgeschehen beantwortet. Die letzte Begründung ist auf der einen Seite der Wille Gottes, aber der ist nicht irgendwo abstrakt zu finden, sondern im Ereignis selber. Das Christusgeschehen als solches ist der Grund, nach dem gesucht wird. „Der letzte Beweis der Notwendigkeit des Todes Jesu ist seine Faktizität.“[201] Das heißt: er war notwendig, weil er geschehen ist. Anselms Begriff der necessitas ist, so wird hieran ganz deutlich, in noetischer Hinsicht aposteriorisch. Es geht nicht um irgendeine metaphysische Begründung des Inkarnationsgeschehens und des Todes Christi, sondern Fleischwerdung und Sterben sind als solche geschehen und deshalb notwendig. Anselm sucht die Begründung nicht jenseits des Geschehens, sondern im Geschehen selber. Und weil es geschehen ist, weil Gott es so gewollt hat, darum ist das ein notwendiger Grund. Obwohl die Aussage: ‚Es ist notwendig, weil es ist‘ eher tautologisch klingt, ist sie es dennoch nicht. Vielmehr ist darin die in

[198] R. Haubst, Sinn, 60f.
[199] CDh I,25 (II,94,25).
[200] R. Haubst, Sinn, 61. (Hervorhebung vom Vf.).
[201] H.-U. v. Wiese I, 174.

CDh I,8 aufgestellte Voraussetzung, der Wille Gottes genüge, um einen hinreichenden, d. h. notwendigen Grund anzugeben, erfüllt.[202]
Im Christusgeschehen sieht Anselm den Willen Gottes. Jesus Christus ist für die Menschen gestorben, weil es dem Willen Gottes, die Menschen zu erlösen, entsprach. Zugespitzt könnte man von daher sogar sagen: Das Christusgeschehen als solches ist Offenbarung des Willens Gottes. Denn es ist ja auffällig, daß Anselm den notwendigen Grund für den Tod Christi im Christusgeschehen selber findet: keine jenseitige Notwendigkeit.
In Kap. I,1 war die Aufgabe bestimmt worden, aus welchem Grunde und aus welcher Notwendigkeit Gott Mensch geworden sei und durch seinen Tod der Welt das Leben wiedergeschenkt habe.[203] Die Antwort lautet jetzt: Der Grund und die Notwendigkeit liegt im freien Willen Gottes begründet, seinem Bund mit dem Menschen treu zu sein. Und dieser Wille Gottes hat sich im Leben und Sterben Christi manifestiert.

IV 4. Barmherzigkeit und Gerechtigkeit Gottes

1. Von Wiese stellt zu Recht fest: „Das Verhältnis der Gerechtigkeit Gottes zu seiner Barmherzigkeit ist eines der Hauptprobleme im Werke Anselms."[204] In der Interpretation von Cur Deus homo wurde vor allen Dingen kritisiert, daß das Verhältnis von Gerechtigkeit und Barmherzigkeit einseitig zugunsten der Gerechtigkeit bestimmt werde, was zur Folge habe, daß das Christusgeschehen in vorwiegend juristischen Denkkategorien interpretiert werde, daß die Liebe Gottes nicht mehr der Beweggrund Gottes, sondern eher in ein starres „Äquivalenz-Schema"[205] eingeordnet werde.
Hammer betont in seiner Untersuchung etwa die „beherrschende Stellung der Gerechtigkeit Gottes in Anselms Erlösungslehre",[206] die Evangelische Kirchenzeitung behauptet, „daß bei ihm (sc. Anselm) die Gerechtigkeit in jeder Weise einseitig bevorzugt erscheint".[207]

[202] Es könnte hier die Vermutung auftauchen, die ontische und noetische Seite der necessitas würden in unzulässiger Weise vermengt. Jedoch ist die Beziehung der beiden Aspekte bei Anselm zu beachten: Die ontische Notwendigkeit ist begründet im Willen Gottes. Dieser Wille Gottes aber ist im Christusgeschehen notwendigerweise erkennbar, weil Gott sich dort zu erkennen gegeben hat: Die Notwendigkeit der Gnade geht dem Glauben, der sie zu verstehen sucht, voran.

[203] Cf. CDh I,1 (II,48,2–4).

[204] H.-U. v. Wiese I, 157.

[205] H. Ott, 189.

[206] F. Hammer, 136.

[207] EKZ 1844, 792.

Die Kritik an Anselm beruht auf Kapitel I,12. Das Kapitel ist überschrieben: „Utrum sola misericordia sine omni debiti solutione deceat deum peccatum dimittere."[208] – ‚Ob es Gott geziemt, die Sünde allein aus Barmherzigkeit ohne Bezahlung der Schuld, nachzulassen.' Nach christlicher Auffassung müßte hier ein deutliches „Ja" kommen: Genau das ziemt Gott. Das sagt Boso auch: „Non video cur non deceat."[209] – ‚Ich sehe nicht, warum es sich nicht ziemte.' Anselm aber hat Gründe, die pure Barmherzigkeit hier abzulehnen: Wenn die Sünde nicht bestraft wird, wird sie ungeordnet gelassen; wenn die Sünde aber ungeordnet gelassen wird, gibt es keinen Unterschied zwischen Sünder und Nichtsünder. Der gewichtigste Einwand ist aber: „Si autem peccatum nec solvitur nec punitur, nulli legi subiacet."[210] – ‚Wenn aber die Sünde weder abgezahlt noch bestraft wird, unterliegt sie keinem Gesetz.' Und die Folge daraus sei: „Liberior igitur est iniustitia, si sola misericordia dimittitur, quam iustitia; quod valde inconveniens videtur."[211] – ‚Also ist die Ungerechtigkeit, wenn sie allein durch Erbarmen nachgelassen wird, freier als die Gerechtigkeit; was sehr unangemessen erscheint.'
Bei Anselm streitet hier die Gerechtigkeit Gottes wider die Barmherzigkeit Gottes, und es scheint, als ob die Antwort auf die Frage, ob Gott sola misericordia vergeben könne, ein deutliches Nein sei. Boso fragt dann an, ob nicht ein Widerspruch darin liege, daß die Menschen doch Gott um Vergebung bitten könnten, das Vergeben gleichsam ein Wesenszug Gottes sei, diese Vergebung in bezug auf die Sünde aber durch Anselm ausgeschlossen werde. Die Antwort Anselms zielt auf den Willen Gottes: Das, was Gott will, ist recht.
Ott beschreibt Anselms Barmherzigkeitsverständnis so: „Die Barmherzigkeit Gottes wird hier offensichtlich nicht so gedacht, daß sie die juristisch verstandene Gerechtigkeit sprengt, sondern so, daß sie diese aufs pünktlichste erfüllt."[212]
Den inhaltlich wohl schärfsten Angriff gegen Anselm hat in dieser Hinsicht Karl Barth in KD IV,1 vollzogen: „Ist denn gerade die Menschwerdung Gottes . . . nicht der wirkliche Vollzug seines . . . Vergebens sola misericordia?"[213] Barth sieht in diesem Kapitel die Weichen für das gesamte Verständnis der Christologie falsch gestellt. Er möchte im Christusgeschehen gerade die Barmherzigkeit Gottes erkennen: Wo sonst, wenn nicht gerade da, soll der Mensch überhaupt sehen können, daß Gott ein barmherziger Gott ist, fragt Barth. Und er sieht die

[208] CDh I,12 (II,69,6f).
[209] CDh I,12 (II,69,10).
[210] CDh I,12 (II,69,25).
[211] CDh I,12 (II,69,27f).
[212] H. Ott, 190.
[213] K. Barth, KD IV,1, 541f.

Gefahr, daß Anselm einen Dissens zwischen Gotteslehre und Christologie aufbaut. Deshalb schließen sich an den oben genannten Vorwurf zwei weitere an, die eigentlich nur ein Thema haben: Gerade das Christusgeschehen zeigt uns die Barmherzigkeit Gottes, und auch des Menschen Schuld kann nicht abstrakt von ihr erkannt werden; weil das Christusgeschehen Erkenntnisgrund und Erkenntnisgegenstand ist, können Gotteslehre und Christologie nicht voneinander getrennt werden.[214]

Zu fragen bleibt jedoch, ob Anselm so einlinig unterzubringen ist, wie Karl Barth es hier nahelegt. Es bleibt ja auch zu fragen, was Anselm hier genau unter „misericordia" und „iustitia" versteht. Wiese jedenfalls behauptet: „Es ist Anselm gegenüber verkürzt, seine Gerechtigkeit nur als Strafgerechtigkeit zu verstehen und ihr die Barmherzigkeit ganz unterzuordnen."[215] Um nachzuvollziehen, warum Wiese ganz anders urteilt, ist es notwendig, den Begriffen und Vorstellungen Anselms in „Cur Deus homo" nachzugehen.

2. Durchgang durch Cur Deus homo

Nach Kapitel I,12 ist eigentlich nicht mehr zu erwarten, daß Anselm noch von der Barmherzigkeit Gottes redet, weil er ja deutlich gesagt hatte: Es geziemt Gott nicht, die Sünde durch bloßes Erbarmen, ohne Abzahlung der Schuld nachzulassen.

Jedoch kommt Anselm in Kapitel I,24 noch einmal auf die Frage nach der Barmherzigkeit Gottes zurück. „Sed derisio est, ut talis misericordia deo attribuatur."[216] – ‚Es ist aber eine Verhöhnung, Gott eine solche Barmherzigkeit zuzuschreiben.' Das wichtigste Wort ist hier talis. Es bezieht sich auf eine Vorstellung, die auf Gott keineswegs zutreffen kann: „dimittit deus quod habere non potest?"[217] – ‚läßt Gott nach, was er nicht haben kann?'

Das Ziel Gottes mit dem Menschen ist, daß der Mensch die Gemeinschaft mit ihm erfahre: die Seligkeit. Die kann der Mensch aber in dem verunreinigten Zustand, in dem er sich befindet, nicht erreichen: „Nullus autem iniustus admittetur ad beatitudinem"[218] – ‚Kein Ungerechter aber wird zur Seligkeit zugelassen werden'. Da klar ist, daß der Mensch sich nicht selber reinigen kann, sondern nur Gott, fragt Anselm jetzt nach dem Wie.

Klar ist, daß das Tun Gottes an keine Bedingung des Menschen geknüpft ist. Keinesfalls gilt von Gott, daß er, weil er den Plan mit dem

[214] Cf. aaO. 542.
[215] H.-U. v. Wiese I,161.
[216] CDh I,24 (II,93,20).
[217] CDh I,24 (II,93,19f).
[218] CDh I,24 (II,93,7).

Menschen zu Ende führen will, nun so dem Menschen die Sünde nachläßt, als wäre sie gar nicht da – den Menschen ungerecht, unrein belassend. Aus zwei Gründen geht das nicht. Zum einen wäre Gottes Macht in Frage gestellt: er ist barmherzig, weil er nicht anders kann. Das stünde aber im Widerspruch zu Anselms Gottesbegriff aus dem Proslogion, demzufolge über Gott hinaus nichts Größeres gedacht werden kann; wäre es aber so, daß Gott barmherzig sein müßte, wäre ein Wesen, das nicht barmherzig sein müßte, größer. Das aber kann nicht sein, weil das erste Gebot für Anselm als Axiom feststeht.
Der zweite Grund besteht darin, daß der Mensch in unreinem Zustand belassen wird – das paßt nicht zur beatitudo.[219]
So scheint der Schluß aus I,12 sich auch hier zu wiederholen: „Si rationem sequitur deus iustitiae, non est qua evadat miser homuncio, et misericordia dei perire videtur."[220] – ‚Wenn Gott dem Weg der Gerechtigkeit folgt, kann das arme Menschlein nicht entweichen, und die Barmherzigkeit Gottes scheint zugrunde zu gehen.' Anselm nimmt hier die oben genannten Einwände vorweg. Doch er bleibt nicht bei der Aporie stehen. Boso fordert: „Aliam misericordiam dei video esse quaerendam quam istam."[221] – ‚Ich sehe, daß eine andere Barmherzigkeit Gottes als diese gesucht werden muß.'

a) Gerechtigkeit

„Und zwar geschieht diess (sc. die Versöhnung) auf eine Weise, welche die vollkommene Einheit und Uebereinstimmung der justitia Dei mit seiner misericordia darstellt. Diess letztere erhellt auch leicht, da Anselm in seiner Genugthuungs-Theorie unter der justitia nicht die juridische, die Sünden der Menschen unbedingt strafende Gerechtigkeit, sondern diejenige Eigenschaft Gottes versteht, vermöge der er das, was nach seinem Willen recht und gut ist, unbedingt verlangt, also mehr die Heiligkeit Gottes nach der positiven Seite ihrer Thätigkeit, und der Hauptsinn der betreffenden Stellen in dem Satze sich vereinigt: Gottes Barmherzigkeit kann die Schuld der Sünde nicht tilgen, ohne dass seine Heiligkeit in den Menschen das Gute, die justitia oder obedientia gegen seinen Willen, wieder herstellt."[222]
In der Schrift: „De veritate" stellt Anselm im 12. Kapitel eine Definition der Gerechtigkeit auf: „Iustitia igitur est rectitudo voluntatis propter se servata."[223] – ‚Gerechtigkeit ist also die Rechtheit des Willens, bewahrt um ihrer selbst willen.' Anselm selber sagt von dieser Defini-

[219] Cf. CDh I,19 (II,84,22–24).
[220] CDh I,24 (II,94,8f).
[221] CDh I,24 (II,93,29).
[222] C. Klaiber, 30.
[223] De ver 12 (I,194,26).

tion, daß sie auf Mensch und Gott passe,[224] und das heißt, daß sie auch zum Verständnis der Gerechtigkeit Gottes in Cur Deus homo weiterhilft.

Es ist nach der eben genannten Definition ein Zusammenhang zu suchen zwischen Wille und Gerechtigkeit. Der Wille Gottes, und das heißt der Plan Gottes, ist einer der Ausgangspunkte, die in CDh I,10 vorausgesetzt werden: Gott hat ein Ziel mit dem Menschen, dessen beatitudo. Diesem Ziel hat sich der Mensch entgegengesetzt, hat eigentlich seine Bestimmung zunichte gemacht: Die beatitudo scheint dahin, der Mensch hat seine Zukunft verspielt. Und das heißt auch, daß Gottes Wille, Gottes Plan mit dem Menschen nicht vollzogen werden kann. Die Gerechtigkeit Gottes ist die Rechtheit des Willens. „Rectitudo voluntatis" meint in bezug auf die Kreatur, daß sie das will, was sie soll, in bezug auf Gott aber, der keinem debere unterliegt, daß sie das will, was sie will.[225] Angewandt auf den Willen Gottes mit der menschlichen Kreatur heißt das, daß die Gerechtigkeit Gottes der reine Wille ist, die Menschen in die Gemeinschaft mit Gott zu führen. Gott will die Menschen zur Seligkeit führen, Gerechtigkeit Gottes ist die Bundestreue Gottes: Gott bleibt seinem Bund, den er mit den Menschen geschlossen hat, treu. Die Versöhnung des Menschen mit Gott durch und in Jesus Christus ist begründet in der Bundestreue Gottes.

Die Gerechtigkeit Gottes hat aber noch einen zweiten Bezug: die Gerechtigkeit des Menschen. M. E. widerspricht Anselm in CDh I,12 einem falschen Verständnis der Barmherzigkeit, weil der Mensch dadurch nicht gerecht würde, wenn Sündenvergeben ein bloßes Wegschauen wäre. Der Mensch soll vielmehr aus der Unreinheit in die Reinheit, aus der Ungerechtigkeit in die Gerechtigkeit geführt werden. Die Gerechtigkeit des Menschen besteht nach der allgemeinen Definition in der Bewahrung der Rechtheit seines Willens, d. h. darin, daß der Mensch will, was er soll. Konkret benannt ist das in CDh I,11: „Omnis voluntas rationalis creaturae subiecta debet esse voluntati dei. ... Haec est iustitia sive rectitudo voluntatis"[226] – ‚Aller Wille der vernunftbegabten Kreatur muß dem Willen Gottes unterworfen sein ... Das ist die Gerechtigkeit oder Rechtheit des Willens'.

Aufgrund der Sünde befindet sich der Mensch nun aber im Stande der Ungerechtigkeit, und daraus muß er erlöst werden, um wieder gerecht zu werden. Das ist nötig, um in die Gemeinschaft mit Gott, um zur beatitudo zu gelangen. Der Wille Gottes ist es, die Menschen zur Seligkeit zu führen. Weil die Gerechtigkeit Gottes mit dem Willen Gottes identisch ist und der Mensch nur in gerechtem Zustand dieses Ziel er-

[224] Cf. De ver 12 (I,196,1–12).
[225] Cf. De ver 10 (I,189,29–190,33).
[226] CDh I,11 (II,68,12–16).

reichen kann, er sich selbst aber nicht gerecht machen kann, ist festzuhalten: In Jesus Christus macht die Gerechtigkeit Gottes den Menschen gerecht.
Die Gerechtigkeit Gottes ist bei Anselm nicht fordernd, nicht juridisch. Sondern sie ist, im Zusammenhang der Bundestreue Gottes verstanden, schenkend, gerecht machend!

b) Barmherzigkeit

„Man hat Anselm oft vorgeworfen, daß die Barmherzigkeit Gottes in seiner Erlösungslehre zu kurz komme. Tatsächlich wollte er aber genau das Gegenteil erreichen. Er führt den Gedanken der Gerechtigkeit nur deshalb bis zum Ende unerbittlich durch und weist viele – seiner Meinung nach allzu menschliche – Vorstellungen von der Barmherzigkeit zurück, um schließlich zur wahren göttlichen Barmherzigkeit vorzudringen.“[227]
Am Ende von „Cur Deus homo“ werden iustitia und misericordia dei zusammengesehen: „Quam magna et quam iusta sit misericordia dei.“[228] – ‚Wie groß und wie gerecht die Barmherzigkeit Gottes ist.‘ Die Frage Bosos in I,24, sein Drängen hin auf eine andere Barmherzigkeit, „aliam misericordiam“,[229] hat eine Antwort erfahren. Im Verlaufe des Gesprächs hat sich die Vorstellung von Barmherzigkeit verändert. In I,12 war sie verstanden worden als menschlich-allzumenschliche Vorstellung: „einfaches Vergeben“. Mit der Ablehnung des „einfachen Vergebens“ wollte Anselm vor zweierlei Gestalten der Barmherzigkeit als ‚billiger Gnade‘ warnen:
i. „Billige Gnade heißt Rechtfertigung der Sünde und nicht des Sünders.“[230]
Wenn misericordia heißt, daß die Sünde „sine omni debiti solutione“[231] – ‚ohne alle Abzahlung der Schuld‘ nachgelassen wird, dann kann das heißen, daß die Sünde als solche vor Gott so gut und gerecht wie die Sündlosigkeit erscheint, die Sünde wird gerechtfertigt. Der Sünder aber, der sich im Zustand der Ungerechtigkeit, Unreinheit befindet, wird nicht gerechtfertigt, vielmehr wird er dort gelassen. Gott sieht über die Sünde hinweg, das allein sagt noch lange nicht genug aus über das Tun Gottes, über das Vergeben Gottes. Ziel ist vielmehr die Veränderung des Menschen, die Rechtfertigung des Menschen, seine Gerechtigkeit. Dazu muß er befreit werden, und darum ist Anselms Verständnis von Gottes Barmherzigkeit größer, weil er sie in Zusam-

[227] R. Schwager, 164.
[228] CDh II,20 (II,131,26).
[229] CDh I,24 (II,93,29).
[230] D. Bonhoeffer, Nachfolge, 13.
[231] CDh I,12 (II,69,6).

menhang bringt mit dem Plan, dem Bund Gottes mit dem Menschen.
Die Barmherzigkeit Gottes besteht darin, den Menschen zur Gemeinschaft mit ihm selber zu führen, ihn von seiner Sünde loszumachen, indem er selber den Tod, der Sünde Sold, auf sich nahm und ihn so besiegte, daß der Mensch rein ist, weil alle Unreinheit abgewaschen wurde, und daß er gerecht ist, weil alle Ungerechtigkeit von Gott selber getragen wurde.
ii. „Billige Gnade . . . heißt Sündenvergebung als allgemeine Wahrheit."[232]
Die eigentliche Frage von Boso lautet m. E.: Gibt es einen notwendigen Zusammenhang zwischen der Christologie und der Gotteslehre? Und gerade im Blick auf die Sündenvergebung sieht er bei Anselm einen Weg, den er ohne die Christologie gehen könnte; Boso fragt sich, wozu dann der schwierige Denkweg über Christus noch nötig sei. Anselm nimmt die Frage auf, weist sie zurück, weil die Sünde und damit auch die Vergebung der Sünde gar nicht ohne Christus zu verstehen sei,[233] und beantwortet die Frage in Aufnahme von Bosos Intention im Verlaufe der Argumentation. Am Ende der Untersuchung steht ein neues, vertieftes Verständnis von Barmherzigkeit da, eins, das die Frage von Boso aufhebt. Erst dann ist die Barmherzigkeit Gottes recht verstanden, wenn sie vom Christusgeschehen her verstanden wird. Es ist keine allgemeine Barmherzigkeit, nicht Barmherzigkeit als Prinzip. Sondern im Christusgeschehen hat Gott selber gezeigt, was seine Barmherzigkeit ist. „Misericordiam vero dei . . . tam magnam tamque concordem iustitiae invenimus, ut nec maior nec iustior cogitari possit."[234] – ‚Die Barmherzigkeit Gottes aber . . . haben wir als so groß und so stimmig mit der Gerechtigkeit befunden, daß sie nicht größer oder gerechter gedacht werden kann.'
In I,12 war die Gefahr zu groß, daß misericordia zu einem Prinzip, zu einer allgemeinen Wahrheit werden könnte, zu einer Wahrheit, die auch völlig losgelöst vom Christusgeschehen über Gott ausgesagt werden könne, die ohne Bezug auf die Christologie Gottes Tun am Menschen beschreibe. Der Verlauf der Argumentation zeigt nun, daß Anselms Bestreben genau dahin geht, Boso zu zeigen, daß gerade der Begriff der misericordia erst dann recht und zu Gott passend ist, wenn er im Christusgeschehen erkannt wird. So drückt misericordia die Tiefe des Sündenverständnisses aus: Boso wird zur Einsicht geführt, daß der Mensch totus peccator ist, daß er nichts, aber auch gar nichts tun kann, um seinem Sündersein zu entkommen, daß der Mensch –

[232] D. Bonhoeffer, Nachfolge, 13.
[233] S. o. S. 144–175.
[234] CDh II,20 (II,131,27–29).

jeder Mensch – nicht nur gesündigt hat, sondern in der Sünde gefangen ist. Und erst jetzt wird erkennbar, was es sich Gott hat kosten lassen, den Menschen zu versöhnen. Wäre das Sündenvergeben ein einfacher Augenschlag gewesen, ein einfaches Wegschauen, so wäre es ja nicht nötig gewesen, daß Gott sich selber in die menschliche Sünde hineinbegibt. Da er es aber tut, indem Gott selber als Mensch zur Welt kommt, um sie zu versöhnen, zu retten, wird deutlich, was es Gott selber gekostet hat, seinem Bund mit den Menschen treu zu bleiben. Gott selber trägt im Sterben seines Sohnes die Sünde der ganzen Welt, Gott gibt sich selber hin für das Leben der Sünder. Und erst daran ist erkennbar, worin die Barmherzigkeit Gottes besteht: Gott vergibt dem Menschen die Sünde, er macht den Menschen gerecht. Das Verständnis in I,12 war vom Wortlaut her nicht völlig falsch gewesen, natürlich läßt Gott die Sünde „sola misericordia“[235] nach; aber dieses „sola misericordia“ kann nicht recht verstanden werden, wenn es als allgemeine Wahrheit gesehen wird, sondern nur, wenn das Christusgeschehen selber zeigt, worin die Barmherzigkeit Gottes besteht. Die oben von Karl Barth gestellte kritische Anfrage an Anselms Verständnis von Barmherzigkeit: „Ist denn gerade die Menschwerdung Gottes . . . nicht der wirkliche Vollzug seines . . . Vergebens sola misericordia?“[236] ist also mit Anselm mit einem kräftigen Ja zu beantworten: Die Menschwerdung Gottes ist der wirkliche Vollzug seines Vergebens sola misericordia!

IV 5. Der Zusammenhang der Eigenschaften Gottes

Bosos Ausgangsfrage in Kapitel I,1 war gewesen: Wie kann die Niedrigkeit des Christusgeschehens und vor allem der Tod desjenigen, der wahrer Gott und wahrer Mensch war, in Einklang gebracht werden mit der Gotteslehre, oder anders gesagt: Wie kann im Christusgeschehen Gott selber erkannt werden?

Diese eigentliche Frage von Cur Deus homo[237] findet im Werk eine klare Antwort: Gerade das Christusgeschehen selber zeigt an, wie Gottes Barmherzigkeit und Gerechtigkeit zu verstehen sind. Die Gotteslehre, und hier speziell die Lehre von den Eigenschaften Gottes, ist bei Anselm nicht einfach die bekannte Größe, nach der sich die Christologie zu richten hat, sondern im Verlaufe der Antwort werden die Eigenschaften Gottes immer mehr von der Christologie her bestimmt.

[235] CDh I,12 (II,69,6).
[236] K. Barth, KD IV,1, 541f.
[237] Cf. oben S. 43–50.

Thema von Cur Deus homo ist nicht die Lehre von den Eigenschaften Gottes, sondern vielmehr das Verhältnis der Christologie zu den Eigenschaften Gottes. Wie aber nachgewiesen wurde, gewinnen dabei die Eigenschaften Gottes an Aussagefähigkeit. Am Ende des Werkes heißt es, daß Gerechtigkeit und Barmherzigkeit in Übereinstimmung zueinander stehen.

„Hieraus ergibt sich zugleich, daß es, wenn man sagt, Gott ist gerecht, weise, heilig und dergleichen, nicht gemeint seyn könne, daß ihm dieses als Qualität zukomme, so daß er etwas Anderes wäre, und etwas Anderes seine *Gerechtigkeit*, *Heiligkeit* usw. Vom Menschen sagt man darum wohl: *er hat Gerechtigkeit*, *Weisheit*; aber keineswegs von Gott; *er ist vielmehr die Gerechtigkeit*; und diesen Sinn hat es, wenn gelehrt wird: er ist gerecht. Weise, gerecht usw. drücken mithin aus, was Gott ist; nicht, welche Eigenschaften ihm, als wäre er etwas von diesen Verschiedenes, zukommen ... Denn was er ist, ist er durch sich selbst; also auch die Gerechtigkeit, folglich die Gerechtigkeit an sich.“[238]

Die Eigenschaften, die Gott hat, sind keine Akzidentien, keine Gott zugeschriebenen Eigenschaften, sondern es sind jeweils die Gott eigenen, die ihm urtümlichen Eigenschaften, es ist jeweils Gott selbst: Gott selbst „ist seine Eigenschaften“.[239]

Das hat zweierlei Konsequenzen:

a) In Gott selber entsteht kein Zwiespalt.

Am Anfang der Überlegungen war von einem möglichen Widerspruch zwischen verschiedenen Eigenschaften Gottes die Rede, hier zwischen Gerechtigkeit und Barmherzigkeit. Anselm aber stellt fest, daß die Eigenschaften ihre inhaltliche Füllung nicht von einem allgemeinen Verständnis dieser Begriffe her haben, sondern daß sie erst dann als passend und auf Gott zutreffend erkannt werden, wenn sie von Gottes Tun selber gefüllt werden. Daß iustitia dei die Bundestreue Gottes und nicht eine allein fordernde Größe ist und daß misericordia dei ein Tun Gottes ist, was ihn selber etwas kostet und den Menschen verändert, das ist keine Erkenntnis, die wir aus dem immanenten Verständnis der Begriffe selber gewinnen könnten. Und darum ist es nicht nötig, in Gott selber einen Widerspruch zwischen diesen beiden Eigenschaften zu konstruieren. Weil nur von *Gottes* Tun her erkannt werden kann, wie er ist, darum treffen die Dinge, die wir Gott zuschreiben, Gott zunächst einmal nicht; vielmehr muß dem Menschen erst gezeigt werden, wie Gott handelt, bevor er sagen kann, wie Gott ist.

[238] J. A. Möhler, 155f. (Hv. v. Möhler).

[239] A. Bütler, 21. Ähnlich auch R. Hermann, Anselms Lehre, 378: „... ja, Gott selbst ist diese Gerechtigkeit“ und E. R. Fairwether, „iustitia dei“, 331: „... the identification of divine attributes with the divine nature“.

b) Anselm vertritt keine analogia entis.

Mönnich betont in seinem Aufsatz „De inhoud van Anselmus' Cur Deus Homo“: „Ob man bei Anselm von einer analogia entis sprechen mag, lasse ich dahingestellt sein, aber ich neige dazu. Sicher ist es so, daß Anselm sich in naher Umgebung dieses Begriffs bewegt.“[240] Mönnich stützt seine These auf die Argumentationsweise Anselms mit der ratio, die Anselm als similitudo dei verstehe, und das heißt weitergedacht, daß Anselm nach Mönnichs Meinung von der menschlichen ratio auf Gottes ratio schließe.[241]
Dieser Auffassung ist aber Anselms tatsächliches Vorgehen in Cur Deus homo entgegenzuhalten. Anselm erkennt nach der Erkenntnis des Christusgeschehens, aposteriorisch, Gottes Eigenschaften, genauer: im Christusgeschehen. Anselms Analogieverständnis ist nicht ein Schließen vom Hier und Heute auf Gottes Wesen, vielmehr gewinnen die Eigenschaften Gottes erst von Christus her an Bedeutung: erst von daher können wir wissen, was Gottes Gerechtigkeit ist und worin Gottes Barmherzigkeit besteht. Nur daraufhin können wir wirklich von Gottes Eigenschaften reden. Dieses Analogieverständnis wird mit gewissem Recht von Hans-Urs von Balthasar „analogia libertatis“[242] genannt, weil erst in der Befreiung des Menschen das Wesen Gottes erkennbar ist. Auch wenn die Unterscheidung der Begriffe „analogia entis“ und „analogia fidei“ viel später erfolgt ist, so ist doch festzuhalten, daß Anselm in „Cur Deus homo“ auf jeden Fall zur „analogia fidei“ hin tendiert.
Das Christusgeschehen selber ist Erkenntnisgrund für das Wesen Gottes – das macht Anselms „Cur Deus homo“ klar.
Gäde erkennt in seiner Studie „Eine andere Barmherzigkeit“ auch diesen engen Zusammenhang von Barmherzigkeit und Gerechtigkeit Gottes und führt ihn auf den Gottesbegriff aus dem Proslogion zurück: Weil es nichts gibt, was über Gott hinaus gedacht werden könne, sei die höchste Gerechtigkeit und die höchste Barmherzigkeit jeweils mit Gott identisch; Boso hätte in I,12 ein Verständnis im Sinn gehabt, das nicht durch diese Definition hindurchgegangen sei; wenn aber bei der jeweiligen Eigenschaft Gottes diese „Formel“ mitbedacht würde, dann könnte sie nicht mehr falsch verstanden werden. Grundsätzlich ist Gäde zuzustimmen, weil er nicht stehenbleibt bei der Antinomie, son-

[240] C. W. Mönnich, Inhoud, 100: „Of men bij Anselmus mag spreken van een analogia entis . . ., laat ik in het midden, al ben ik ertoe geneigd. Zeker is het zo, dat Anselmus zich beweegt dicht in de omgeving van dit begrip.“ (Übersetzung vom Vf.).

[241] In viel schärferer Weise geht H. Kessler, Bedeutung, 126 mit Anselm ins Gericht, weil der Gott „zum Gefangenen der menschlichen ratio“ mache. Cf. oben zu ratio in BII2.

[242] H.-U. v. Balthasar, 262 u. ö.

dern die „Übereinstimmung von Gerechtigkeit und Barmherzigkeit“[243] entdeckt. Allerdings bleibt zu fragen, ob Gäde das Christusgeschehen bei Anselm als Offenbarung des Wesens Gottes verstehen und inwiefern die Definition des Proslogion: „aliquid quo nihil maius cogitari possit“ der Rahmen Anselms sein kann, in den er die Christologie einordnet. Mir scheint bei Gäde die Proslogion-Formel die Konstante und die Christologie die Variable zu sein. Damit beantwortet aber m. E. auch Gäde nicht die eigentliche Frage Bosos aus I,1: Wie hängen Christologie und Gotteslehre zusammen?

Zusammengefaßt meine ich, daß Anselm diese Frage beantwortet, indem er zunächst vorschnelle Antworten ablehnt (I,2–10), sodann die Aussichtslosigkeit vor Augen stellt, daß der Mensch sich selber erlösen könne (I,11–25). Im zweiten Buch wird dann festgestellt: Nur Gott könne es, aber er wolle es und tue es auch: Aus dem Tode Christi erfolgt die Rettung des Menschen (II, 1–19). Kapitel 20 und 22[244] bilden die explizite Antwort zur Frage in I,1.

Die Niedrigkeit und der Tod Christi sind kein Gegensatz zur Hoheit Gottes, weil die Hoheit Gottes erst in der Niedrigkeit und im Tod Christi erkannt wird. Die Hoheit und Größe Gottes besteht darin, daß Gott dem Menschen gegen alle Untreue des Menschen treu bleibt, daß Gott seine Verheißungen aufrecht erhält. Zugespitzt ist zu formulieren: Die Niedrigkeit des Sohnes Gottes ist die Hoheit Gottes, oder noch schärfer: Gottes Hoheit ist seine Niedrigkeit. Gott erweist seine Macht darin, daß er Treue hält, daß er den Menschen liebt, daß er selber für die Sünde des Menschen einsteht, daß er dem Menschen dessen Ehre wiederschenkt, indem er ihn mit sich gemeinschaftsfähig macht. Gottes versöhnendes Handeln ist Ausweis seiner Größe! Der Tod am Kreuz, der auch von Anselm als schmachvoll und grausam gesehen wird, ist kein Widerspruch zur Hoheit Gottes, sondern Ausdruck von Gottes Größe.

„Cur Deus homo“ ist in der Tat Aufnahme des Proslogion-Begriffs: „aliquid quo nihil maius cogitari possit“. Aber diesen allgemeinen Begriff füllt Anselm nun mit der Vorstellung des Christusgeschehens: Über das Christusgeschehen kann nichts Größeres gedacht werden, weil es das Niedrigste ist, was Gott für den Menschen erlitten hat!

In der Einleitung war geklärt worden, daß als Begründung ausreicht, wenn im Christusgeschehen der Wille Gottes erkannt wird. Die Mindestvoraussetzung aus I,8[245] wird von Anselm noch überboten: Das Christusgeschehen selber ist Erkenntnismaßstab des Willens Gottes ge-

[243] G. Gäde, 279.

[244] Kap. II,21 bildet einen Exkurs über den „diabolus“ (II,21–II,132,7–28), der von Kapitel I,16–18 her naheliegt.

[245] S. o. S. 74–78.

worden. Dieser Erkenntnis entspricht auch das letzte Kapitel in „Cur Deus homo“.[246] Anselm nutzt hier die Doppelbedeutung des Wortes „testamentum“:
i. In Jesus Christus ist der Bund Gottes mit den Menschen erneuert: „ipse idem deus-homo novum condat testamentum et vetus approbet“[247] – ‚eben der Gott-Mensch den Neuen Bund begründet und den Alten bestätigt‘. Daß Jesus Christus den Alten Bund bestätigt hat, heißt ja, daß Gottes Verheißung ungebrochen gilt; Gott bleibt seinem Bund mit den Menschen treu. Und daß der Neue Bund von Jesus Christus begründet wurde, heißt, daß in ihm in ganz neuer Weise Gottes Bund mit den Menschen erkannt werden kann; das Christusgeschehen zeigt Gottes Zukunft mit den Menschen an, in Christus hat Gott den Menschen gezeigt, wie sehr er sie liebt. Und das heißt, daß an Christus die Liebe Gottes erkannt werden kann.
ii. „sicut ipsum veracem esse necesse est confiteri, ita nihil quod in illis continetur verum esse potest aliquis diffiteri“.[248] – ‚wie man bekennen muß, daß er wahrhaftig ist, so kann keiner bestreiten, daß wahr ist, was in ihnen [sc. den Schriften des Alten und Neuen Testaments] enthalten ist‘.
Christi Person und Werk sind wahrhaftig, und das hat Konsequenzen für das Verständnis der Heiligen Schrift: weil der Inhalt des Alten und Neuen Testaments der Alte und Neue Bund und die Person Christi ist, darum ist das Alte und Neue Testament selber von dieser Wahrheit mitbetroffen. Die Schrift ist nicht aus sich selber heraus wahr, sondern in ihrem Hinweischarakter auf Gottes Treue mit den Menschen; sie ist wahrhaftige Zeugin der Wahrheit. So wird auch hier im letzten Kapitel noch einmal die Antwort auf Bosos Frage deutlich: Warum ist Gott Mensch geworden? Weil Gott es so wollte, weil Gott den Bund mit den Menschen hält.
Anselm gibt keine Antwort, die Gottes Weg mit den Menschen begründet, ergründet oder gar analysiert. Anselm geht vielmehr Gottes Weg der Treue nach, und so kann seine letzte Antwort nur der Hinweis auf den Willen Gottes sein. Gottes Wille ist nicht ergründbar, nicht hinterfragbar; aber in Jesus Christus ist Gottes Wille erkennbar: „Sind wir untreu, so bleibt er doch treu.“[249]

[246] Cf. dazu S. 64–71.
[247] CDh II,22 (II,133,8f).
[248] CDh II,22 (II,133,9–11).
[249] 2 Tim 2,13.

IV 6. Pulchritudo Dei

„Für ihn (sc. Anselm) hat die ratio, die die fides quaerens intellectum aufzusuchen hat, nicht nur utilitas, sondern eben auch pulchritudo . . . und man sollte . . . nicht übersehen, daß er . . . dieses delectari sogar als den ersten . . . Zweck seiner Untersuchung namhaft gemacht hat."[250] In der Tat ist das Ziel von „Cur Deus homo" in Kapitel I,1 mit pulchritudo und delectari angegeben: „Quod petunt, . . . ut eorum quae credunt intellectu et contemplatione delectentur"[251] – ‚Darum bitten sie, . . . daß sie sich am Verstehen und Beschauen dessen, was sie glauben, erfreuen'. Und Anselms Lösung ist „propter utilitatem et rationis pulchritudinem amabilis"[252] – „um ihres Nutzens und ihrer sinngefügten Schönheit willen liebenswert".[253]

Anselms Begründung ist schön zu nennen, weil das, wovon Anselm spricht, selber schön ist. Dem grundsätzlichen Einwand Jüngels – „Deshalb kann das Ereignis der Offenbarung nicht der Kategorie des Schönen zugeordnet werden. Dazu war die Sünde zu häßlich, zu der Gott den, der von keiner Sünde wußte, um der Sünder willen – ihnen zugut! – gemacht hat"[254] – wird auch von Anselm nicht widersprochen. In der Tat ist das Christusgeschehen selber offensichtlich nicht schön. Das wird vorausgesetzt, es geht ja um Niedrigkeit und Tod. Aber Anselm entdeckt in der Niedrigkeit und im Tod pulchritudo: Schönheit, die „sub contrario verborgen erscheint."[255] Ziel Anselms ist es, in der Niedrigkeit und im Tod des Gottessohnes Gottes Herrlichkeit aufzuzeigen, und das geschieht, indem er gerade darin die Treue Gottes erkennt. Pulchritudo Dei ist, wie alle anderen Eigenschaften Gottes, nicht zu beschreiben mit unseren Kategorien von Schönheit. Vielmehr muß Gott selber seine Schönheit zeigen. Und das hat er nach Anselm getan, indem Gott seine Bundestreue durchgehalten hat, weil er dem Menschen gnädig ist. Die Gnade Gottes ist schön. Die Versöhnung des Menschen mit Gott ist pulchritudo.[256]

[250] K. Barth, KD II,1, 740.

[251] CDh I,1 (II,47,8f).

[252] CDh I,1 (II,48,8f). Die pulchritudo ist wegen der hervorgehobenen Stellung am Schluß besonders betont.

[253] Übersetzung nach H.-U. v. Balthasar, 217.

[254] E. Jüngel, „Auch das Schöne muß sterben", 124.

[255] Ebd.

[256] Es bleibt aber eine Erkenntnis sub contrario. Einsicht in die Bundestreue Gottes muß dem Menschen erst geschenkt werden, denn daß Gott „harmonia, odor, sapor, lenitas, pulchritudo" (Prosl. XVII – I,113,6) – ‚Einklang, Wohlgeruch, Wohlgeschmack, Milde, Schönheit' ist, das erkennt der Mensch nicht: „sed obriguerunt, sed obstupuerunt, sed obstructi sunt sensus animae meae vetusto languore peccati" (Prosl. XVII–I,113,14f) – ‚aber die Sinne meiner Seele sind starr und stumpf und blöde geworden durch die alte Krankheit der Sünde'.

Diese Schönheit bedeutet für den Menschen Freude. Über die Einsicht in die Treue Gottes, die von Gott gehalten wird gegen alles Tun der Menschen, kann sich der Mensch nur freuen. Das ist, wie K. Barth zu Recht feststellte, das eigentliche Hauptziel in Cur Deus homo. Das Verstehen des Tuns Gottes ist ein Staunen über Gottes Wege. Und genau das geschieht in den letzten Kapiteln von Cur Deus homo explizit: Das Kapitel II,22 ist ein einziger Jubelruf über die Liebe Gottes. Und „Cur Deus homo" schließt mit einem Lob Gottes: „qui est benedictus in saecula amen"[257] – ‚der hochgelobt ist in Ewigkeit. Amen'. Und dies Zitat aus Röm 1,25 faßt eigentlich Anselms Ziel und Ergebnis zusammen: Die „Heilsordnung glänzt in ihrer Ordnungsschönheit als Offenbarung von Gottes Freiheit und damit von seiner innergöttlichen, ganz anderen und unendlichen Seligkeit auf."[258] Im Tod Jesu Christi ist „nach den Schriften des Neuen Testaments Gottes Liebe am Werk, die sich gerade nicht (wie der amor hominis) am Schönen entzündet, sondern den häßlichen, nämlich sich selbst entstellenden homo peccator dadurch schön macht, daß sie ihn liebt. Als Ereignis der Liebe Gottes ist der Tod Jesu Christi das Gegenteil dessen, was er zu sein scheint."[259] Diese neutestamentliche Sicht trifft auch auf Anselm zu: Gottes Liebe verändert den homo peccator, indem sie ihn gerecht und rein macht. Das Ziel des Menschen, Gottes Absicht mit dem Menschen ist die Gemeinschaft mit Gott, die beatitudo: das Wort beatitudo ist selber schon eine Verheißung ewiger Freude. In seiner Untersuchung „Cur Deus homo" verifiziert Anselm von Canterbury die Einsicht aus Psalm 111,2: „Groß sind die Werke des Herrn; wer sie erforscht, der hat Freude daran." Die Versöhnung des Menschen mit Gott, die der Inhalt der Überlegungen Anselms ist, ist Gnade: „totum sit gratia bonum quod facit."[260] – ‚all das Gute, das er tut, ist gänzlich Gnade'.

[257] CDh II,22 (II,133,14f).
[258] H.-U. v. Balthasar, 239.
[259] Jüngel, „Auch das Schöne muß sterben", 124.
[260] CDh II,5 (II,100,27f).

DIE NOT-WENDIGKEIT DER GERECHTIGKEIT

Auf die eine Frage, die Anselm gestellt wird, antwortet Anselm sehr ausführlich. Die letzte und tiefste Antwort, warum Gott Mensch geworden ist, warum Gott die Niedrigkeit und den Tod auf sich genommen hat, ist nach Anselm der Wille Gottes. Gott wollte es so. Ob es für Gott eine andere Möglichkeit der Versöhnung gegeben hätte, hält Anselm für unbeantwortbar – wir haben nur diese. Und in dieser findet Anselm den Willen Gottes. Dieser Wille Gottes ist für Anselm allerdings nicht leer oder abstrakt, vielmehr ist der Wille Gottes seine Treue zum Menschen. Gott ist dem Menschen treu, auch wenn der untreu ist. Diese Sünde bringt dem Menschen den Tod, der das Ende für die Verheißung Gottes zu bedeuten scheint. Jedoch hält Gott sein Versprechen auch gegen des Menschen Unglauben durch und hilft dem Menschen aus seiner Not, indem er ihn gerecht macht. Gottes Barmherzigkeit ist seine Gerechtigkeit.
In seinem Buch „Cur Deus homo" möchte uns Anselm die Freude an Gott und Gottes Handeln aufzeigen, indem er gerade in der Niedrigkeit und im Tod Jesu Christi Gottes Wesen und Willen erkennt: Gottes Gerechtigkeit wendet die Not des Menschen.

Cur Deus homo?
Weil Gott es will.
Weil die Gnade letztlich doch recht bekommt.
Deshalb zeigt Anselms Cur Deus homo
die Not-Wendigkeit der Gerechtigkeit.

Beiträge zur Geschichte der Philosophie und Theologie des Mittelalters – Neue Folge